Dantel Falcısı

DANTEL FALCISI

Orijinal adı: The Lace Reader
© 2008, Brunonia Barry
Yazan: Brunonia Barry
İngilizce aslından çeviren: Çiğdem Küçük

Türkçe yayın hakları: © Doğan Egmont Yayıncılık ve Yapımcılık Tic. A.Ş.
Bu kitabın Türkçe yayın hakları Anatolialit Telif ve Tercümanlık Hizmetleri Tic. Ltd. Şti. aracılığıyla alınmıştır.
1. baskı / haziran 2009 / ISBN 978-605-111-221-3
Sertifika no: 11940

Kapak tasarımı: Geray Gencer
Baskı: Altan Basım Ltd. / Yüzyıl Mahallesi
Matbaacılar Sitesi 222/A 34200 Bağcılar - İSTANBUL
Tel. (212) 629 03 74

Doğan Egmont Yayıncılık ve Yapımcılık Tic. A.Ş.
19 Mayıs Cad. Golden Plaza No. 1 Kat 10, 34360 Şişli - İSTANBUL
Tel. (212) 246 52 07 / 542 Faks (212) 246 44 44
www.dogankitap.com.tr / editor@dogankitap.com.tr / satis@dogankitap.com.tr

Dantel Falcısı

Brunonia Barry

Çeviren: Çiğdem Küçük

Harika eşim, Gary'ye
ve eşimin kız kardeşi Joanne'nin sihirli kızıl saçlarına...

Teşekkür

Aşağıdaki kişilere teşekkür etmek istiyorum:

– Yıllarca benden yardımını ve arkadaşlığını esirgemeyen Alexandra Seros'a...

– Bana inandığı ve her şeyin gerçekleşmesini sağladığı için ajansım Rebecca Oliver'a. Engin görüşü için Brian Lipson'a. Endevor Ajans'a.

– Bu hikâyenin böyle bir şampiyonu olduğu için Lauri Chittenden'e. Harika notları ve verdikleri ilham için Laurie Chittenden ve Clare Smith'e. Heathrow Havaalanı'nda kitabın elyazmasını okuyan Lisa Gallagher'e özel teşekkürler.

– Bana yazmaya devam etmemi söyleyen önsezi armağanı ve varlığı için annem June'a. Her zaman iyi adamlara ve iyi köpeklere ve bana inanan babam Jack'e.

– Dostum ve dostuma: Okudukları ve pek çok taslak hakkında yorum yaptıkları, sarsılmaz inançları ve *Dantel Falı*'nın bahçesini bahşettikleri –inanılmaz hediyeleri– için Whitney Barry ve Emily Bradford'a.

– Warren Caddesi yazarlarına: 5 yıldır verdikleri destek ve öneriler için Jacqueline Franklin ve Ginni Spencer'a.

– Bütün yardımları için Diane Stern'e.

– Halkla ilişkiler konusundaki uzmanlıkları için Kelley ve Hall'a.

– İlk okumalar için Tami Wolff ve Deer Adası'ndaki Amerikan Psikoloji Topluluğu, İngilizce sınıfına.

– Yayıncılık endüstrisiyle ilgili geniş bilgilerini cömertçe benimle paylaştığı için Rema Badwan'a.

– Tarihsel doğruluğu ve Salem'le ilgili şeyleri kontrol ettiği için Jim McAllister'e.

– Önceden okumaları ve bakış açışı üzerine notları için Tom Jenks'e.

– Düzenleme ustalıkları için Ed Chapman, Norma Hoffman, Laura Vogel ve Ruth Greenberg'e.

– Ve okurlara: Mandee Barry, Mark Barry, Susan Marchand, Donna Housh, Ed Trotta, Marcia Goodstein, Dottie Denesen, Andy Postman, Jeannine Zwoboda, Carol Cassella, Gloria Kelley, Jocelyn Kelley ve Megan Hall'a.

... Ve son olarak; ama asla en az değil, harika bir savaşçı ve süper bir köpek yavrusu olan Bizy'ye.

Birinci bölüm

Dantel falına bakacak kişi, desen bulanıklaşıp, fal baktıranın yüzü peçenin gerisinde tamamen kaybolana kadar uzun uzun bakmalıdır dantel parçasına. Gözler, gözyaşlarıyla dolmaya başlayınca ve sabır artık tükenince, henüz tam olarak görünmeyen bir şey beliriverecek.

O dakikada, bir şekil biçimlenmeye başlayacak, gerçek olanla sadece hayal edilen arasındaki boşlukta...

Dantel Falı Rehberi

1

Benim adım Towner Whitney. Hayır, bu tam olarak doğru değil. Benim gerçek adım Sophya. Asla bana inanmayın. Her zaman yalan söylerim.

Ben deli bir kadınım... Bu son söylediğim doğru işte.

Deliliğin genetik olduğunu söyler, benden daha kibar olan küçük erkek kardeşim Beezer. Bu delilik durumunu farklı bir düzeye taşıdığımı kabul etse de takmaktan gurur duyduğu bir nişane gibi, "Biz, beş deli kuşaktan gelmekteyiz" der durur.

Ben ortaya çıkana kadar, Salem,[1] Whitney ailesinden, sevgiyle "acayip" diye söz ederdi. Eski bir Salem parası olsaydın, bu para çoktan tedavülden kalksa da, senden asla deli diye bahsedilmezdi. "Değişik" hatta "tuhaf" addedilebilirsin; ancak böyle bir durum için şüphesiz favori kelime "acayip"ti.

Kuşaklar boyunca, Whitney erkeklerinin hepsi acayiplikleriyle ünlü olmuştur: Denizlerin ve sanayinin kaptanlarından, atom fiziği ve sicim teorisi üzerine yazdığı makaleleriyle bilimsel çevrede iyi tanınan küçük erkek kardeşim Beezer'a kadar.

Örneğin büyük büyük büyükbabamız, hanımefendilerin ayaklarıyla ilgili tasasını, Lynn'in başarılı ayakkabı işinde sanayi kaptanı olarak harika bir kariyere dönüştürdü, nesilden nesile geçip büyükbabam G. G. Whitney'e kalan bir şirket yarattı. Hakkıyla yasal bir sanayi kaptanı olan büyük-büyük-büyükbabamız, birçok kişinin saplantı olduğunu düşündüğü tarçın koklama eğilimine sahipti. Sonunda, dünyayı gezip Salem'i Yenidünya'nın en zengin

---

1. Amerika'nın Massachusetts eyaletine bağlı Boston şehrinin yakınında bulunan kasaba. İlk Püriten Protestan kolonilerinden olan bu kasaba 1692'de yaşanan "Salem Cadı Olayları" ile ünlüdür.

limanlarından biri haline getiren, baharat satan ticaret gemilerinden oluşan bir filo kurdu.

Yine de herhangi biri "acayip" tanımlamasına, yeni başarılar yükleyenin Whitney ailesinin kadınları olduğunu kabul eder. Örneğin; annem May, yürüyen çelişkili bir ifade gibidir. Yirmi yılı aşkındır yaşadığı adayı terk etmemiş (tutuklanmaları dışında), kendini adamış bir münzevi olan May, bununla birlikte uzun süredir ölü olan dantel işi sanayisini canlandırmayı başarmış ve kendini bu süreçte meşhur etmiştir. Kadınlara başarılı işinde bir yer vererek ve çocuklarını evde özel eğiterek, suistimal edilmiş kadın ve çocukları kurtarma noktasında büyük ün kazanmıştır. Bunların hepsi, cömertliğinin bir gereği olarak zamanında kendisi de böyle açıkladığı üzere *gerekli olduğu ve kendisine bir eşleştirme düzeni bahşedildiği* için kendi çocuklarından birini kısır olan üvey kız kardeşi Emma'ya veren, açık alan korkusuna sahip öfkeli biri tarafından yapılmıştır.

Ve bana şimdiye kadar May'den daha çok anne olan büyükteyzem Eva da tuhaflıkta onu aratmıyordu. Seksenlerine kadar kendi işini ustalıkla yürüten Eva, Bostonlu Brahmin ve Salem cadısı olarak ün yapmıştır, her ne kadar ikisi de olmasa da. Aslında Eva, transandantal eğilimleriyle eski bir üniteryen okulludur. Emerson ve Thoreau'dan alıntı yapıyormuş gibi Kutsal Kitap'tan alıntılar yapar. Ancak son yıllarda, bezmiş mecazlar kullanması bir şekilde onu, tahmin etmesi için ödenen kaçınılmaz sonuçlardan uzaklaştıracakmış gibi sadece basmakalıp sözler sarf etmekteydi Eva.

Hayatının otuz beş yılı boyunca Eva, hanımefendiler için bir çay salonunu yönetmiş ve Boston'un güney kıyılarının zengin çocuklarına başarılı görgü kuralları dersleri vermiştir. Ancak Eva, dantel falına bakma konusundaki esrarengiz yeteneğiyle hatırlanacaktır. Dünyanın dört bir yanından insanlar, Eva'nın dantel falları için toplanır; o, danteli sadece önünüzde tutup gözlerini kısarak kusursuzca geçmişinizi, şu anınızı ve geleceğinizi anlatabilir size.

O ya da bu şekilde bütün Whitney kadınları dantel falına bakabilir. İkiz kız kardeşim Lyndley, dantel yorumlayamadığını söylerdi; ancak ona asla inanmadım. En son denediğimizde, benim gördüğüm şeyi o da gördü örnekte ve o gece gördüğümüz şey sonunda ölümüne neden olacak seçimlere itti Lyndley'i. O öldüğünde dantel parçasına bir daha asla bakmama konusunda kararlıydım.

Bu, Eva ile şu ana kadar şiddetle hemfikir olmadığımız birkaç şeyden biridir. "Dantel yanlış olduğu için değildi" diye sürekli ısrar etti. "Fala bakan kişinin yorumlarıydı boşa çıkan." Biliyorum ki daha iyi hissedeceğimi sanıyordu. Eva kasten incitmek için asla bir şey söylemez. Ancak Lyndley ve ben o gece aynı şekilde yorumladık danteli ve seçimlerimiz farklı olsa da Eva'nın söylediği hiçbir şey kız kardeşimi geri getiremez.

Lyndley'in ölümünden sonra Salem'den ayrılmak zorunda kaldım ve yere basmadan gidebilceğim en uzak yer olan Kaliforniya'da buldum kendimi. Biliyorum ki Eva, evime, Salem'e dönmemi istiyor. Bunun benim iyiliğime olduğunu söylüyor. Ancak, bunu yapmaya kendimi ikna edemem.

Çok yakın bir zamanda, dantel yapmak için kullandığı dantel yastığını gönderdi bana Eva, rahim operasyonu geçirdiğimde. Hastaneye teslim edildi yastık.

"Bu ne?" diye sordu hemşirem, onu havaya kaldırıp, gözlerini makaralara, dantel parçasına ve ona sıkıca tutturulmuş olan, hâlâ tamamlanmamış işe dikmişti: "Bir çeşit yastık?"

"Bu, dantel işi yapan bir kişinin yastığı" dedim. "Ipswich danteli yapmak için."

Boş boş bana baktı. Hiçbir fikri olmadığını rahatlıkla söyleyebilirdim. Şimdiye kadar gördüğü herhangi bir yastık gibi görünmüyordu bu yastık. Ne kahrolası bir şeydi peki bu Ipswich danteli?

"Hapşırman ya da öksürmen gerekirse, onu dikiş yerlerine doğru tutmaya çalış" dedi en sonunda. " Yastıkları biz burada bu amaçla kullanıyoruz."

Elimle yokluyordum yastığı, içindeki saklı cebi bulana kadar. Parmaklarımı içine daldırdım; bir not arıyordum. Hiçbir şey yoktu.

Biliyorum ki Eva, dantel falına bakmaya tekrar başlayacağımı ummakta. Bu işin, Tanrı tarafından verilen bir yetenek olduğuna ve bize bahşedilen bu yetenekleri kullanmamız gerektiğine inanır o.

Yazmış olabileceği notu hayal ediyorum: *"Kendisine çok şey sunulan ve kendisinden çok şey beklenenlere-Luka 12:48."* Kanıt olarak Kutsal Kitap'ın bu kısmını alıntılardı.

Dantelleri yorumlayabiliyorum ve zihinleri okuyabiliyorum; bu, yapmaya çalıştığım bir şey olmasa da zaman zaman kendiliğinden meydana geliyor. Annem her ikisini de yapabiliyor; ancak yıllar geçtikçe May, insanların zihinlerindeki şeyleri ve geleceklerini bilmenin her zaman birinin menfaatine olmadığına inanan pratik bir kadın oluverdi. Bu, muhtemelen annemle benim şimdiye kadar hemfikir olduğumuz tek noktadır.

Hastaneden ayrıldığımda, yastıklardan birinin kılıfını çaldım. Hollywood'lu Presbiteryen etiketi her iki tarafında da basılıydı kılıfın. Eva'nın dantel yastığını, iplerini, dokumasını ve hâlâ iliştirilmiş duran, Poe'nun küçük sarkaçları gibi sallanan kemiksi iğlerini saklayarak kılıfın içine tıkıştırdım.

Şayet önümde bir gelecek varsa ki olduğundan o kadar da emin değilim, bunu, dantelde görmeye çalışmak gibi bir riske girmeyeceğim.

2

Dantel falına bakacak her kişi, bir dantel parçası seçmeli. Bu, hayatı boyunca onun olacak. Kuşaktan kuşağa geçen bir desen ya da güzelliği ve aşinalığı ile fal bakacak kişi tarafından seçilen bir parça olabilir bu. Birçoğu el yapımı dantelleri tercih eder; özellikle eski Ipswich dantellerini ya da Sarı Köpek Adası'nın kadınları tarafından yapılan yeni dairesel parçaları.

Dantel Falı Rehberi

Telefon çaldığında, rüyamda deniz görüyordum. Şu an yaşadığım Kaliforniya sahil kasabalarının sıcak mavi ve yeşillerini değil; gençliğimin Yeni İngilteresinin koyu Atlantiğini. Rüyamda, Ay'a doğru yüzüyorum. Bütün rüyalar gibi bu da mantıklı gözüküyor. Denizle ay arasında yol olmadığı fikri asla belirmiyor.

Kendi stilimde yüzüyorum; yer yer kurbağalama, yer yer boğulmaktan kurtularak; öteki yaşamdan hatırlanan bir ritim gibi yavaş ve kararlı. Su üstünde duran burnum, kulaklarım ve gözlerim, su altında kalmış ağzımla hareketlerim oldukça etkili. Atılan her kulaçla, küçük tuzlu dalgalar açık ağzımdan içeri giriyor ve ben yavaşladıkça geri çekiliyor, kuşatan büyük okyanusu aksettirerek. Dikkat edersen, her yerde aynalar var. Eva, her zaman bunu söyler. Bu dünyanın ötesinde hayatlar var.

Uzun bir süre yüzüyorum. Rıhtımın ve ölü denizin uzağında. Herhangi bir kara parçasından uzakta. Deniz sakinleşip berraklaşana, gerçek bir okyanus olamayacak kadar durgunlaşana kadar yüzüyorum. Hayali dolunaydan gelen ışık, siyah sularda parlak bir patika, takip edilecek bir yol yapıyor önümde. Yüzerken sessiz ve sağlam olan nefesim dışında hiç ses yok.

Bu, bir zamanlar kız kardeşimin rüyasıydı; şimdi ise benim.

Hareketin ritmi, telefon ısrarla çalarken, yerini bir ses ritmine bırakıyor. Bu, gerçekten çalan birkaç telefondan biri, bu ev işini almamın sebeplerinden biri de. Adamızda sahip olabileceğimiz türden bir telefon bu. Aynı zamanda başıma gelen ilginç şeylerden biri de. Kendi geçmişimi tekrar yazmakta kararlıyım. May, gerçekten çalan bir telefona sahip, yazıyor olduğum geçmişte. Terapistim Dr. Fukuhara, Jung[2] taraftarıdır. Sembollere ve gölgelere inanır o. Tıpkı benim gibi. Ancak terapim şimdilik sona erdi. Bayan Fukuhara, *bir kördüğüme gelmiş bulunmaktayız*, şeklinde dile getirdi bu durumu. O, bunu söylerken güldüm. Komik olduğu için değil; teyzem Eva'nın kullandığı kalıplaşmış sözlerden biri olduğundan.

Dördüncü çalışta, çağrı yanıtlama makinesi devreye giriyor. Bu makine de eski; ancak telefon kadar değil; aramaları saklayabileceğiniz ve gerçekten biriyle konuşmaya değip değmeyeceği konusunda karar vermeden önce bırakılan mesajın küçük bir kısmını dinleyebileceğiniz türden bir makine.

Erkek kardeşimin sesi, teneke gibi çok yüksek geliyor.

Açmak için içimde hâlâ erimeyen dikişleri yırtarak uzanıyorum telefona.

"Ne?" diyorum.

"Seni uyandırdığım için üzgünüm" diyor Beezer.

Greek'te tepede çalan Santana sesiyle ve gece açan yaseminlerin kokusuyla kendimden geçip, dün gece bu kanepede uyuyakaldığımı hatırlıyorum; kalkamayacak kadar yorgundum.

"Üzgünüm" diyor tekrar. "Seni aramazdım; fakat..."

"Fakat May'in başı belada yine." Beezer, beni son zamanlarda ilk defa arıyor. En son saydığımda May altı kez tutuklanmıştı, suistimale uğramış kurbanlarına yardım etme çabasıyla. Geçenlerde Beezer, yerli kefalet kefillerinin telefon numaralarını hızlı aramaya aldığını söylemişti bana.

"May değil."

Boğazım düğümleniyor.

"Eva."

Öldüğünü, düşünüyorum. *Aman Tanrım, Eva öldü.*

"O, kayıp, Towner."

Kayıp. Bu kelimenin hiçbir anlamı yok. "Kayıp" duymayı beklediğim en son kelime.

Palmiye yaprakları, açık pencereme karşı tıkırdıyor. Hava şimdiden çok sıcak. Berrak Santa Ana gökyüzüsü, deprem havası. Pencereyi kapatmak için uzanıyorum. Kedi, çarpan pencereye doğru fırlayıp sadece birkaç kuyruk tüyünü yakalayarak, vadisinin özgürlüğü için ileri atıldıkça bacaklarımın bir tarafından öbür tarafına tırmıklar bırakıyor ki, bu sadece birkaç dakika önce bu-

2. Carl Gustav Jung, analitik psikolojinin kurucusu.

rada olan ve şimdi kaybolan şeyin son izleri; bu kadar hızlı. Aniden bacaklarımdaki kedi tırmıkları sızlamaya başlıyor.

"Towner?"

"Evet?"

"Bence eve dönsen iyi olur."

"Peki" diyorum. "Peki, tamam."

3

Bu, Ipswich danteli ya da yastık danteli veyahut kemik danteli olarak bilinir. Dantel, kadınların kucaklarında tutulan uzun yastıklara yapılır. Bu yastıklar, yuvarlak ya da ovaldir ve genellikle Victorya dönemi kadınlarının, at arabalarında yolculuk yaparken ellerini sıcak tutmak için taşıdıkları el kürklerine benzer. Her kadın kendi yastığını yapar ve bu yastıklar kadınların kendisi gibi şahsidir. Ipswich'te yastıklar, eski dokuma parçalarından oluşturulur ve sonra kıyı otlarıyla doldurulur.

Dantel Falı Rehberi

Salem News gazetesi, Eva'nın ortadan kayboluşuyla ilgili hikâyeyi daha yeni ele aldı. "Yaşlı Kadın On Gündür Kayıp" ve "Salem'in Ünlü Dantel Yorumlayıcılarından Eva Ortadan Kayboldu." Eva bana bu gazeteyi yollardı. May'in manşetleri kaplamaya başladığı zamanlardı. Bir süre gerçekten de okudum onları. Annemin suistimale uğramış kadınları kurtarma stratejileri uğruna polisle çatışması gittikçe popüler oluyordu ve saklanması gereken iyi metinlerdi bunlar. Daha sonra ise ev sahibim sıkılıp onları geri dönüştürülmesi için Santa Monica'ya götürene ya da kışsa eğer sıkıca sarıp şöminesinde odun gibi yakana kadar gazeteleri verandada bıraktım.

Gazete, Eva'nın sadece uzaklaştığını düşünmekte. Salem'in Yaşlanma Konseyi'nden röportaj yapılan bir kadın, Salem'in bütün yaşlı yerlilerininin etiketlenmesini öneriyor. Şöyle ilginç bir resim geliyor gözünüze: Kulak etiketleri ve sakinleştirici tabancalarıyla bütün yaşlı insanları kovalayan polisler. Önerisiyle çok ileri gittiğini fark eden kadın şöyle devam ediyor: "Bu tarz şeyler hep olur. Salem küçük bir şehir. Eminim ki çok uzağa gitmiş olamaz."

Bu kadın belli ki teyzemi tanımıyordu.

Boston'dan gelen feribot, Derby Caddesi'nde indiriyor beni, Hawthorne'un kuzeninin büyüdüğü Yedi Çatılı Ev'den birkaç blok ötede. Yazımları farklı olsa da Nathaniel Hawthorne'un karısı Sophia Peabody'nin adı verilmiş bana; benim adım Sophya şeklinde yazılıyor. Bayan Peabody'nin uzaktan bir akrabamız olduğuna inanarak yetiştirildim; ancak Eva Teyzemden Peabodylerle hiçbir ilişkimiz olmadığını ve annemin Sophia'yı ilginç bulduğunu ve dolayısıyla onu bizdenmiş gibi benimsediğini öğrendim. (Böylelikle yalancılığın ailenin hangi tarafından geldiğini görüyorsunuz.) Bu, beni rahatsız edene kadar, May ile ben neredeyse hiçbir şey konuşamaz duruma gelmiştik bile. Teyzem Eva ile çoktan taşınmıştık. Adımı Towner diye değiştirdim ve başka hiçbir şeye cevap vermiyordum. Dolayısıyla çok da umursamadım bunu.

Uzun süredir yürüyorum. Kolumdaki östrojen yaması kaşınmaya başladı. Bundan dolayı bir kızarıklık mevcut; ancak lanet olası şeyi kesip atmaktan başka ne yapacağımı bilmiyorum. Büyük ihtimalle bu kızarıklık sıcaktan oldu. Yeni İngiltere'de yazların ne kadar sıcak ve nemli olduğunu unutmuşum. Önümde turistler toplanmış. Otobüsler, yan sokakları sıkıştırarak, Yedi Çatılı Ev'in önünde sıraya dizilmiş. İnsanlar, bir yandan fotoğraflar çekerek bir yandan da halihazırda dolu olan çantalarına hediyelik eşyaları tıkıştırarak gruplar halinde hareket etmekteler.

Her bir köşede, geçmişe ait buruk izler pusuya yatmakta. Yürürken hemen önümde altından çatısıyla gümrük dairesi var. Burası, Hawthorne'un atanmış bir memur olarak çalıştığı yer. Kasaba halkı eski katran tüy cezası yeteneklerini hatırlamadan, Hawthorne batıya, Concord'a firar ederek, bu kasabanın ötesinde yerli halkı konu edinip, onların sırlarını ortaya çıkararak yazdı yazılarını. Hâlâ onu, sahiplenirler burada. Tıpkı cadı duruşmalarının alıp başını gittiği zamanlarda asla var olmayan; ancak şimdi ise burada büyük sayıda serpilen cadıları kutladıkları gibi.

Common'un[3] adresini sormak için bir çocuk önüme geçti. Aslında üç çocuk var; ikisi kız, biri erkek. Hepsi zenci. İlk olarak *Got* olduklarını düşünüyorum; ama hayır, kesinlikle genç cadılar bunlar. Bunu sonunda açığa vuran şey ise kızlardan birinin giydiği "Kutlu ol" tişörtü.

Yolu tarif ediyorum. "Sarı tuğlalı yolu takip et" diyorum. Aslında o, cadde üzerine çizilmiş bir tur güzergâhı ve kırmızı renkte, sarı değil; ancak neyi kastettiğimi anlıyorlar. Kocaman Frankeinstein kafalı bir adam yanımdan geçiyor el ilanları dağıtarak. Senaristi çağırmak istiyorum; ama bu bir film seti değil. Bir polis arabası yavaşlıyor ve polisler önce çocuklara, sonra bana bakı-

3. Boston'da bir park.

yor. Çocuklardan erkek olanı, polis arabasının yanındaki cadı logosunu işaret edip polislere tam puan veriyor. Frankeinstein, her birimize Freaky Tur'un el ilanını verip, o büyük çukur kafasının içine gömülüyor. Beezer, "bütçesiz evrensel turlar" diye çağırır bu tür turları. Erkek kardeşimden, Salem'in imajını "Cadılar Şehri" olarak değiştirmeye çalıştığını duymuştum. Beezer, onların bir blok içerisinde dikilebilecek perili köşklerin sayısını sınırlayan bir yasa çıkarmak için uğraştıklarını söylemişti geçen yıl. Görünüşe bakılırsa bu yasa çıkmadı.

Kızlardan kısa olanı –ikinci kız– başını yavaş yavaş yan tarafından çekiyor boynu çatırdayana kadar. Ensesinde Kelt düğümü dövmesi, solgun teninde kapkara saçlar. Adama "Hadi, gidelim" diyor, kolundan tutup benden uzaklaştırıyor. "Teşekkürler" diye karşılık veriyor çocuk. Gözlerimiz buluşuyor, hızlı bir gülücük atıyor. Kız aramızda gidiyor, rotasında tutmaya çalıştığı büyük bir gemi gibi onu genişçe döndürerek. Onları takip ediyorum, Eva'nın evine doğru aynı yönde yürüyerek; ancak yeterli bir mesafe bırakıyorum ki kız, çocuğun peşinde olduğumu zannetmesin.

Oldukça uzun bir yol. Kalabalığı görmeden müziği duyuyorum –doğasının müziği, New Age. Woodstock'a dönebilirdik kasvetli kıyafetlerimizin hâkimiyetinde olmasaydık. Ne tatili olduğunu merak ediyorum. Hangi pagan kutlaması acaba? Günleri saydığımda fark ediyorum ki yaz gündönümü gibi bir şey, bir hafta geçmiş olsa da. Los Angeles'ta yaşamak, mevsimleri unutturdu bana. Burada pagan olun ya da olmayın yazın gelişini herkes kutlar.

Salem Common, koca meşeleri, akçaağaçları ve demirden yapılmış gotik parmaklıklarıyla kayıp bir okul anısını canlandırmakta. Cadılardan sonra ancak devrimden önceki bir vakitte bu parkın altında tüneller vardı. Deniz ticareti yapan tüccarlar, büyük ihtimalle İngiliz vergi toplayıcılarından ticaret primlerini saklamak için bu tünelleri kullanmıştır; en azından böyle bir teori mevcuttu. Bağımsızlık savaşı sonunda başlayınca, aslında korsanlarla tamamen aynı olan; ancak hükümetin izniyle korsanlık yapan ticaret gemileri tarafından kullanıldı bu tüneller. İngiltere değil, yeni hükümetti izin veren; çaldıkları İngiliz gemileriydi. Onların ayrıca burada cephane ve güherçile sakladıklarını duydum. Küçükken, Beezer ve ben tünelleri arardık; ancak Eva bize onların artık doldurulmuş olduğunu söylerdi.

Hawthorne Oteli'nin yanındaki köşeden dönmekteyim, annemin küçüklüğünden beri, her yıl olduğu gibi hâlâ otelin karşısında, köşede duran camlı, eski mısır makinesinden çıkan kuvvetsiz ateşi görüyorum. Ayrıca değnekler ve kristaller satan geçici bir tezgâh var; ama bu yeni işte. Caddenin karşısında, Cape Ann'de asıl amacını fark etmekte başarısız olduktan sonra, Salem şehrinin kurulmasıyla sonuçlanan Roger Conant'ın heybetli bir heykeli dikilmekte. Eva'nın haftada en az on kez tekrarladığı sözlerinden biri geldi aklıma: *Hiçbir şey tesadüf değildir.* Ve bunu mutlaka bir diğeri takip eder: *Her şeyin bir sebebi vardır.*

Polisler her yerde: Bisiklette, ateş yakma izni isteyen insanlarla konuşurken. "Burada yapamazsınız" dediğini duyuyorum içlerinden birinin. "Ateş yakmak istiyorsanız, Gallows Tepesi'ne çıkmalı ya da kumsala gitmelisiniz."

Karşıdan karşıya geçiyorum. Eva'nın evinin kapısını açıyorum, bahçesinden gelen şakayık ve çiçeklerin kokusundan bir nefes çekerek. Her kış ölen küçük çalılıklarda, üç şakayık ve yüzlerce çiçek var şimdi. Eva bahçesini çok güzel yapmış. Geleceğimi bildiği zaman, şakayıklardan birine anahtar bırakırdı benim için. Mevsimi geçmiş ve şakayıklar çiçek açmıyorsa, zambaklardan birine koyardı anahtarı. Unutmuşum bunu; ancak şimdi o kadar çok çiçek var ki. Asla anahtarı bulamazdım burada ve beni beklemediği için tabii ki bu sefer anahtar bırakmamıştır.

Tuğlayla örülmüş ev, hatırladığımdan daha büyük. Daha heybetli ve yaşlı. Koca bacaları, rüzgâr tarafına bakıyor. Salem Common kalabalığının uzağında, evin arkasında kışlık veranda ile ana binaya bağlı bir garaj var. Garaj, evden daha çok zarar görmüş –muhtemelen fırtınadan ya da bakımsızlıktan– ayrıca kocamışlığını gösteren ve bu ağırlık altında çöken verandaya yaslanmış duruyor. Verandanın pencereleri eski, pürüzlü camlarıyla hâlâ ışıl ışıl; deniz havasının tuzuyla lekelenmemiş ki bu Eva'nın yakın bir zamanda camları temizlediği anlamına geliyor, tıpkı her nisanda yaptığı bahar temizliği sırasında erişebildiği camları (seksen beş yaşında olsun olmasın) temizlediği gibi. Birinci kattaki bütün pencerelere; üst kattaki pencerelerin ancak iç kısımlarına ulaşabilir Eva. Yukarı katların dış camları puslu ve tuzlu kalmaya devam eder çünkü Eva, yaşlı bir Yanki'nin tutumluluğuna sahiptir ve kendisi tarafından yapılması gerektiğini düşündüğü işler için herhangi birine para ödemeyi reddeder. Beezer ve ben, Eva ile yaşıyorken bu işleri yapmayı ona önerirdik; ancak o, merdivene para vermez ve bizim merdivenlere tırmanmamızı istemediğini söylerdi; dolayısıyla Beezer ve ben bu bulanıklık ve sise alışmıştık. Daha net görmek istiyorsan ilk katın pencerelerinden bakmak ya da terasa çıkmak zorundaydın.

İlk kattaki pencerelerin harika sırası, kışlık verandadan, bana ışıldıyor. Pürüzlü camda yansımamı yakalıyorum ve şaşırıyorum. Buradan ayrıldığımda on yedi yaşındaydım. On beş yıldır buraya dönmedim. On yedi yaşındayken, camdaki yansımamı tanıyordum; ancak şimdi buradaki kadını tanıyamıyorum.

Çay salonunun saatleri ön kapıda asılı. "Üzgünüz kapalıyız" tabelası, yandaki levhalardan birine yaslanmış duruyor.

Genç bir kız, eve doğru yürürken görüyor beni. "Kimse yok orada" diyor, beni cadılardan biri zannederek. "Şimdi kontrol ettim."

Başımı sallayıp merdivenlerden aşağı iniyorum. Kız gözden kaybolunca, kimselere görünmeden içeri dalmak zorunda kalacağımı hesaba katarak evin arkasından dolanıyorum.

Kız kardeşim Lyndley ve ben çocukken, her eve gizlice girebiliyorduk. Kilit açmada ustaydım ben. İnsanların evine sadece içeride oturmak için girerdik. "Tıpkı yulaf lapasının tadına bakan ve yatakları deneyen Goldilocks gibi" derdi Lyndley. Genellikle mevsimi bittikten sonra yazlık evlere girerdik. Bir keresinde aşağıda Willows'ta bir eve girdik ve gerçekten de onu temizledik. Bu, sadece bir kızın yapacağı türden bir şey. Gerçekten suçlu ama aynı zamanda bir ev kadını.

Garajın arkasından, bahçe tarafında gizlenen, daha az görünürde olan bir noktaya doğru yürüyorum. Kapıda küçük bir pencere camı –gözetleme camı– var halihazırda çatlamış. Garaja girdin mi ana binaya geçmek an meselesi. Bir taş parçası alıp, tişörtümün kolunu üzerine sarıyorum. Küçük bir vuruş ve çatlak yayılıyor. Dikkatlice cam parçalarını topluyorum ve küçük boşluktan elimi daldırıp, kapıyı tutan tek şey olan kilidi çeviriyorum. Ya kapı çok paslı ya da ben; açılırken kapının bu kadar uğraştırmasını beklemiyordum. Kapı, kolumu da kendisiyle birlikte çekiyor, pamuklu tişörtümü yırtıp kana boyayarak. Kan gölünü seyrediyorum. Çok kötü durumda değil; alıştığım şeyden sonra bu, çok bile değil. "Sadece bir sıyrık, adamım" diyorum yüksek sesle, en iyi Jimmy Cagney modumda. Maalesef tam zamanında çok saçma bir şekilde bir polis arabası duruyor ve daha da kötüsü ilk erkek arkadaşım Jack'in babası arabadan inip eve doğru yürüyor. Bu çok garip; çünkü Jack'in babası polis değil; onun işi ıstakoz yakalamaktır. Hani kesinlikle rüyada olduğunuzu hissettiğiniz anlar vardır ya işte onlardan birini yaşıyorum şu an; hani bir türlü gördüğünüze inanmak istemezsiniz. Jack'in babası bana doğru yürürken onun yarı endişe, yarı keyfe gömülmüş, rüya âlemimdeki her şeyden daha acayip görünen yüzüne bakıyorum.

"Polis merkezini aramalıydın" diyor Jack'in babası. "Bizde bir anahtar var." Bu, Jack'in babasının sesi değil; sonradan fark ediyorum ki onun erkek kardeşinin sesi.

"Merhaba Jay-Jay" diyorum. Beezer'ın bana Jay-Jay'in bir polis olduğunu söylediğini şimdi hatırlıyorum.

Beni kucaklıyor. "Uzun süre oldu" diyor, eminim ki ne kadar kötü göründüğümü düşünüyor ve kafasında milyonlarca olasılık geziniyordur. Ona rahmimi daha yeni aldırdığımı, bu acil ameliyattan önce neredeyse ölmeme sebep olacak kadar kan kaybettiğimi söyleme arzusuyla savaşıyorum.

Koluma uzanarak, "Kanıyor" diyor Jay-Jay. Buradaki polisler, Los Angeles'takiler kadar kandan korkmuyorlar.

"Sadece bir sıyrık, dostum" diyorum yüksek sesle. Beni içeri götürüyor ve mutfak masasına oturtuyor. Kolum artık çıplak; ön tarafına kâğıt havlu tutuyorum.

Dikişe ihtiyacım olduğunu söylüyor Jay-Jay.

"İyi durumda."

"En azından biraz Neosporin sür üzerine ya da Eva'nın sattığı bitkisel saçmalıklardan birini."

"Ben iyiyim, Jay-Jay" daha kararlı bir şekilde söylüyorum.

Uzun bir sessizlik. Sonunda Eva için üzgün olduğunu söylüyor. "Keşke sana söyleyebileceğim yeni bir şey olsaydı."

"Ben de üzgünüm."

"Şu Alzheimer zırvası tamamen bir saçmalık. Ortadan kaybolmadan bir hafta önce gördüm onu. Çakı gibiydi." Bir dakika düşündü. "Rafferty ile konuşmalısın."

"Kim?"

"Dedektif Rafferty. Senin adamın. Davaya bakan kişi."

Odanın etrafına bakınıyor sanki bir şey varmış, bir şey söylemek istiyormuş gibi; ancak sonra fikrini değiştiriyor.

"Ne?"

"Hiçbir şey. Rafferty'e burada olduğunu söyleyeceğim. Seninle konuşmak isteyecektir. Bugün mahkemede. Trafik mahkemesinde. Ne yaparsan yap onun arabasına binme. Dünyanın en kötü şoförüdür o."

"Tamam" diyorum, Jay-Jay'in neden Rafferty'nin arabasına binmemin muhtemel olduğunu düşündüğünü merak ederek. Boş boş duruyoruz ayakta; ikimiz de sohbetimizin son zincirini nasıl takip edeceğimizi bilmiyoruz.

"İyi görünüyorsun" diyor Jay-Jay sonunda. "Şey yaşında bir hanımefendiye göre... Otuz bir?"

"Otuz iki."

"Otuz iki yaşına göre harika görünüyorsun"diyor ve kahkahayı patlatıyor Jay-Jay.

O gidene kadar evin ana kısmına geçmiyorum. Kapıyı açar açmaz herkesin büyük bir hata yapmış olduğunu fark ediyorum. Eva burada, bu evde. Onu hissedebiliyorum. Varlığı o kadar güçlü ki neredeyse aramayı sonlandırması ve Eva'nın geri döndüğünü söylemek için Jay-Jay'in arkasından koşuyorum; ancak polis arabası köşeyi dönmüş bile; dolayısıyla polis merkezini aramak zorunda kalacağım.

Ama ilk önce teyzem Eva'yı görmeliyim. Bir geziye gitmiş ve bunu hiç kimseye de söylememiş olmalı. Büyük ihtimalle bütün kasabanın kendisini aradığını dahi bilmiyor.

"Eva?" diye sesleniyorum. Cevap vermiyor. Kulakları iyi duymaz; eskisi gibi değil. Tekrar sesleniyorum, daha yüksek sesle bu sefer. Yine cevap yok; ancak biliyorum ki o, burada. Ya yukarıda terasta ya da aşağıda mahzende bergamot ve mandalina esanslarıyla yeni bir çeşit çay yapmakta. Belki de hiç gitmediğini düşünüyorum, bunun imkânsız olduğunu bile bile. Evi araştırmış olmalılar. En azından öyle yaptıklarını zannediyorum. Tanrı aşkına hiç kimse girmedi mi içeri? May gelmedi mi? Tabii ki hayır, lanet olsun ona. Ancak polisler gelmiş olmalı. Ya da erkek kardeşim. Tabii ki bakmıştır o. Şüphesiz bu, yaptıkları ilk iş olmuştur. Gerçekten kaybolmasaydı, Eva'nın kaybolduğu haberi yayılmazdı, değil mi? Ama artık burada. *Bu, su götürmez bir gerçek*, diye düşünüp, kahkahayı basıyorum; çünkü hâlâ Eva'nın basmakalıp sözlerini tekrarlıyorum.

"Hey, Eva!" Sesleniyorum, onun ne kadar sağır olduğunu bilerek; ancak bir kez daha deniyorum: "Eva, benim."

Nereden bakmaya başlayacağımdan emin değilim. Antrede duruyorum. Önümde karşılıklı duran iki salon var; siyah mermerden şömineleri uzun odaların sonunda birbirine bakıyor. Odalardan biri kapalı; bu, Eva'nın çay salonu olarak kullandığı oda. Diğerine giriyorum. Oturma odasından çok balo salonu gibi. Şömineler boş görünüyor; ne alevler ne de Eva'nın olağan çiçek aranjmanları var. Sandalyeler, bir satranç tahtasını andırırcasına simetrik ve stratejik yerleştirilmiş. Asılı duran kocaman merdivene bakıyorum. Bakacağım bir sonraki yerin yukarısı olması gerektiğini biliyorum; ancak ilk olarak çay salonunu, sonra diğer mutfağı ve çay karışımları yaptığı mahzeni kontrol etmeye karar veriyorum. Bir yandan yürürken diğer yandan konuşuyorum ve ona sesleniyorum; beni duyabilsin diye oldukça yüksek sesle konuşuyorum. Gizlice yaklaşıp, onu korkutmak ve kalp krizi geçirmesine sebep olmak istemiyorum.

Eva, muhtemelen yukarıda. Yukarı çıkmam henüz gerekmiyor; ama ona bağırıyorum. Oraya çıkmak zorunda kalacağımı fark ediyorum. Kendimi çekmek için parmaklıkları kullanıyorum; ancak her bir adımda dikişleri hâlâ hissetsem de birkaç gün öncesine göre şu an merdivenleri çıkmak daha kolay. İkinci kata geldiğimde başım dönüyor; her şey fırıl fırıl dönmeyi kesene kadar bir sırada oturup beklemek zorundayım. Sonunda Eva'nın odasına ulaşıyorum. Köşede eski gökkubbe yatak, şömine, gardırop. Yatak yapılmış; yastıklar kabartılmış. Eva'nın kokusunu umarak bir yastık alıp kokluyorum. Onun yerine portakal çiçeği kokuyor; Eva yatak çarşaflarını bunla durular. Çarşaflarını yakın bir zamanda değiştirmiş olmalı. Büyük gömme dolabını kontrol ediyorum. Her şey kusursuzca askıda asılı. Sepette hiç kirli çamaşır yok ki bu da Eva'nın kirli çarşafları daha yeni yıkadığını gösteriyor.

Eva beni yanına aldığında bu odada çok zaman geçirdim; aslında daha çok bu gardıropta; Eva bunu muhtemelen saçma bulmuştur; ancak dile getirmedi hiç. Eva ile aramızda kan bağı yok; o benim büyükbabam G.G'nin ikinci karısıydı; hatta aramızda akrabalık bile yok. Yine de o beni bir anne gibi anlar ve kendi annemde asla olmayan bir şey bu.

İkinci katta bundan başka altı tane yatak odası daha var. Hepsini kullanır Eva; ancak bir tanesini kış için kapalı tutar. Aslında birileri gelmeyecekse nadiren bu odaları açar ki bu da çok seyrek olur –bunlar Eva'nın beni aradığında her hafta anlattıkları. Yavaş yavaş bütün odalara geçiyorum, Eva'yı arayarak; yürürken bir yandan da konuşuyorum. Hayalet eşyalar solgun görünüyor, toza karşı sarmalandıkları çarşaflar içinde.

Bitkin bir halde üçüncü kata çıkıyorum. Şu an bile seksen beş yaşındaki teyzem benden daha fazla enerjiye sahiptir. Bir şekilde onun burada, üçüncü katta olduğunu hissediyorum. "Eva" diyorum tekrar. "Benim, Towner." İki parmaklıktan da tutunarak daralan merdivenlerden çıkıyorum yavaş yavaş. Çok yoruldum.

Bu üçüncü kat, benim katım. Eva, bu katı onunla buraya taşındığım kış bana vermişti; hem çok sevdiğim Sarı Köpek Adası'ndan ayrılmak zorunda kaldığım için gönlümü almak amacıyla yapmıştı bunu, hem de üçüncü katın terası olduğundan ve biliyordu ki bu terası hiçbir şeyden gözümü ayırmamak için kullanabilirdim, tıpkı gelmeyi reddeden, o adada yapayalnız olan May gibi. Terasa nadiren çıkışları dışında, Eva bu odaları asla kullanmaz ve bana sık sık söylediği gibi taşındığımdan beri odaları hiç değiştirmemiştir. "Burada olduğun zaman hazır olacaklar" der her zaman ve bir diğer vecizesiyle devam eder: "Kendi evin gibisi yoktur."

İlk olarak terasa çıkıyorum; biliyorum ki şayet Eva buraya çıkmışsa geleceği tek yer burası. Ancak ondan tek bir işaret bile yok. Buradaki tek şey bir martı yuvası; bunun yeni mi yoksa eskiden kalmış bir şey mi olduğunu söyleyemem. Bir zamanlar benim dünyam olan şeyin tepesinde duruyorum. Gecenin erken saatlerinde odasındaki gazyağı lambasının yandığından ve sonunda yattığında lambasını söndürüp söndürmediğinden emin olmak için May'i kontrol ederek kaç gece sabahladım burada? O tek kışın her gecesini burada geçirdim.

Salem Limanı değişmiş. Eskiye nazaran daha çok gemi var şimdi ve Marblehead kıyısının etrafında daha çok ev mevcut; ancak Sarı Köpek Adası aynı görünüyor. Gözlerimi kısıp, limanın gerisine bakarsam, tekrar çocuk olduğumu hayal edebilir ve her an Lyndley'in yatıyla Peaches Noktası'nı dolaşıp yaz için adamıza yol aldığımız deniz yolculuğunu görebilirim.

Odalarımın bulunduğu üçüncü kata iniyorum tekrar. Burası Eva'yı aramadığım ve onun olabileceği son yer. İkinci kattan daha küçük olan, kalkan duvarlı bu katta dört oda var; ancak buradaki eşyalar çarşaflarla kaplanmamış ki bu çok acayip; çünkü Eva geleceğimi bilmiyordu. Odalardan biri, benim okul eşyalarımla dolu, küçük bir kütüphane var; sıram, kotilyon dansı davetiyelerim, karnelerim. Burada okul için gerekli olan kitaplarla Eva'nın okul müfredatının yeterli olmayacağını düşündüğü için okumamı istediği kitaplar vardı; birinci kattaki büyük kütüphaneden deri ciltli eski kitaplar: Dickens, Chaucer, Proust. Holün karşısı Beezer'ın Noel'de ve yatılı okuldayken kış tatilleri için geldiğinde kaldığı oda. Son iki oda, benim özel suitimdi; yumuşak iki kanepe ve onların arasında küçük bir Çin masası olan bir salon. Odanın en sonunda, Fransız kapılarının arasında benim yatak odam var. Her yere baktım, onun evde bir yerde olduğunu bildiğim için buranın, Eva'nın olması gerektiği yer olduğunu düşünüyorum.

Kapıyı itip açıyorum ve ilk olarak yere göz atıyorum, aniden korkarak. Belki dönmemiştir, belki de uzun süredir buradaydı ve onlar yeterince kontrol etmemişlerdir. Belki de burada bir yerde düşmüştür ve korkunç acılar içerisinde yatıyordur. "Eva" diyorum tekrar, evdeki son odanın, onun olabileceği son odanın kapısını açarken neyi bulacağımdan endişe duyarak. "Eva, bana cevap ver."

Yerde kırılmış kemikleriyle yatarken ya da daha kötü bir durumda onu göreceğimden korkarak dikkatlice açıyorum kapıyı. Bu düşünceyle gözlerimi kapatıyorum. Açtığımda, hiçbir şey yok. On yedi yaşına girdiğim yıl bıraktığım aynı oda; Lyndley'in Harvard Square'den bana aldığı aynı Hint baskılı, süslü yatak örtüsü, yatağın dibinde üçgen şeklinde katlanmış Eva'nın parça işi örtülerinden biri. Yatağın karşısındaki duvarda, Lyndley'in ölmeden önceki yıl benim için yaptığı resim var; derin sulara ulaşan altından bir patika ile siyah ve mavinin bütün tonları. Bu, paylaştığımız rüyanın tablosu; adı, *Ay'a Doğru Yüzmek*.

Yürüyorum ve resme bakıyorum, bir sürü şey hatırlıyorum: Lyndley'in Eva'nın bahçesinden kocaman bir buket çiçek çalıp başını belaya sokması gibi; çünkü Eva'nın bir yıllık çiçeklerini neredeyse mahvetmişti. O gün eve döndüğümde, Sarı Köpek Adası'ndaki odamı tamamen bu çiçeklerle süslemişti Lyndley ve gerçekten de abartmıştı; her yerde çiçek vardı. May, bunun çok fazla olduğunu söylemişti; öyle ki cenaze salonu gibi kokuyordu oda. Bu kokunun kendisini hasta ettiğini dile getirmişti. Lyndley, artistik sunuşlarıyla birini hasta etmenin kendi içinde bir başarı olduğunu düşünüyordu. Bazı nedenlerden ötürü bunu çok komik bulmuştu. Bu da ona bir fikir verdi. Bana bir elbise giydirdi ve benden karnımda bir buket çiçek tutup bir ceset gibi yatakta uzanmamı istedi, tıpkı Millais'in *Ophelia* tablosu gibi; ölü biri olarak güzel göründüğümü söyledi ve çizmeye başladı beni; ancak ben her şeyi mahvettim; çünkü bir türlü alıkoyamadığım kahkahalarım çiçekleri o kadar salladı ki Lyndley resmi çizemedi.

Merdivenlerdeki ayak sesleriyle şu ana döndüm.

"İşte buradasın" diyor Eva, nefes nefese bile değil. Etrafında dolanıyorum. Eski, çiçekli ev elbiselerinden, hatırladıklarımdan birini giyiyor, sanki hiç yaşlanmamış; Rose Bowl geçit platformlarının nasıl yapıldığını görmek için bahçe kulübü grubuyla Los Angeles'a geldiği yılki gibi tıpkı.

Ağlıyorum, onu gördüm ya rahatladım. Eva'ya doğru bir adım atıyorum; hızlı döndüğüm için sersemlemişim.

"Düşmeden otursan iyi olur" diyor Eva gülerek, beni sakinleştirmek için elini uzatıp yatağa götürüyor beni. "Sürüklenmiş bir kedi gibi görünüyorsun."

"İyi olmana çok sevindim" deyip, yatağa çöküveriyorum. Sanki hiçbir şey olmamış gibi, "Tabii ki iyiyim" diyor Eva. Yorganı üstüme seriyor. Çok sıcak olsa da ona karşı çıkmıyorum. Bu bir rahatlık âdeti; bunu birçok kez yapmıştır. "Öldüğünü düşünmüştüm"diyorum ferahlama ve bitkinlikle hüngür hüngür ağlayarak. Söylenecek çok şey var; ancak Eva turp gibi olduğunu, şimdi dinlenmem gerektiğini ve her şeyin sabah daha iyi olacağını söyleyerek beni susturuyor; biliyorum ki Jay-Jay ve Beezer'ı hemen arayıp onlara iyi olduğunu söylemesi gerektiğini hatırlatmalıyım ona; ancak sesi uyuşturucu bir etkiye sahip ve uyumaya başlıyorum.

"Bitkin kemiklerini dinlerdir" diyor zihnimi okuyarak; tıpkı endişelerden arındırıp huzurlu fikirleri yerleştirdiği zihnimi görmeyi her zaman başardığı gibi. "Her şey sabah daha iyi olacak."

Kapıya yönelmişken tekrar geri dönüyor. "Geldiğin için teşekkür ederim" diyor. "Biliyorum, bu senin için zor olmuştur." Elbisesinin cebinden bir şey çıkarıp komodinin üzerine bırakıyor. "Bunu, yastıkla birlikte göndermeyi istedim"diyor Eva. "Ama yaşlıyım ve hafızam artık eskisi gibi değil."

Masaya ne koyduğunu görmek için uğraşıyorum; ancak gözkapaklarım uykuyla çoktan ağırlaştı. "Güzel rüyalar gör" diyor kapıdan çıkarken.

Eva'nın emriyle, rüya görmeye başlıyorum: Merdivenlerden tırmanıyorum, dışarı verandaya çıkıyorum, sonra ise güneşten yanmış bir yığın turist taşıyan parti botunun çıktığı yolculuktan herhangi bir yere döndüğü limandayım. Güneş batıyor ve Sarı Köpek Adası'nın, bizim adamızın gerisinde yeni bir ay doğuyor, tanımadığım birkaç kadın görüyorum iskelede. Parti botunun düdüğünü duyuyorum dönüşünü yaparken. Yatağa çakılı kalmışım tekrar, uyuyorum. Limana girerken iki düdük. Bu düdüklere göre saatinizi ayarlayabilirsiniz. Gemi her seferine çıktığında, günde üç kez duyabilirsiniz bu düdük seslerini –öğlen, altıda ve geceyarısı, son gece seferinde.

4

Benzedikleri el kürkleri gibi, dantel yastıkları büzülür ve her bir ucundan bağlanırdı. Geleneksel olarak, her yastığın bir cebi vardı ve Ipswich kadınları kıymetli eşyalarını saklamak için bu cepleri kullanırdı. Kimileri İngiltere ya da Brüksel'den getirilmiş, kullanılamayacak kadar değerli ve güzel makaralarını muhafaza ederdi burada Diğer cepler, bitirilmiş küçük dantel parçaları ya da şifalı otları veyahut küçük mihenk taşlarını barındırırdı. Kimileri ise sahibinin eline yazılan bir şiiri veya parşömen kat yerlerinden yırtılmaya başlayana dek defalarca okunan, bir âşıktan gelen aşk mektuplarını saklardı.

Dantel Falı Rehberi

Uyandığımda, bir not bulmayı umarak komodine bakıyorum. Bunun yerine, saç örgümü görüyorum, Eva'nın dün gece bıraktığı yerde. Neredeyse belime kadar geliyordu saçım Eva'nın kestiği gün; ancak şu an sadece omuzlarıma değiyor. Alıyorum örgüyü. Saçım güzel, benimkinden çok Lyndley'in saçı gibi. Saçın boyu, ağacın halkaları gibi bir renk şeridini andırıyor; bir yaz güneşi, kışın karanlığı. Bir ucunda, çift düğümlenmiş ilmekle bağlı soluk bir kurdele var. Diğer ucunda ise Eva'nın örgüyü kestiği gün taktığı eskimiş, lastik bir bandın etrafında güzelim saç kıvrılmakta. Her şeyi sabit ve birlikte tutarcasına o kadar sıkı sarılmış ki.

Saç sihirlidir, der Eva her zaman. Bunun, herkes için doğru olup olmadığını bilmiyorum; ama en azından annem için öyle.

May asla uzun süre Sarı Köpek Adası'ndan uzak kalmazdı. İşte bu yüzden bizi, saçımızı kestirmek için Salem'e götürmek yerine iskeleden birkaç metre uzakta dükkânı olan Marblehead'deki bir berbere götürürdü.

Yaşlı Dooling, daima bayat viski ve buram buram kızartma kokardı; bazen de belli belirsiz kâfur ağacı.[4] Öğle vaktinden önce, her an seni yaralama olasılığı yüksekti. Söylentilere bakılırsa bir çocuğun kulağını kesivermişti bir keresinde. Annem bu hikâyeye asla inanmama konusunda ısrarlıydı. Yine de, o, berberin ellerinin daha

---

4. Sinir sistemi, solunum ve kalp üzerinde uyarıcı etkisi olan tıbbi bir bitki.

sabit olduğu ve alkol mahmurluğunun limandaki sisle dağıldığı zamanlar olan öğleden sonraları saç için randevu alırdı her zaman.

May'in saç kesimleri, Marblehead'in sihir gösterilerinin bir örneği olurdu. Kasabanın çocukları, Front Caddesi'nden yukarı aşağı sıralar oluştururdu, Bay Dooling'i, ince uçlu tarağı annemin saçından geçirirken seyretmek için. Her hamlede, tarak bir şeye takılır ve dururdu. Arapsaçını çözmek için o kütleye ulaştığında deniz camından deniz kabuklarına ve pürüzsüz taşlara kadar her şeyi bulur ve çıkarırdı. Bilhassa iyice keçeleşmiş bir arapsaçında, ametist taşından bir yüzük bulmuştu. Hatta bir keresinde Tahiti'den Beverly Çiftliği'ndeki birine gönderilmiş bir kartpostal yakalamıştı. Üzerinde, çıplak göğüsleri, uzun düz saçlarıyla iyice örtülmüş iki Polinezyalı kadın vardı. Bay Dooling'in bu kızlar ve onların çeşitli özellikleri için mi, yoksa tek bir saç kesimi için kocaman bir şişe saç düzenleyiciye ihtiyacı olmayan, çözülmüş düz saçları –anneminkisi gibi hazineler bırakmasa da– için mi iç çektiğini bir türlü anlayamamıştım.

Annemle yollarımızı ayırmaya başladığımız gün, yine bir saç kesimine rastlar; ama onunkisi değil benimkisiydi. Annemin saçı kesilmişti, sonra da Beezer'ınki.

Saçımın kesilmesinden hiçbir zaman hoşlanmadım; hem seyretmek için aylak aylak dolaşan tarla fareleri yüzünden, hem de Bay Dooling'in elleri çok titrediğinden. Bir keresinde, kasabaya gitmeden önce, berber bir hata yaparsa kulağımı kesmesin diye, kulaklarımı yara bandıyla sarmalamıştım; ancak May yakaladı beni ve bantları çıkarttırdı bana.

Saç kestirmekten hoşlanmasam da canımı gerçekten hiç yakmamıştır o güne kadar. Bay Dooling'i, makası o mavi balçıktan çıkarıp önlüğüne sürerken izledim. İlk makas darbesi, elektrik şoku etkisi yarattı bende. Bir çığlık atıverdim.

"Sorun ne?"

"Acıyor!"

"Ne acıyor?" May kafamı ve kulaklarımı inceledi. Yanlış bir şey görmeyince tekrar sordu: "Ne acıyor?"

"Saçım."

"Kafandaki saçlar mı?"

"Evet."

"Saç tellerin mi?"

"Bilmiyorum."

Annem, tekrar beni inceledi. "Sen gayet iyisin" dedi Bay Dooling'e devam etmesini işaret ederek.

Bay Dooling, bir bukle saç aldı, yokladı ve bıraktı. Durdu, makası koydu ve ellerini önlüğüne sürdü; sonra tekrar makası aldı; ancak bu sefer de yere düşürdü.

"Hayret bir şey!" dedi Beezer. May bir bakış attı ona.

Berber başka bir makas almak için arka odaya gitti, kahverengi paketinden çıkardı makası ve saçıma geçmeden önce havada birkaç deneme yaptı.

Berber başka bir bukle saç alıyorken, sandalyenin kollarını güçlenerek sımsıkı tutuyordum. Onun nefes alışlarını duyabiliyordum. Kolunu uzattıkça, pamuğun birbirine sürtündüğünü hissedebiliyordum. Doktorların sonradan ilk halüsinasyonum diye kabul edecekleri şeyi gördüm. Görülebilir ve işitilebilirdi, Medusa'nın kesilmesiydi; binlerce kıvranan yılan saçları vardı. Yılanlar çığlık çığlığaydı; ikiye bölünseler de hâlâ hareket ediyorlardı. Avazı çıktığı kadar bağırıyorlardı, susturamıyordum onları; korkunç hayvan çığlıkları, tıpkı adamızdaki köpeklerden biri ayağını traktör pervanesine kaptırdığı zamanki gibi. Kulaklarımı kapattım; ancak yılanlar hâlâ çığlık atıyordu... Sonrasında erkek kardeşimin dehşet dolu ve solgun yüzü beni kendime getirdi, o çığlıkların benden geldiğini fark ettim. Beezer önümde dikiliyor, bana sesleniyor, beni geri çağırıyordu. Ve aniden sandalyeden kurtulup kapıya saldırdım.

Girişteki çocuklar geçmeme izin vermek için yer açtılar. Daha küçük olanlardan bazıları ağlıyordu. Merdivenlerden aşağıya koştum, arkamdan kapının açılıp kapandığını duyarak, Beezer beklemem için bağırıyordu.

O, Whaler botuna vardığında, ben çoktan botun ön ve arka halatlarını çözmüştüm; bu yüzden Beezer bota binmek için koşarak atlamak zorunda kaldı. Yüzüstü indi bota, nefesi kesilmişti. "İyi misin?" hırıltılı soluyordu.

Ona cevap veremedim.

Beezer'ın, dışarıda dükkânın girişinde kolları göğsünde birleştirilmiş şekilde Dooling ile birlikte sadece bizi seyreden May'e baktığını gördüm.

Motor çalışana kadar jigleyi üç kez çekmek zorunda kaldım. Sonrasında, satte beş mil sınırını umursamayarak, kardeşim ve ben denize açıldık.

O gün ne olduğu konusunda sadece birkaç kez konuştuk. May, sebebini anlamam için iki talihsiz teşebbüste bulundu: Birincisi

34

Eva ile bu konuda konuşmam için beni kasabaya götürdü. Diğerinde ise Boston'daki Bilim Müzesi'nden birini arayarak ondan saçta hiç sinir ucu olmadığını ve dolayısıyla kesildiği zaman acıyamayacağımı bana anlatmasını istedi.

Bazen geriye baktığında, hayatının değiştiği ve farklı bir yöne döndüğü noktayı gösterebiliyorsun. Dantel falında bu, "sabit nokta" diye adlandırılıyor. Eva, bu noktanın her şeyin etrafında döndüğü ve gerçek desenlerin ortaya çıkmaya başladığı nokta olduğunu söyler. O saç kesimi annem ve benim için bir sabit noktaydı, her şeyin değiştiği gün. Bir anda oldu, bir milisaniyede; ani bir bakış ve bir nefes alış.

İki yıldır kimse saçımı kesmedi. Saçımın bir tarafı uzun bir tarafı kısa dolaşıp durdum.

"Saçmalıyorsun" dedi May bir keresinde elinde makas, saç kesimini tamamlamak ve otoritesini geri almak gayretiyle yanıma gelerek. "Buna izin vermeyeceğim." Onun bana yaklaşmasına izin vermedim, ne o zaman ne de sonra.

Her akşam ailece yenen akşam yemeklerimiz vardı. Çoğunlukla sandviç olurdu mönüde çünkü May kasabaya gittiğinde ayda bir kez sadece rıhtımdan alışveriş yapardı. Sandviçler, misafir yemek odasında, iyi porselenlerde servis edilir ve bunu, annemin "tatlı" diye adlandırdığı küçük Limoges tabaklarındaki multivitaminler izlerdi. Bu son yemeğin bitmesi uzun zaman alırdı çünkü May, vitaminleri tatlı çatalıyla yememizi isterdi, kibar akşam yemeği sohbeti eşliğinde –bu, Eva'dan öğrendiği bir şeydi.

"Bir sorum var" dedim, bıçağımda iki vitamini dengede tutarak.

May, bana bir "bakış" attı. Bıçağımı bıraktım. "Evet?" dedi, bir şey hakkında gerçekten konuşmaktan sakınmak için geliştirdiğimiz havadan sudan sohbet etme edasında sormamı bekleyerek.

"Neden kız kardeşimi verdin?"

Beezer'ın gözleri büyüdü. Bu, konuştuğumuz türden bir şey değildi. Asla.

May, masayı temizlemeye başladı. Gözünün kenarında bir gözyaşının beliriverceğini düşünmüştüm; ama asla düşmedi o gözyaşı.

Yemekten sonra, odama gittim. Sığınağım. Hiç kimse gelmiyordu artık. Yaz kış demeden her gece kafama May'in naylon çoraplarından birini geçirip, üzerine de bir kayak başlığı takıp yattım, sırf May gece içeri girip saçımı kesemesin diye. Odamı aptalca tuzaklarla donattım: İpler, ziller, kâhyanın büfesinden çaldığım kristal bardaklar, herhangi bir davetsiz misafir belirtisinde beni uyandıracak her şey. İşe yaradı da. Annem sonunda vazgeçti. Bir keresinde Beezer'ın bir önceki yaz, korunma amaçlı bana verdiği köpeğim Skybo iplere dolaştı ve bağlarını kesip serbest bırakmak zorunda kaldık onu; ancak başka hiç kimse umrumda değildi. Bir süre sonra, May odama girmez oldu ancak ben hiçbir zaman tetikte olmayı bırakmadım, bir dakika bile.

Her şeyi sonunda yoluna koyan Eva oldu. Yazın son günlerinden birinde Eva'nın dükkânına gittim, benim için dantel falı baksın diye yalvardım. Doğum günüm dışında ki bu bir aile geleneğiydi, Eva'dan genellikle istemezdim bunu. Aslında bunu sevmiyordum, tüylerim ürperiyordu; ancak umutsuzdum. Skybo'yu kaybetmiştim. Yerleşik bir erkek değildi ve dolaşmaya eğilimi vardı. Golden Retriever cinsinden bir köpekti ve yavru bir köpekken Beezer tarafından eğitilmişti, dolayısıyla her ne kadar evcil olsa da yabani bir tarafı da vardı hâlâ. Çok iyi bir yüzücüydü. Ne zaman yüzsem ya da botu alsam beni takip ederdi. Bazen de tamamen kendi başına hareket ederdi.

Tam bir belaydım ben. Sarı Köpek Adası'ndaki her yere bakmıştım. Whaler botla kasabaya gittim. İskeleyi, deniz stok deposunu ve hatta birkaç balıkçılık filosunu araştırdım; ancak hiçbir şey çıkmadı. Sonunda Eva'ya yöneldim.

Alev yerine kasımpatı ile dolu olan şöminenin yanında oturan Eva, bir yastık danteli üzerine çalışmaktaydı.

Yaz mevsiminin son günleriydi ve deniz gerçekten çok soğuktu. Çılgına dönmüştüm. Ona hikâyeyi anlattım, en kötüsünden korktuğumu söyledim. Belki hipotermiyaya[5] ya da bir nakliye rotasına yakalanmış ve çiğnenmişti. Eva sakin sakin bana baktı ve kendime bir fincan çay almamı söyledi.

"Çay içemem. Köpeğim kayıp" dedim ters bir şekilde.

May gibi Eva da "bakış" atma konusunda ustadır. Çay yaptım. Eva çalışmaya devam etti. Arada bir bakıp çayı işaret etti. "Soğutma" dedi. Azar azar içiyordum.

Sanki çok uzun bir süre geçmişti, Eva dantel yastığını bıraktı ve oturduğum yere geldi. Elinde küçük bir makas vardı, bir parçayı bitirdiğinde dantelin bağlarını kesmek için kullandıklarındandı. Eva'nın bulduğu bir teknikti bu. Danteli kesmek yerine, elini uzattı ve saç örgümü kesti.

"Burada" dedi. "Büyü bozuldu. Artık özgürsün."

Örgüyü masanın üstüne koydu.

"Ne halt ediyorsun sen?"

---

5. Vücut ısısının tehlikeli boyutlarda düşük olması.

"Sözlerine dikkat et genç bayan."

Orada durdum ve ona baktım.

"Şimdi gidebilirsin" diye buyurdu.

"Peki ya köpeğim?" ters bir şekilde söyledim.

"Köpeğin için üzülme" dedi.

Tanıdığım herkesin deli olup olmadığını merak ederek Whaler botuna doğru yürüyordum. Biliyorum ki ben öyleydim. Her geçen dakika toplumdan daha da uzaklaşarak, May bu konuda bayağı ileri gitmişti. Ve genellikle mantıklı bulduğum Eva da olması gerektiği gibi davranmıyordu, hem de hiç.

Bota döndüğümde, Skybo geminin baş tarafında oturuyordu. Islak ve yorgundu, çiziklerle kaplıydı her yanı; ancak onu gördüğüm için o kadar mutluydum ki nerede olduğunu umursamadım bile.

Kadınlar, parşömenden kendi desenlerini yaratırdı; ancak aşk mektuplarından daha kalın, daha dayanıklı parşömenlerdi bunlar. İğneler, parşömene tutturulurdu, tekrar tekrar kullanılmak üzere bir iğleme deseni oluşturulurdu. Dantel işinde, iğneler desenleri yastıkta tutmak için yerinde kalırdı ve dantel iğne iğne dokunurdu. Daha incelikli dantellerin üretimini engelleyen bir etken varsa bu da iğnelerin fiyatı ve az bulunurluğuydu.

Dantel Falı Rehberi

Gün şimdi ağardı. Tekrar uyuyamam. Örgüyü komodinin çekmecesine koyup aşağı iniyorum. Beezer'ın numarasını çevirmeye başlıyorum ki sonra bir saat beklemeye karar veriyorum. Eva'nın iyi olduğunu söylemek istiyorum ona. Beezer'ın keyfi yerindeydi. Buna ihtiyacı yok, şimdi değil. O ve uzun süredir sevgilisi olan Anya evlenmek üzereler. Sınavlar biter bitmez Norveç'e, Anya'nın ailesinin yaşadığı yere uçacaklar. Törenden sonra yaz için Avrupa'yı gezecekler. Hem Eva iyi olduğu, hem de düğün planlarını değiştirmek zorunda kalmayacakları için rahatlayacaklardır.

Yapacaklarımı sıralıyorum aklımdan: May'i ara. Polisleri ara. Hiçbiri aranmaya değmese de. Onların seksen beş yaşındaki bir kadını kendi evinde bulamayacak kadar aptal olmasına bir anlam veremiyorum.

Büyük büyükbabamın İtalya'dan uçakla getirttiği, yarı ünlü bir artist tarafından boyanan, freskli duvarları olan çay salonuna atıyorum kendimi. Adını hatırlayamıyorum artistin. Ufak masalar odaya doluşmuş. Her yerde dantel var. Bazı parçalar, Halka'nın etiketini taşıyor; ancak çoğu Eva'nın yaptıkları. Köşedeki cam büfe, teneke kutularıyla hayal edilebilecek her türlü çayı barındırıyor —dünyanın her yerinden gelen ticari çaylarla birlikte Eva'nın harmanladığı birkaç çiçek ve ot iksiri. Şayet bir fincan kahve istiyorsan burada bulamazsın. Gözlerim, Eva'nın benim adımı verdiği çayı arıyor. Bu çayı bana hediye olarak vermişti bir zamanlar. Siyah çay, arnavutbiberi, tarçın ve bir tutam kişniş ile bana söylemediği diğer malzemelerin karışımı. Koyu ve sıcak içilmeli. Eva bu çayın yaşlı müşterileri için çok baharatlı olduğunu söyler. Bana çayı verirken, "Ya seveceksin ya da nefret edeceksin" demişti. Sevdim. Eva ile yaşıyorken koca demliği bitirirdim kışları. Teneke kutunun üzerinde "Sophya'nın Karışımı" yazıyordu; ancak sadece Eva ile benim aramızdaki lakabı "Zor-Çay"dı.

Kutunun arkasında, kapağında tanıdığım bir şiir olan bir defter var. Jenny Joseph'in oldukça beğenilen bir şiiri. *Yaşlı bir kadın olduğumda, mor giyineceğim. Bana gitmeyen ve bana yakışmayan kırmızı bir şapkayla...* Defterin içine sıkıştırılmış birkaç fotoğraf var: Beezer ve May'in bir fotoğrafı, bir tane de benim resmim, Kaliforniya'ya ilk gittiğimde Peter'in gönderdiği, o zaman hâlâ alıyor olduğum Stelazine'den serbest kalan zoraki bir tebessüm.

Görünüşe bakılırsa, Eva'nın bugün için düzenlenmiş bir çocuk partisi var. Duvardaki takvimi kontrol ediyorum; bu, bir ay takvimi, normal bir takvim değil ve anlaşılması çok zor. Ayın küçük parçalara ayrılmış evreleri, karşılık gelen günlerin üzerinde grinin tonlarına boyanmış. Tam çözdüğümü düşünmeye başlıyordum ki, yeni bir çeşit ayı fark ediyorum, ayın ortalarına doğru sıkışmış kıpkırmızı bir dolunayı. Bu, diğer aylardan biraz büyük ve diğerlerinin hiçbir devresine uymuyor. Bir dakika bile geçmiyor ki bunun bir şapka olduğunu fark ediyorum. Eva'nın, bu şiirden esinlenen Kırmızı Şapkalılar'dan söz ettiğini hatırlıyorum. Şu, mor giyinip, çay ve dantel falı için ayda en az bir kez gelenler.

Masalar çoktan yapılmış. Her masanın, dantelin ayrı dairelerinde dizilmiş farklı çaydanlığı, farklı çay fincanları ve farklı fincan tabakları var. Çaydanlıklar, fantastik ve renkli. Özel bir parti için ayrılmamış, sıradan bir günde çaya gelmeyi tercih ederseniz, masa düzeninizdeki dantel, kullandığınız zaman saklamanız için size veriliyor. Dantel falına baktırın baktırmayın dantelin parasını ödüyorsunuz. Birçok kişi, dantel parçalarını alıp evlerinde sehpa örtüsü olarak kullanır. Ben bunun bir ziyan olduğunu, dantel dairelerinin bir sanat eseri halini aldığını ve çerçevelenmesi gerektiğini düşünsem de bu durum asla Eva'yı rahatsız etmez.

Eva'nın birçok müşterisi, dantel falına baktırma umuduyla çaya gelir. Eva asla bir günde iki kişiden fazlasına fal bakmaz; özellikle de yaşlandığı için bunun onu yorduğunu söyler. Bu fallardan aldığı parayı elinde tutmaz. Dantel ve fallardan elde ettiği para direkt Halka'ya gider.

Şayet yapması gerektiğini hissederse, Eva iki kişiden fazlasına da fal bakar. Gerçek bir hayal kırıklığı ya da isteyen kişinin bilmesi gereken acil bir durum söz konusuysa, bunu hatta ücretsiz yapar Eva. Ancak onun asıl ilgilendiği şey, kadınlara kendileri için dantel falı bakmasını öğretmektir. "Danteli al ve ona bak" der Eva. "Gözlerini kıs." Onun yönlendirmelerini dinlersen, Eva'nın yaptığı gibi dantelde resimler gördüğünü hayal etmeye başlarsın. "Devam et" diyerek onları cesaretlendirir Eva. "Korkma. Yanlış cevap yoktur. Okuduğun, kendi hayatın ve kendi sembollerin."

Whitney monogramlı bir çay kaşığı alıyorum ve aslında eski bir Çin kahve cezvesi olup Eva'nın dönüştürdüğü, gözde çaydanlığımı bulmak için etrafa bakıyorum. Çaydanlığı ısıtıp çayı demliyorum. Bir fincan ve ay takvimini alıp, hazırlanmamış olan tek masaya gidiyorum. Masanın üzerinde Eva'ya ait Emily Post'un kitabının yıpranmış ilk basımı var.

Büyükteyzem çay salonunu açmadan önce, North Shore'un çocuklarına görgü dersleri veriyordu. Marblehead'den, Swampscott'tan, Beverly Çiftliği'nden, Hamilton'dan, Wenham'dan ve Cape Ann'a kadar uzak yerlerden, çocuklar nezaket dersleri için Eva'ya gelirlerdi. Eva, salonda masalardan birini resmi bir akşam yemeği için hazırlar, çocuklar küçük elbiseleri, takım elbiseleri içinde sofra kurallarını tazelemek için akın ederlerdi buraya. Eva, çocuklara kibar akşam yemeği sohbetlerini, bu gibi durumlarda üzerlerine çullanan utangaçlıktan kurtulma hilelerini öğretirdi.

"Sürekli soru sorun" diye tavsiye verirdi. "Bu, sohbeti sürekli kılar ve odak noktası olmaktan kurtulursunuz. Ne ile ilgilendiklerini ve neyi tercih ettiklerini öğrenin. Kendinizden bir şey önerin. Bu, daha içten olur. Örneğin, uygun bir akşam yemeği sohbeti, yanınızdaki kişiye dönüp 'Çorbayı severim. Ya siz?' şeklinde olabilir."

Eva, çocuklara birbirlerine çorbayı sevip sevmediğini sordurarak pratik yaptırırdı ki bu hepsinde kıkırdamalara neden olurdu çünkü soru, çok saçmaydı. Ancak bir yandan da havayı ısıtırdı. "İşte" derdi böyle bir alıştırmadan sonra, "şimdiden daha rahat hissetmiyor musunuz?". Ve çocuklar öyle olduğunu itiraf etmek zorunda kalırdı. "Şimdi başka bir soru sorun ve bu sefer cevabı dinlediğinizden emin olun" derdi. "Görgülü olmanın sırlarından biri dinlemeyi öğrenmektir."

Bir demlik çayı bitiriyorum. Saat yedide, Beezer'ı arıyorum. Cevap yok. Bir demlik çay daha yapıyorum.

Saat sekizde Beezer'ı tekrar arıyorum. Hâlâ cevap yok. Eva'ya çay yapıp ona çıkarmaya karar veriyorum.

Çay salonunun kapısına vuruyor biri. İlk önce Beezer olduğunu düşünüyorum; ama o, değil. On sekiz yaşından küçük (şayet öyleyse) olmayan bir kız dikiliyor orada, omzunda sırt çantası, omuz hizasında bir tarafa ayrılmış yağlı saçları, yüzünün sol tarafından aşağı inen çilek renkli kocaman bir doğum lekesini yarı örtmekte. Aklıma ilk gelen bunun da bir oda ya da dantel falı için gelen çocuklardan biri olduğu; ancak dışarı Common'a baktığımda festival sona ermiş. Geriye kalanlar ise köpek bakıcıları ve Park&Rec'in temizlik yapan birkaç adamı. Kapıya yöneliyorum çabucak bakmak niyetiyle; Eva için her şeyin sessiz olmasını istiyorum; ancak çaydanlık ötmeye başlıyor, susturmak için koşturuyorum, bu sefer de sapını tutunca elimi yakıyorum.

Kapıya tekrar vuruyor, daha yüksek ve daha aceleyle. Kapıya doğru hareket ediyorum. Dalgalı camdan onu görebiliyorum. Yüzünde, bana kız kardeşim Lyndley'i hatırlatan bir bakış var. Belki de bu, onun kapıya vurma şeklidir: Delip geçecekmiş gibi kuvvetlice kapıyı yumruklamak. Kapıya koştururken, devriyeye çıkan polis arabasını fark ediyorum, park edecek bir yer arıyor. Kızın, omzunun üstünden polis arabasına baktığını görüyorum. Ben kapıya varana kadar, kız basamakları yarılamış. Tam dönerken, hamile olduğunu görüyorum. Kapıyı açıyorum; ancak benim için çok hızlı. Polis arabası park ederken, kız caddeden uzakta ağaçlıklı yoldan aşağı kayıyordu.

Kapı tekrar vurulduğunda, tepsiye çaydanlığı ve fincanları koymuş yukarı çıkıyordum. Söverek, tepsiyi basamağa koyup kapıya gidiyorum. Erkek kardeşim, Jay-Jay ile tanımadığım bir adamın önünde duruyor.

"Seni arıyordum" diyorum Beezer'a. Heyecanlı görünmemeye çalışıyorum, belli etmemek için uğraşıyorum.

İçeri giriyorlar ve Beezer beni uzun uzun kucaklıyor. Ona her şeyin yolunda olduğunu, Eva'nın burada olduğunu söylemek için geri çekiliyorum.

"Seni tekrar arayacaktım" diyorum ona.

Beezer sözümü keserek, "Bu, Dedektif Rafferty" diyor.

Rafferty konuşmadan önce uzun bir sessizlik oluyor. "Eva'nın cesedini bulduk" diyor sonunda, "Children Adası'nın az ötesinde."

Kıpırdamıyorum. Hareket edemiyorum.

"Oh, Towner" diyor Beezer beni kucaklayarak. Acısını paylaşacak kadar beni ayakta tutuyor. "Onun öldüğüne inanamıyorum."

"Boğulmuşa benziyor" diyor Rafferty. "Ya da hipotermik oldu. Üzgünüm ki bu, onun yaşı için olağanüstü bir şey değil, suyun dışında bile." Son kısmı söylerken sesi biraz çatlıyor.

Merdivenlerden yukarı koşuyorum. Acılar içersinde ilk kata

varıyorum. Ne yapacağımı bilmeden, hepsini orada endişe içinde bırakıyorum. Eva'nın odasına dalıyorum, ama orada değil. Dünden beri yatağı hâlâ bozulmamış, hiç dokunulmamış yatağına. Odalar labirentinden olabildiğince hızlı geçiyorum. O şimdi yaşlı. Düşünüyorum, belki de artık burada uyumuyordur. Ya da uyumak için başka bir oda seçmiştir, daha küçük bir yer. Bunu düşünürken bile çıldırmaya başlıyorum. Beezer bana yetiştiğinde bir odadan diğerine çılgınca geçip duruyordum. "Towner?" Sesinin yakınlaştığını duyuyorum.

Koridorun ortasında aniden durdum.

"İyi misin?" diye sordu Beezer.

Kesinlikle değilim.

"Cesedi ben teşhis ettim."

Onların seslerini duyabiliyorum, merdivenlerden yukarı yankılanan polislerin seslerini; ancak ne söylediklerini anlayamıyorum.

"May biliyor" diyor Beezer, beni oturtmaya çalışarak, pratik detayları veriyor bir yandan. "Dedektif Rafferty, bu sabah ona söylemeye gitti."

Başımı sallayabiliyorum.

"O ve Emma bizi bekliyor."

Tekrar başımı sallıyorum, merdivenlerden inerken onu takip ediyorum. Polisler beni gördüklerinde susuyorlar.

Jay-Jay üzgün olduğunu söylüyor ve ben tekrar başımı sallıyorum. Tek yapabildiğim bu.

Raffety ile yüz yüze geliyoruz; ancak hiçbir şey söylemiyor. Elini çabucak uzattığını fark ediyorum, avutucu ve kendiliğinden. Daha sonra kendine gelip geri çekiyor elini. Başka ne yapacağını bilmiyormuş gibi ceketinin cebine koyuyor elini.

"Onu durdurmalıydım" diyor Beezer, suçu ansızın onu yakalayıveriyor şimdi. "Bilseydim durdururdum demek istedim. Artık yüzmediğini söylemişti bana. Geçen yıl bir ara."

6

İğneler, İngiltere'den getirtildiği için, oldukça pahalıydı. Ne kadar az iğne kullanırsanız, o oranda basit desenler ortaya çıkardı ve danteli yapan kişi bir o kadar hızlı çalışabilirdi. İplik de dışarıdan getirtilirdi; çünkü Yeni İngiltere'nin eğirme makineleri iyi olsa da, Avrupa'nın keteni ya da Çin'in ipek ipliğinin zerafetine ulaşamıyordu. Yine de ortalama olarak her Ipswich dantelcisi bir günde yedi inçten daha fazla dantel üretirdi ki bu Halka'nın bugün ürettiğinden daha yüksek bir oran; Halka'nın, kendi eğirme makinelerine ve isteyebilecekleri bütün iğnelere sahip olma lüksü de mevcuttu.

Dantel Falı Rehberi

Rafferty, hoş bir adam. Whaler botunu alabilelim diye arabayla bizi Derby Rıhtımı'na götürüyor. Boş bir alan bulmak için bloğun etrafında daireler çiziyor. Sonunda Eva'nın kayıkhanesine olabildiğince yakınlaşarak halka açık yürüyüş yolunda bırakıyor bizi. "Polis botundaki arkadaşların birinden yol boyunca size eşlik etmesini isteyebilirdim" diyor. "Ancak oraya son gittiklerinde, May onlara ateş etmiş."

Büyük ihtimalle annemi duymuşsunuzdur, May Whitney. Başkaları da. Eminim ki birkaç yıl önce Amerikan Haber Ajansı'nda çıkan resmi hatırlıyorsunuzdur: May'in yanındaki kızlarından birini geri alma yetkisiyle adaya gelen yirmi polise altı mm çapındaki tabancayı doğrulttuğu resmi. Bu resim, her yerdeydi. *Newsweek* gazetesinin kapağı bile oldu. Fotoğrafın en ilgi uyandıran yanı, annemin 50'lerin kovboy filmlerindeki Maureen O'Hara'ya esrarengiz bir şekilde benzemesiydi. Fotoğrafta May'in arkasında büzülmüş, yirmi ikiden fazla göstermeyen, içip boğazını kesmeye çalışan kocasından kurtulmuş, boynunda kocaman bir beyaz bandajla dehşete düşmüş bir kız vardı. Kızın çocukları arkasında oturup, Golden Retriever cinsi yavru bir köpekle oynuyorlardı. Tam kare fotoğraftı. Şayet gördüyseniz, hatırlarsınız.

Aslında, halkla ilişkiler üzerine özel bir yetenekle de birleştirilince bütün Ipswich dantel sanayisini canlandıran bu resim (her ikisi de görünürde annemin doğasına aykırı) olmuştur. May, dikkatlice seçilmiş bir dizi röportajda, tenezzül edip basınla görüşmüştür; ancak yeni kurtarılmış kız hakkında değil de –ki bu hikâye asıl geliş sebepleriydi– diğer kızların ya da "ada kızları"nın (yerliler böyle çağırırdı onları) yarattığı yastık danteli hakkında konuşmuştur. Bu kızlar kendilerini "Halka" diye adlandırmıştı, eski zamanların hanımefendilerinin dikiş halkalarının ardından; bu isim, etiketlerinde de görünüyordu.

May basını, kendisinin ve ada kızlarının yeniden yarattığı küçük ev sanayisinde bir tura çıkarmıştı. İlk olarak, taştan yapılmış eski viranede kurulmuş olan iplik eğirme odasına götürdü onları. Büyükbabam G. G. Whitney tarafından ada köpeklerini çiftleştirmek ve evcilleştirmek amacıyla inşa edilmişti burası; ancak köpekleri bu yerin yakınına bile getiremedi. Dolayısıyla May'in kızları devralana kadar boş kaldı burası. Bir kez içine girdiniz mi bu viranenin, (şayet kot pantolon ve diğer modern kıyafetlerin anakronizmini umursamazsanız) bir ortaçağ kalesinde bulabilirdiniz kendinizi. Kadınlar eski çıkrıkların ve masura sarıcılarının başındaydılar; tahtadan, eski tekerleklerin tıkırtıları, ara sıra duyulan gıcırdama sesleri ve vınlamaları dışında sessizdiler. Bu iplik eğirme odası, hâlâ diğerlerine katılamayacak kadar ürkek olan yeni kızların –yeni kurtulmuş kızların– geldiği yerdi. May, sık sık onlarla birlikte iplik eğirirdi. Keten iplik yapmak için daha çok keten dokurlardı ve ara sıra May, sarı köpek kılından pamuk ipliği dokurdu; ancak bu nadir olurdu. Bazıları iplik eğirme odasında kalsa da, kötü muameleye maruz kalmış bu kadınların çoğu, kendilerini insanlarla yeniden birlikte olabilecek kadar güçlü hisseder hissetmez, eski kırmızı okul binasındaki dantel yapanların arasına katılırdı.

May, turlarını, kadınların kucaklarında yastıklarıyla oturup dantel yaptığı ve hafifçe sohbet edip ya da dantel falına bakan birini dinlediği (genellikle bu, harika bir konuşma tonuna sahip olan ve yüksek sesle şiir okumaktan hoşlanan annemin kendisi olurdu) okul binasında bitirirdi. May'in yarattığı dünya ve etraflarında ördüğü büyülü dantel ağıyla akılları başlarından giden muhabirler, öğrenmek için geldikleri hikâyeyi unutmuş bulurlardı kendilerini. Bunun yerine, gazetelerine gidip "Halka" hakkında yazılar yazarlardı. Bu hikâye, kadın okurlarıyla ses getirmiş ve ülkenin her yerinden kadınlar, bu yeni Ipswich dantelini satın almak için para göndermeye başlamıştı.

Beezer, Whaler botunu kullanmama izin veriyor. Adaya vardı-
ğımızda, akıntı oldukça yavaş ve yanaşma rampası yukarıda. Du-
balarda demir atabiliyoruz; ancak yanaşma rampası bu şekildey-
ken adaya girmenin hiçbir yolu yok. Bir dakikalığına, Back sahi-
line demir atmayı düşünüyorum ki deniz bu kadar alçakken bu
imkânsız; başka bir zaman olsa dahi neredeyse hiç mümkün de-
ğildi. Bu şekilde demir atabilmek için akıntı yükselmeye başla-
malı ve deniz olabildiğine sakin olmalı. Bu yüzden birisi bizi fark
edene ve yanaşma rampasını indirene kadar, dubalarda demir
atıp beklemek zorunda olduğumuzu düşünüyorum.

Adalarda yaşayan insanlar, yalnızlıklarını severler. Vineyard ya
da Nantucket gibi adaları kastetmiyorum. Bu adalardaki insanlar
kıyıdan o kadar uzaktadırlar ki ayakta kalmak için turist çekme-
leri gerekir. Ancak kıyı adalarındakiler yalnız kalmaktan hoşla-
nırlar ve savunmasız oldukları için yanaşma rampalarını yukarı-
da tutarlar. Ada, geçen herkesin uğrama noktasıdır. İnsanlar ada-
ların kamu malı olduğunu sanarlar; orada piknik yaparlar; onu
kirletirler. Kapınıza gelip, telefonunuzun ya da elektriğinizin ol-
madığını bir dakika bile hesaba katmadan telefonunuzu kullan-
mak isterler. Dolayısıyla ada halkı rampalarını yukarı kaldırmayı
öğreniyor. Yüksekliği sadece birkaç fittir; ancak bütün farklılığı
bu yaratmaktadır. Deniz kabardığında, dubalarla rampanın ara-
sındaki mesafe beş ya da altı fit olabilir. Çoğu insan bu yolu kate-
debilir, şayet bu inançla tutuşuyorsa; ancak çok azı bunu yapa-
caktır. Deniz iyice alçaldığında, rampa bir on fit daha aşağıdadır
ve işte bu, gerçekten dokunulmazlığınızı hissettiğiniz andır.

Sarı Köpek Adası, çoğundan daha özeldir. Sekiz figüründeki
adanın her bir mili, çevreleyen sulardan fırlayan kaya kuleleri ile
yüksekte, granit bir platonun üzerine kurulu ki bu da ona eski bir
kale izlenimini vermektedir. Back Sahili'ni bilmiyorsanız, adaya
girmeniz imkânsızdır. Dimdik uzanan tepe sıraları yüzünden, is-
kele aşağı yukarı kırk fit yüksekliğinde yapıldı ki bu da yanaşma
rampasından dubalara olan uzaklığı daha arttırmaktadır. Rampa-
yı indirmek için bir hidrolik vinç kullanılır; burası, adada jenera-
töre sahip birkaç yerden biridir. Bu jeneratör ayrıca tuzlu su
pompalarını, su tesisatı için evlere kadar çalıştırmaktadır, pek de
değerli olmasa da. Adada hâlâ okula devam ediyorken, annem bi-
ze okuma ödevi verdiğinde pompa binasında oturur, adadaki tek
ampulün yanı başında jeneratörün gazı bitene ya da uyuyakalana
kadar okurdum. O tek ampul, benim için medeniyeti temsil edi-
yordu ve ona çok iyi baktım.

Adada birkaç müştemilat vardır; ancak her biri bir uçta olmak üzere, sadece iki tane olan gerçek evlerin biri May'e, diğeri ise teyzeciğim Emma Boynton'a aittir ki kendisi Eva'nın kızı, May'in yarı kuzeni ve kız kardeşim Lyndley'in yasal annesi olmaktadır. Viktorya dönemine ait bu iki evden, teyzeminkiydi büyük olanı; ancak kış için hazırlanmış olan sadece May'inkisiydi. Emma'nın "kaza"sına kadar, o ve Cal hâlâ evli iken, Boynton Teyze ve "kızı" Lyndley yazları gelirlerdi ve sanırım amcam Cal da, şayet onu da saymak isterseniz ki ben saymıyorum.

Bu günlerde, Halka'nın kızları hep birlikte May'in evinde yaşıyorlar. İçmek için sarnıçlardaki yağmur suyunu kullanıyorlar. Yemek için sebze, dantel için de keten yetiştiriyorlar ve hatta bir inekleri bile var ki Eva'ya göre sahil güvenlik tarafından adaya uçakla taşınmalıydı bu inek. Hatta bir süre geçici bir beysbol sahasında koyun bakmayı bile denediler; ancak köpekler koyunları kovalamaya devam edince vazgeçmek zorunda kaldılar bundan. Şimdi ise sebze, ara sıra tavşan ve tabii ki balık ve ıstakozla idare ediyorlar. Kışın ne yaptıklarını bilmiyorum. Hiç sormadım. Mümkün olduğu kadar biliyorum; çünkü Eva bana bununla ilgili mektuplar yazmıştı.

Birisi rampayı indirmek için gelene kadar, Beezer ve ben dubalarda yaklaşık yirmi dakikadır oturuyoruz. Sonunda ortaya çıkan teyzeciğim Boynton; annem değil. Başını dik tutarak, hatırladığımdan daha yavaş hareket ediyor; biraz kendi güçsüzlüğünden, biraz da yaşından dolayı. Onu son gördüğüm andan daha yaşlı; bu ağustos on beş yıl olacak. Kalbim sıkışıyor ona baktığımda; beni göremese de orada olduğumu hemen fark ediyor. Tıpkı *Rüzgâr Gibi Geçti*'de Melanie'nin Asley'nin iç savaştan döndüğünü görüp hemen bu ezilmiş adamın sevgili kocası olduğunu fark etmesi gibi. Teyzem bana doğru koşmuyor, bunu yapamaz zaten; ancak duyguları ileri atılıyor ve nefesimi kesiyor.

Ben ona ulaşana kadar ağlamaya başlıyor. Birbirimizi kucaklayıp, uzun süre orada kalıyoruz. Ağlıyor, "Geleceğini biliyordum" ve "Ona söylemiştim" gibi şeyler söylüyor.

Kalbim duruyor bir an. Beni gördüğü için o kadar mutlu ki acaba beni kızı Lyndley mi zannediyor? Bir bakıma bu daha muhtemel olurdu aslında. Bu garip gezegenin fizik yasalarını ve böyle bir şeyin imkânsızlığını bilsem de on beş yılı aşkındır ölü olan kız kardeşim Lyndley'in geri dönmesinin benimkine göre daha az mucizevi olduğunu da biliyorum.

Birlikte rampadan yukarı yürüyoruz yavaş yavaş, adım adım. Artık hızlı yürüyemeyecek kadar güçsüz ve ben nefes almakta o kadar güçlük çekiyorum ki konuşamıyorum bile. Ama bu daha iyi; çünkü şayet konuşabilsem de ne söyleyeceğimi bilmiyorum. Önümüzde, rampanın tepesinde birkaç martı çöp tenekelerinden birini deviriyor. Birkaç fit yuvarlanıp, tepenin kenarına varmadan duruyor teneke.

Tepedeki eski okul binasını göstererek, teyzeciğim Boynton, "May seni bekliyor" diyor. Benimle birlikte yürümeye başlıyor; sonra Beezer'ın kolundan tutuyor. Başını onun omzuna yaslayıp, usulca ağlıyor.

"Eva için çok üzgünüm" diyor Beezer.

Teyzemin, Eva'nın başına gelenleri bildiğini ve anladığını fark ettiğimde şaşırıyorum. Onu kör eden "kaza" teyzemde beyin hasarı da bırakmıştı.

"Bazen kim olduğumu biliyor, bazense tanımıyor beni" demişti Eva bana birçok defa.

Kırmızı okul binasının kapısı açık. Halkayı görebiliyorum. Kucaklarında dantel yastıklarıyla oturuyorlar. Bazıları çok çalışıyor, makara üstüne makara geçirip, hayatlarını desenlere üflüyor. Diğerleri ise nadiren çalışıyor; ancak dinliyorlar, tam olarak orada olmayan bir şeye gözlerini dikerek, dantel falına bakan birinin, annemin güçlü ve duru sesiyle büyülenmişler. Blake'in *Masumiyet ve Deneyim Şarkıları* kitabından alıntı yapıyor May:

> Sonradan eve gelin çocuklar,
> Güneş battı,
> Ve gecenin çiğleri ortaya çıkmakta.

Sesi takılıyor beni girişte gördüğünde. Bu, o kadar belli belirsiz ki tek bir ritmi bile kaçırmıyor ve devam ediyor...

> İlkbaharın ve günün oyun içinde boşa harcanmış,
> Kışın ve gecen maske içinde.

May kitabı kapatıp bize doğru adım attığında, başka bir ses duyuyorum; anneminkinden de güçlü bir ses.

"Hiçbir şey tesadüf değildir" diyor Eva, ben ve Beezer kapıdan girerken.

7

Ipswich dantelini, diğer bütün el yapımı dantellerden ayıran makaralarıdır. Sömürge altında yaşayan kadınlar, Avrupa'dakiler gibi süslü ve ağır makaraları satın alamazlardı. Kolonilerdeki diğer herkes gibi, dantel işçileri ellerindekilerle idare etmek zorundaydı; dolayısıyla üzerine iplik sardıkları makaralar, daha hafifti, bazense bu makaraların içi oyuktu; sahil kamışlarından imal edilirdi; nadiren de olsa Salem gemilerine dolgu malzemesi olarak katılan bambudan; hatta kemiklerden yapıldıkları da olurdu.

Dantel Falı Rehberi

Hepimiz buradayız. Beezer'ın nişanlısı Anya dün gece geldi. Düğün (sadece bir hafta sonra) için yarın Norveç'e uçmaları bekleniyordu. Ancak Eva'nın cenaze töreni sona erene kadar, yolculukları birkaç gün sonrasına ertelendi. O kadar belli ki Anya'nın bu durumdan hoşnut olmadığı; neden memnun olsun ki zaten? Anya, her koşulda sağlam biri, bence. Bu yerin onu ne kadar rahatsız ettiğini biliyorum. Kalifornita Teknik Üniversitesi'ni de içine alan bir konferans turu için Beezer'la birlikte Kaliforniya'ya geldiğinde bunu söylemişti bana Anya. Onun dürüstlüğüne gerçekten saygı duyuyorum; ancak hâlâ ondan hoşlanmıyorum. Sanırım bunda, biraz onun da benden hoşlanmamasının ve biraz da Beezer dışında hiçbirimizi sevmemesinin etkisi var. Merak ediyorum; kardeşim kendinden ne kadar bahsetmiştir ona acaba? Ancak Beezer konuşmayı pek sevmez ki. Her şeyin nasıl gittiğini sorduğumda, Eva'nın cesedini tarif ederken örneğin, tanımlamanın çok zor olduğunu söyleyip, "kabuklular" gibi şeyler mırıldandı. Biliyordum ki daha çok şey öğrenmek istiyorsam, her şeyi teker teker sormam gerekecekti; ancak onun tanımlamalarıyla keyfim kaçtı ve öğrenmek istemediğime karar verdim.

Bu sabah, Beezer ve Anya içeride uyuyorlar; ancak geri kalan kısmımız burada, kırmızı okul binasındayız. Papazın gelmesini ve Eva'nın üyesi olduğu Üniteryen Kilisesi'ndeki ayinle ilgili düzenlemeleri yapmasını bekliyoruz. Dr. Ward, deniz taksisiyle geliyor.

Emekli olduğu halde Eva'nın cenaze töreni için burada olacak. O ve Eva arkadaştılar. Yıllarca. Deniz taksisini görebiliyoruz; hâlâ uzakta; ancak yakınlaşıyor.

İki küçük çocuktan başka kimse konuşmuyor; biri kız, diğeri ise erkek. Okul binasında yerde, uzakta bir köşede oturmuş beştaş oynuyorlar. Zemin, zamanla bakımsızlıktan bir yana doğru eğilmiş, topu her attıklarında, onlardan uzağa yuvarlanıyor top. Çocuklar bunu çok eğlenceli buluyorlar. Top dışarıya doğru yuvarlanmadan ona yetişmek için koşturuyor ve bir yandan da kıkır kıkır gülüyorlar.

Zıplayan topun sesi sinirine dokunana kadar asabi genç kadın, muhtemelen anneleri, bunu iki ya da üç kez yaparken seyrediyor onları. Daha fazla dayanamayarak, tepelerine binip, topu alıyor ellerinden. Küçük kız ağlamaya başlıyor, buna karşılık anne de ağlıyor. Bunu gören Halka'nın kadınları içeri girip kadını çevreleyerek genç anneyi rahatlatıyor.

Daha yaşlı olan kadınlardan biri "Bırak oynasınlar, oyun oynamak iyidir" şeklinde bir öneri sunuyor. Kadın, anneden topu alıp, şüpheli bir şekilde bakan küçük kıza veriyor.

Sonrasında, kadınlardan biri dubalardaki deniz taksisini ve içinden çıkan kişiyi gösteriyor. O kadar yıldan sonra papazı hemen tanıyorum; ancak bu kadın onu tanıyamıyor ve kadındaki gerginliği görebiliyorum.

"Her şey yolunda" May kadını sakinleştiriyor. "O, beni görmek için burada."

Endişeli genç anne, Halka'nın arasına götürülüyor. Kadınlar ona sessizce bir şey söylüyor, anlayamadığım şeyler. Sonunda bir gülümseme koparıyorlar kadından. Küçük kız oynamaya başlamıyor tekrar; bile bile topu yere koyup, bir anlık durduğu açık kapıdan yavaşça yuvarlanmasını, sonrasında topun granit basamaklardan zıplayıp gözden kaybolmadan önce iki kez hoplamasını seyrediyor. Girişteki karede kalan tek resim, papazı karşılamak için iskeleye koşan May'inki.

May, Dr. Ward'ı ana binaya, utangaç (en iyi ihtimalle) kızlardan uzağa götürmenin daha iyi olacağını düşünüyor; ayrıca "kızlar, dantel yapıyor; kendi işimizle onları engellememeliyiz". Eve girdiğimizde, Beezer ve Anya sonunda ayaktalar. Beezer kahvesini almış, papaz için de bir tane hazırlıyor. Anya ona yardım etmiyor; ancak her zamanki gibi Beezer'a sokulmuş. Engelli birinin yaptığı gibi onunla hareket etmeyi öğrenerek bu durumu telafi edebiliyor; daha önce böyle yürümediğini bile unutuyor bir süre sonra Beezer.

"Tören yerini değiştirmeyi düşünüyoruz" diyor Dr. Ward, kaşığıyla fincanın kenarlarını çınlatıp attığı ikinci çay kaşığı şekeri karıştırırken. "Muhtemelen cenaze törenini caddenin aşağısında, St. James'te yapacağız."

"Neden böyle yapıyoruz ki?" diye soruyor May.

"Çünkü törene katılacak çok kişi var. Katolik Kilisesi ancak o kadar kişiyi alabilir."

"Kaç kişi?" May çoktan kötü hissetmeye başladı.

"İki yüz kişi civarında olacağını düşünüyoruz" diyor. "Aşağı yukarı."

"İki yüz kişi mi?" Anya şaşkın. "Şayet ölen ben olsaydım, cenaze törenimde iki yüz kişiyi istemezdim."

"Aşağı yukarı" diyor tekrar papaz.

O kadar çok kişinin geleceği düşüncesiyle May'in tüylerinin ürperdiğini görebiliyorum. Hayatta yerinde duramıyor; ayağa kalkıp bir o tarafa, bir bu tarafa dolanmaya başlıyor.

"İki yüz kişi" diyor tekrar Anya.

"Eva'nın çok arkadaşı vardı" diyor Beezer, biraz da onu susturmak için. "Şu görgü dersleri..."

"Şu cadılar" diyor May somurtarak.

Papaz, rahatsız olup konuyu değiştiriyor. Bazı kişiler, şüphesiz Kalvinistler, May'in "şu cadılardan" biri olduğunu düşünürdü. Her şeye rağmen şimdi bile kendilerini "Halka" diye çağırıyorlar. Papaz, onların, iş adlarını resmi olarak "Adanın Kızları"ndan "Halka" yaptıkları zamanı bile hatırlıyordu. Bu adı hiç sevmemişti ve bunu Eva'ya da söylemişti. Bu ismin açık bir çağrışımı vardı ve dolayısıyla bu addan uzak durmaları gerektiğini düşünüyordu. O, –aslında herkes– orada neler döndüğünü her zaman merak etmiştir. Bazı kişiler, bu kadınların cadılar meclisi olduğunu düşünmüştür. Şu an Salem'de her tarafta mevcut olan cadılarla, özellikle kendilerinden "Halka" diye söz eden bir grup kadının cadılar meclisi olduğunu düşünmek mantıklıydı. Papaz, bu düşüncelerini Eva'ya anlattığında Eva çok gülmüş; ona bu düşünceyi kafasından atmasını, bu ismin cadılardan değil kadınların önceden sahip oldukları dikiş halkalarından geldiğini söylemişti. Papaz, yine de bunun yanlış yorumlanabileceğini düşünüyordu. "Kariyerinizi kısıtlar", onun asıl kelimeleriydi; ancak onlar devam ettiler ve başardılar da. Gördüğü kadarıyla, bu işi, zerre kadar kısıtlamadı onları. Eva, çok kısa bir süre sonra Halka'nın yaptığı dantelleri çay salonunda satmaya başladı; o andan itibaren çok dantel satıldı. Belli ki, bir papazdan iş tavsiyesi almak için deli olmanız gerekiyor, değil mi? Hem May'in bir cadı olmadığını, hem de onun cadıları sevmediğini fark ettiği için papaz bir hayli rahatlamıştı. Bu bakımdan May'in Kalvinistler gibi olduğunu düşünürdü. "Kalvinistler kim?" diye soruyorum; söyleyene kadar onun zihnini okuduğumun farkında değildim. Papaz irkiliyor. Dr. Ward'ın zihnini okumak çok kolay; o kadar açık ki elinizde olmadan yapıyorsunuz bunu. Bu, bazen kutsal insanlara olur. Düşünceleri, bütün dünya onları görsün diye ortadadır; bizimkiler gibi temkinli değil.

May şimdi gerçekten tedirgin. Başta, papaz istemeden onun zihnini okuduğum için bana kızdığını düşünüyordum –Eva'nın görgü kurallarından bir diğeri. Herhangi birinin zihnini o istemeden okuyamazsın; bu, başkasının hanesine tecavüz etmek gibi bir şey. Ancak biliyordum ki bu adamın zihnini ben kolaylıkla okuyabiliyorsam May de bunu yapabiliyordu. May kabul etmese de, bir dereceye kadar hepimiz zihin okuyabiliyoruz. O, sezgilerinin oldukça güçlü olduğunu kabul eder ki bu aslında bahsettiğimle aynı şey. Dolayısıyla ya hâlâ cadılar konusunda, ya da papazın zihnini okuduğum için bana kızgın, anlayamadım hiç. Her durumda da öfkesi çok açık. Hatta papaz bile hissedebiliyor bunu.

"Ne düşünüyorsun?" Dr. Ward bir cevap bekliyor.

"Ne düşündüğümü zaten biliyorsun" diyor May. "Bir cenaze töreni yapmamız gerektiğini zannetmiyorum."

"Bence Eva, kendisi için bir tören yapılmasını arzu ederdi" diyor Dr. Ward.

"Bir tören hoş olurdu." Bunlar, teyzeciğim Boynton'un ilk sözleri.

"Biliyorsunuz ki Eva oldukça dindardı" Dr. Ward ortaya atıyor.

"Eva mı? Dindar mı?" May, gürültülü bir kahkaha patlatıyor.

Her zaman May'in yerine Dr. Ward'ın tarafını tutmayı tercih etsem de bu konuda annemle aynı fikirde olmak zorundayım. Eva, kilise üyesiydi; ancak insanların dindar diye söz ettiklerinden değildi. Yaz mevsimi, İlk Kilise için çiçekler yapmıştır. Kutsal Kitap'ı en iyileriyle tartışabilirdi. Ancak ayinlere çok nadir katılırdı. Eva bir keresinde onun için maneviyat fikrinin dışarıda bahçede, yüzerken var olduğunu söylemişti bana.

"Bence, ölümü için bir şey yapılmasını isterdi" diyor Dr. Ward. Sinirlenmek üzere ki zoraki bir gülümseme ile saklıyor bunu çabucak.

"O halde düzenlemeyi yapması gerekenin sen olduğunu düşünüyorum" deyip dışarı çıkıyor May. Ve şimdi ben de kızgınım; çünkü işte bu, tam May'in yapacağı türden bir davranış: Bizi bu şekilde bırakıp çekip gitmek. Kasaba şerifini, Salem polisini ve bir düzine sinirli muhabiri aynı anda bekletmekle tanınmıştır May. Başarılı bir işi yürütebilir ya da *Newsweek* gazetesiyle harika bir röportaj yapabilir; ancak ailesine gelince hiçbir şeyi halledemez o.

"Neden onun fikrini sorduğunuzu anlamıyorum" diyorum sert bir şekilde. "Bire on bahse girerim ki cenaze töreni yapsak ortaya çıkmaz bile kendisi."

"Sen ortaya çıktın, değil mi?" Beezer'ın sesi sinirli. Kendini hemen suçlu hissediyor. "Üzgünüm" diyor. "Ancak bunu yapmasak?"

"Üzgünüm" diyorum, hissettiğim şey de bu.

"Belki de planlandığı gibi Üniteryen Kilisesi'nde töreni yapmalıyız" diyor Dr. Ward. "Erken gelen oturur hesabı."

Herkesin sıra aldığı bir meze dükkânını canlandırıyorum gözümde. Bu resmi kendime saklıyorum.

Uzun bir sessizlik.

"İyi misin?" diye bana soruyor Dr. Ward sonunda.

"Üzgünüm" başka ne söyleyeceğimi bilmeden tekrarlıyorum.

"Hepimiz üzgünüz" gözleri doluyor biraz. Koluma dokunmak için papaz elini uzatıyor; ancak gözyaşları görüşünü engelliyor ve eli havada asılı kalıyor sadece.

Daha sonra, evde yalnız olduklarını düşündüklerinde, Anya'nın Beezer'la konuştuğunu duyuyorum. "Sen, dünyadaki en garip aileye sahipsin" diyor Anya. Bunu sevgiyle ima ediyor; sanırım küçük bir şaka.

Yüzünü görmeden Beezer'ın surat ifadesini kestirebiliyorum. Gülümsemiyor.

Lyndley kendisini öldürdükten sonra akıl hastanesine düştüğümde, bana şok tedavisi uygulanmasına izin verdim. Eva'nın arzusuna ve şüphesiz May'inkine (kabul etmemin sebeplerinden biri de buydu) karşıydı bu isteğim; ancak doktorlar bunu bir hayli öneriyordu. Altı ay boyunca hastanede kaldım. Depresyon için bütün standart ilaçları denediler, buna karşın Prozac ilacı henüz mevcut değildi ve dolayısıyla doktorların kullanmak zorunda oldukları ilaçlar o kadar da etkili olmadı. Ayrıca

halüsinasyonlar için bir antipsikotik de verdiler. O kadar çok Stelazine içmem gerekiyordu ki yutamıyordum artık onları. Çok zor konuşabiliyordum. Ve ilaçla tedavi pek de işe yaramadı. Gözlerim açıkken gördüğüm imgeler hâlâ ordaydı: Eski bir yelkenli geminin başındaki süs gibi rüzgâra yaslanan, kayalıklardaki Lyndley, atlamaya hazır. Gece kâbuslarım, köpekler tarafından paramparça edilen Cal'ı resmediyordu. O zamana kadar bu son imgenin halüsinasyon olduğunu fark etmeye başlamıştım; ancak akıl hastanesine kabul edildiğimde, köpeklerin Cal'ı parçaladığına ve onun öldüğüne gerçekten inanıyordum. Doktorlar bunu bir çeşit arzu giderme fantazisi olarak adlandırdı.

Maalesef Cal ölü değildi; ancak kız kardeşim Lyndley ölmüştü. Ve ne kadar uğraşsam da bu imgelerin hiçbirinden kurtulamadım. Düşündüm ki, doktorlar şok tedavisiyle beni bu imgelerden kurtarabilirler sonunda; bu yüzden izin verdim onlara. Adeta heveslidim. May'in bu yeni gelişmeye cevabı, Sylvia Plath'ın *Cam Fanus* kitabının bir kopyasını bana göndermek oldu. Kitabı o getirmedi, şunu unutmayın, bir kez olsun beni görmeye hastaneye gelmedi. Bunun yerine, gerekirse sesli okuması talimatını verdiği Eva ile kitabı gönderdi.

"Bunu yapacağım" Eva'ya tek söylediğim buydu.

Korkunç değildi; en azından benim deneyimim. Ve işe yaradı da. Birkaç uygulama gerekli oldu; ancak sonunda imgeler uzaklaşmaya başladı. Cal'ın imgesi, her şey çirkinleşmeden kendimi uyandırabileceğim bir kâbusa dönüştü. Ve Lyndley'inkisi tamamen kaybolmasa da çevresel görüşümün sol köşesinde sabit kalan, küçük siyah bir kutu boyutuna küçüldü. Tamamen yok olmuş değildi; ancak direkt ona bakmak zorunda değildim artık. Şayet tercih edersem başka bir şeye bakabiliyordum, bunu yaptım da.

Hatırladığım kadarıyla hayatımda ilk kez bir planım vardı. Kaliforniya'ya taşınacaktım. Kaliforniya Üniversitesi'ne başvurup kabul edildiğim için planlandığı gibi üniversiteye gideceğimi söyledim hastaneye. Doktorlar sevindi. Bunu; iyileştiğimin, bu yeni ve gelişmiş elektronik ilaçlarının bende işe yaradığının bir işareti olarak kabul ettiler.

Şok tedavisine başlamadan önce, bununla ilgili son kez konuşma teşebbüsünde bulunan Eva, garip şeyler söyledi. Gördüğüm şeylerden dolayı üzgün değildi. Dantel falına bakan biri olarak, onun uğraşında bu görüntüler dilediğin şeylerdi. "Bazen" dedi. "Yanlış olan görüntüler değil de bu görüntülerin yorumlarıdır. Bazense bir bakış açısı kazanana kadar imgeleri anlamak mümkün değildir." Konuşma terapisini daha çok savunuyordu, şokları değil. En azından o zamanlar böyle olduğunu düşünüyordum. Asıl kastettiği şey; ancak bana yıllar sonra açıkladığı, aynı imgeleri kendisinin de görmesiydi. Dantelde her iki imgeyi de görmüştü; Lyndley'inkini ve köpeklerle olanı. Ancak ben onları gerçek kabul ediyorken, o, sembol olarak görüyordu.

"Kendimi suçluyorum" dedi kalıplaşmış sözleriyle konuşmaya başlayarak. "Bilmeliydim."

Hepimiz bir anestezi yolu buluyoruz kendimize.

"Sonradan fark etmek." Buruk bir gülümseme ile Eva bunu bana söylemişti.

Şok tedavisi, kısa süreli belleğimdeki çoğu şeyi alıp götürmüştü. Geri gelmedi de birçoğu. O yaz neler olduğunu çok az hatırlıyorum. Bu, izin verdiğim şeydi. Tedavinin başka bir yaptığı da, gerçekten pek görülmeyen, istatistik olarak bin kişiden birinde olan, uzun süreli belleğimdeki birçok şeyi de silmesiydi. Unuttuklarımın geri geleceği konusunda garanti verdiler, birçoğu geldi de. Yıllar geçtikçe hafızaları yok olan insanların tersine ben hafızamı kazandım zaman geçtikçe. Anılarım bazen parçalar, bazense bütün hikâyeler halinde geliyor. Hastanedeyken bir kısmını yazdım; ancak Kaliforniya Üniversitesi'ne gidene kadar yazmayı bırakmıştım bile. İlk yarıyıl bitince devam etmedim okula. Eva'ya Stelazine yüzünden her şeyi çift gördüğümü ve okuyamadığımı –ki bu doğruydu– dolayısıyla okuldan ayrılıyor olduğumu söyledim. Bir film yönetmeni için ilk ev bakıcılığı işimi aldım ve senaryoları ilk ona, sonra da stüdyolardan birine okuma görevini üstlendim.

Eva Kaliforniya Üniversitesi'ne dönmem için bir süre beni ikna etmeye çalıştı. Ya da geri dönüp Boston'da okula gitmem konusunda ısrar etti.

8

Bugün, Halka, bir zamanlar Sarı Köpek Adası'nda yaşayan kuşların kemiklerinden makaralarını yapmaktadır. Bu makaraların hafifliği, ipliğin gerilme oranını eşit kılmamaktadır ve yeni Ipswich danteline olağanüstü kalitesini ve hoş, pürüzlü kumaşını veren, dantelin yorumlanmasını kolay kılan her şeyden öte işte budur.

Dantel Falı Rehberi

Bahsi kazanacaktım. May, Eva'nın cenazesinde hiç ortaya çıkmıyor. Beezer ve Anya'nın eşlik ettiği teyzeciğim Boynton orada; her biri bir kolunda. Ancak May, gelmeye tenezzül bile etmiyor.

"May'in kendine özgü saygı gösterme yolları var." Anya açıklama gereği hissediyor. "Bu sabah dört yöne şakayık çiçekleri dağıttı."

Yorum yapmıyorum. Söyleyeceğim herhangi bir şey kinayeli gelecekti herkese. Kiliseye vardığımızda insanlar dışarıda dizilmiş, içeri girmeyi bekliyor.

Rafferty, orada, kilisenin arka kısmında, çatıya doğru iki kat yükselen orgun altında duruyor. Siyah takım elbisesinin içinde hantal görünüyor; herkesin gözlerini ona diktiğini bildiği için daha da hantal. Aslında sadece kadınlar bakıyor. Rafferty yakışıklı bir adam, çoğunlukla kadınlardan oluşan bu kalabalıkta bu gerçek onu daha sıkılgan yapıyor.

Bu, eski bir kilise; Salem'deki İlk Kilise; ancak başta Püriten'di. Suçlanan cadılardan ikisi, bu kilisenin cemaatindendi. Burası ayrıca greve giden ve bu kilise İngiliz Kilisesi ile bütün ilişkilerini kesmedikçe, papaz olarak hareket etmeyi ve hatta ayinlere katılmayı reddeden Roger William'ı aforoz eden kilisedir. William, sadece kiliseyi değil; Massachusetts Koyu Kolonisi'ni de terk etmiş; sürgünden kurtulmuş ve dini hoşgörüye sahip bir test bölgesi olan Rhode Adası'nı kurmuştur.

Bugün, Salem'in İlk Kilisesi, üniteryendir ve bir kilisenin olabileceği kadar püriten köklerinden uzaklaşmıştır. Yine de bu kökler derinlerde. Toplantı yerleri dizisinin sonuncusu, Essex Caddesi'nin yapısı yıllar geçtikçe çok değişti. 1800'lerin ortasında Salem'e gemicilikten oldukça yüklü para gelince, kilise, ortada, aşağı doğru inen ağaçtan sert sıraları ve duvarları kaplayan kadife kaplı yumuşak locaları (gemici aileleri için özel oturma yerleri) ile taştan ve maun ağacından yeniden inşa edildi. Işık çoğunlukla, içeriye soluk bir gül resmini bırakan, neredeyse yerden tavana kadar uzanan kocaman Tiffany pencerelerinden süzülüyor ki bu, her şeyi biraz gerçeküstü olsa da güzelleştiriyor.

Kilise, Yenidünya'nın sadece bu bölgesinde bulunan sade bir zerafete sahip.

At kılından yapılmış yastıkları ve tozlu, kadife kaplamaları ile bir zamanlar koyu şarap rengindeyken, şimdi ise çürümüş ve yıpranmış pembe renginde olan Whitney locasında yerimizi alıyoruz. Kilisenin ortasındaki oturma yerleri yenilenmiş; cemaatin oturduğu yer. Bugün, insanların arkada ayakta durmak zorunda kalacağı kadar kalabalıkken bile burası, açık olan tek loca Whitney locası. Bu, ayrımcılık yapmaktan daha ziyade muhtemelen sorumlulukla alakalı bir durum; ancak bu loca, her nasılsa bizi kalabalıktan ayrı tutmanın bir yolu gibi görünüyor. Vaaz kürsüsünü değil de, insanları gördüğümüzden sanki vitrinde oturuyormuşuz gibi hissediyorum. Bakmadığımızı düşündüklerinde insanların kaçamak bakışlarını görebiliyorum. Belki de her cenaze töreninde bu hep böyle olur. Şu bakışlar belki de her zaman oluyordur; ama aileler hiç fark etmez bunu. Zira cemaate değil de ileri doğru tabuta bakarlar.

Şimdiden dışarısı doksan derece. "Daha çok erken bu kadar sıcaklık için." İçeri girerken kadınlardan birinin bunu söylediğini duyuyorum. Ses tonu biraz suçlayıcı; kadının kimle konuştuğunu görmek için dönüyorum; ancak özellikle biri için söylenmemiş, daha çok genel bir yorum olduğunu anlıyorum; belki de evinde olduğumuz Tanrı'ya söylemiştir. Sanki kadın bazı şeyleri belgeliyor, kayda alıyordu. Bölgenin bu kesiminde insanlar bunu yaparlar; tıpkı her şey için kredi almak ve kendilerine ait olmayan borçlarla mükellef olmamak için defterlerini dengeledikleri gibi hava durumundaki aşırılıkları da kaydederler; sanki havanın kendisi sınırlı ve saptanabilir sayıda sıcak, karlı ya da güneşli günler yapmak zorundaymış da bu sayıyı aşması yasakmış gibi.

Kilise kadınlarla dolu: Hepsi şapka takıp, ipekten yaz kıyafetleri giyiyor, taştan soğuk mimariye karşı buralı değil de Güneyli gibi görünüyorlar. Gözüm, kilisenin orta kısmına, morun farklı tonlarında giyinmiş kırmızı şapka takan bir grup kadına takılıyor.

Bunlar Eva'nın müdavimleri, onun arkadaş kabul ettiği grup. İnsanlar ilk içeri girdiklerinde serinlemek için bulabildikleri her şeyi yelpaze gibi kullanıyorlar: bir güneş şapkası, geçen pazar ayininden kalmış bir program. Ah çekişleri duyulabiliyor. Taştan kilise klimalı değil; ancak Yenidünya'nın doğal taştan yapılmış mahzeninin küflü havasını barındırmakta; geçen güzün hasat zamanından kalma elmaların ve Noel'den kalan çamların hafızalardaki kokusu ile nemli ve serin. İnsanlar serinlemeye başlayınca sakinleşiyor; ellerindekileri sallamayı ve ordan oraya dolanmayı bırakıyorlar. Hatta ileri geri atılan, tanıdığını gösteren bir anlık kahkahalar bile mevcut, sonradan yakışık, hüzünlü bir tavırla örtülse de. "Siyahlar içindeymiş gibi davranmaya çalış" bir keresinde Hollywood'lu bir yönetmenin, oyunculardan birine bunu söylediğini duymuştum. Buradaki insanların yaptığı şey de işte buydu.

Gerçekten siyahlar içinde olan insanlar sadece cadılardır; ancak onlar yıl boyunca siyah giyer. Bunu dinsel bir gereklilik olarak görmeyen de tek onlardır. Aralarında sessiz sessiz konuşur; içeri girdiklerinde birbirlerini selamlarlar. Eva, bir keresinde ölümün cadılar için aynı şey olmadığını söylemişti bana; çünkü sonsuz cehennem azabı olasılığını ölüme bağlamazmış onlar.

Dr. Ward, Eva'yı övüyor. Eva'nın yaptığı iyi işlerden, yardım ettiği bütün insanlardan bahsediyor. "İnsanlar en sonunda yaptıkları iyi işlerle anılır." Eva'nın yaptıklarının bir listesini sıralıyor, teyzem hakkında hiç bilmediğim şeyler. Şayet o, başka türlü biri olsaydı böbürlenebileceği türden işlerdi bunlar. Çocukların ne kadar bencil olduğunu fark ediyorum. Onları severiz ve dünyaları etrafında dönüp dururuz; ancak onlar bizimkileri umursamaz. Burayı çocukken bıraktım ve bir bakıma hâlâ büyüyemedim. Teyzem hakkında bu şeyleri bilmemem bu gerçeği söylüyor bana. Burada oturuyorken bütün bunlar için pişmanlık duyuyorum. Bugün çok şey için pişmanım.

Dr. Ward boğazını temizliyor. "Eva Whitney, ilkbahar sonu başlayarak, her gün yüzerdi. Botların çoğu daha suya inmeden, Eva denizde olurdu. İnsanlar, Eva günlük yüzüşlerine başladığında botlarını denize indirirdi; çünkü bilirlerdi ki hava sıcak kalacaktı ve tam da mevsimiydi. Eva'nın sezondaki ilk yüzüşü, bu kasabanın bir nevi Dağ Faresi Günü'ydü.[6] Eva, ilk defa suya girdiğinde

---

6. 2 şubatta genellikle ABD ve Kanada'da kutlanan festival. 2 şubat günü dağ fareleri yuvalarından çıktıklarında hava bulutlu olur da kendi gölgelerini göremezlerse o kış kısa sürecek demektir. Şayet hava açık olur da kendi gölgelerinden korkup yuvalarına kaçarlarsa kış 6 hafta daha devam edecektir.

hepimiz nefesimizi tutardık. Ertesi gün tekrar gelirse, kar kürek-lerimizi kaldırırdık... Bahar gelmişti artık." Göz temasında bulu-narak etrafa bakınıyor. "Ve şimdi mevsim değişti. Yine yaz bura-sı; ancak Eva artık aramızda değil." Dr. Ward, teyzeğim Boynton'a sonra da Beezer'a ve bana bakıyor. Beezer, huzursuz bir şekilde oturduğu yerde kımıldanıyor. "Her şeyin" diyor Dr. Ward, "gökle-rin altındaki her olayın bir zamanı ve mevsimi vardır."

Ayeti bitirmiyor, elinde sözcüsünün notları ile vaaz kürsüsüne yönelen Ann Chase'i işaret ederek aşağıya iniyor, kadının siyah cübbesi locamızın köşesine değiyor geçerken. Dr. Ward nasıl dav-ranması gerektiğini hatırlıyor, kadına kolunu uzatıp merdivenler-den çıkmasına yardım ediyor; yaşlı bir beyefendiden kibar bir jest. Koluna girerken, kadının eliyle ona destek verdiğini görüyo-rum. Dr. Ward'dan çok kadın ona yardım ediyor. Dr. Ward ön sı-raya doğru yavaşça yürüyor ve tabutun karşısında bir yere oturu-yor. Dosdoğru ileri bakıyor.

Lyndley'in öldüğü yazdan beri Ann Chase'i görmedim. Benden çok az büyüktür, belki dört ya da beş yaş. Biraz sessiz görünüyor; ancak bunun dışında son on beş yıl boyunca hiç değişmemiş. Yüz hatları, bir sanat öğrencisi tarafından özel olarak yapılmış, ger-çekten çok uyarlamaya benzeyen, eski bir başyapıtın kopyası gi-bi nispeten daha az tarif edilmiş.

Kendini tanıtmıyor. İhtiyacı da yok zaten. Laurie Cabot dışın-da, Ann Chase Salem'deki en tanınmış cadıdır, bir zamanlar İlk Kilise'nin meşhur üyelerinden olan Giles ve Martha'nın (histeri döneminde cadı olarak asılana kadar) soyundan gelmektedir. On-lar tabii ki cadı değildi. Af kâğıtları şimdi herkes görsün diye bu kilisenin arkasında asılı durmakta. Kraliçe II. Elizabeth tarafın-dan bu asrın çok sonlarında çıkarılan aflar Giles, Martha ve (ba-zı kişiler söylerdi) Anna için de çok geç artık. "*Babalarının gü-nahları*" herkes duyabilsin diye yüksek sesle fısıldıyor birisi. An-cak Ann bunu duysa da geri çekilmez.

Bu kasabadaki çoğu kişi Ann'in, ailesini protesto etmek için bir cadı olduğunu düşünür. Ya onları yen, ya da onlara katıl gibi bir adalet anlayışı, "adım var oyun benim de olabilir" gibi bir şey işte. Bu konuda pek emin değilim. Ben bu kasabayı terk etmeden, Ann büyücülük yapıyordu bile. Aşağıda, Yedi Çatılı Ev'in yanında bir hippi evinde yaşıyor, otlar yetiştirip arkadaşları için sihirli mantar çayları demliyordu. Önceden siyahlar giymezdi; Lyndley ve benim Harvard Square'den aldığımız yatak örtüleriyle aynı ku-maştan yapılmış Hint baskılı, uzun ve dökümlü etekler giyerdi.

Çoğu zaman yalınayak gezerdi; parmak eklemlerinde kına dövmeleri ve gümüş bir asma gibi bütün bileğini kuşatan bir ayak parmağı yüzüğü vardı. Bazen ben ve Lyndley onun egzotik olduğunu düşünürdük. Bazense onun sadece ilginç olduğunu. Tıpkı onu Derby Rıhtımı'nda küçük deniz fenerine karşı dağ gibi durup etrafında köpek yavrusu gibi dönen kız arkadaşları için aşk tılsımlarını tekrarlarken gördüğümüz zamanki gibi. Limandan, başka birinin demir yerine bağladığımız Whaler botudan onları gizlice gözetlerdik. Onları seyrederken gülerdik; ancak bizi duymasınlar diye ağzımızı kapatırdık. Ama bu tılsımlar sonunda işe yaramış olmalı ki Ann'in arkadaşlarının umuma açık yerlerde emzirdikleri ve çizgili, küçük tişörtler giydirdikleri hippi bebekleri olmaya başlamıştı. O zamana kadar 60'ların çok uzun sürdüğüne bakmayın. "60'lı yıllar, 70'lere kadar Salem'e varamadı." Lyndley bunu söylerdi ve tabii ki haklıydı. Ancak sonunda 60'lı yıllar eski bir liman kenti olan Salem'e geldiğinde, gemiye binen ilk Ann Chase oldu. Ve bu gemi tekrar uzaklara yelken açtığında, arkada kaldı, kumsaldan el sallayarak. Demir atacağı limanı bulmuştu.

O günlerde herkes ufak da olsa sihir yapabiliyordu; ancak Ann bunu başka bir aşamaya getirmişti. Tarot kartlarını okumak ya da I-Ching[7] yerine kafatası bilimiyle ilgilenmeye başladı. Kafanızdaki çıkıntılardan geleceğinizi tahmin edebilirdi. Kafanızı iki eliyle yakalayıp bastırırdı sanki marketten kavun alıyormuş gibi. Sonunda, ne zaman evleneceğinizi, kaç çocuğunuz olacağını söyleyebilirdi size. Lyndley birkaç kez gitti ona. Ben hiç gitmedim çünkü kafama dokunulmasından hoşlanmazdım. Ayrıca şayet ihtiyacım varsa ya da gerekiyorsa Eva'ya fal baktırırdım.

Ann'in usta olduğu şey yağlardı. Penceresinin önündeki çiçeklikte otlar yetiştirirdi ve esansları damıtıp ilaç yapmaya başlamıştı. Teker teker oda arkadaşları uzaklaştıkça ilk önce kariyer peşinde hırslı bir delikanlıya, sonra ise çocuklarına şoförlük eden bir anneye dönüştü, en sonunda ise bütün bunların yerini kediler aldı. Ann, kirası yüksek bir yer olmadan önce aşağıda, Pickering Rıhtımı'nda şifalı bitkiler dükkânı açtı ve alışveriş konusunda moda bir yer olduğunda ayakta durabilecek kadar başarılı olmuştu burası. Sonunda, bu dükkânın başarısı daha da artınca, Ann penceresinin önündeki çiçeklikte ot yetiştirmeyi bıraktı ve bunun yerine otlarını Eva'dan satın almaya başladı. İşte bu, arkadaş oldukları zamandı.

Ann'in "Kasabanın Cadısı"na dönüşmesi yavaş yavaş oldu.

---

7. Çinlilerin fal bakma metodu. Üç tane demir para fırlatılarak çıkabilecek olasılıklara göre bilge ifadelerle geleceği görme yöntemi.

Eva'nın bunu nasıl anlattığını dinleseniz, Ann'in bir gün uyandığında cadı olduğunu fark ettiğini düşünürsünüz. Aslında bu, bir karar değildi; bu, bir evrimdi. Ama onu meşhur eden aile geçmişiydi. Salem'in cadıları, büyücülüğe başlayan yerlileri ya da halihazırda büyücülük yapan kişiler Salem'e geldiler; çünkü buranın cadılar için güvenli bir sığınak olduğu biliniyordu ve hepsi Ann Chase'in etrafında toplandı. Onunla olan ilişkilerini, Salem cadılarının başından beri gerçekten var olduğunu kanıtlayan bir cesaret rozeti gibi taşıdılar. Olayların nasıl buraya geldiğinin bir özetidir bu. Böyle bir şeyi kanıtlamıyordu (çünkü Giles ve Martha Corey cadı değillerdi, sadece talihsiz kurbanlardı) ancak bu bağlantı bir kez kuruldu mu silinmesi zordu. Burada oturuyorken, Ann'in onların maskotu olma konusunda neler hissettiğini merak ediyorum.

Ann, birkaç dakikadır konuşuyor; Eva'nın bahçeleri ve onun bitkileri koruması hakkında ki bunlar, gördüğüm dergilerde yıllarca kaleme alınmıştır. Ann'in söylemesi gereken şeyleri duymak istiyorum; ancak yine aynı kişi fısıldıyor ve bu, benim konsantransyonumu dağıtıyor. Etrafa bakınıyorum; ancak kaynağı bulamıyorum ve dolayısıyla Ann'in konuşmasına ve teyzemin hayatındaki detaylara tekrar yoğunlaşmaya çalışıyorum.

"Eva, benim bildiğim en azından bir bitki türünü yok olmaktan kurtardı" diyor May.

"Ne kadar abartıyor, bir sürü boş laf" aynı ses fısıldıyor duyabileceğim şekilde bu sefer. Dolanıyorum, konuşanın onlardan biri olduğunu düşündüğüm için solumdaki kadınları susturuyorum. Tuhaf tuhaf bana bakıyorlar. "Sanki başka biri konuşuyor", ses kulağıma fısıldıyor, daha yüksek, daha yakın bu sefer. Sesi tanıyorum. Bu, Eva. Bütün kilisede ya da en azından etrafımdaki sıralarda duyulabilecek kadar yüksek sesle konuşuyor; ancak belli ki bu sesi duyan sadece benim.

"Eva Whitney bizden biriydi" Ann başlıyor ve cadılardan birkaçı alkışlıyor. "Resmi olarak değildi tabii ki; ancak bizdendi."

Papaza bakıyorum şu an, Eva'nın bakmamı istediği yere. Onu nasıl tanıdığımı bilmiyorum; ama tanıyorum. İyi bir arkadaştı. Onunla ilgili anılarım var, edebiyat ve Kutsal Kitap'ı tartışırdık gecenin geç saatlerinde.

Dr. Ward'a bakıyorum. Kendinden geçmiş olduğunu söyleyebilirim. Sırf cemaat için kendini tutmaya çalışıyor.

"Eva'nın çok sevdiği bir alıntı geldi aklıma" Ann söylüyor. "*Çimenler tekrar yeşerecek gelecek yıl. Ama sen, sevgili arkadaşım, geri dönecek misin?*" Bu dizeyi söylerken, Ann bana bakıyor.

Ann, şu an aşağı iniyor ve Dr. Ward tabuta yöneliyor. Merdivenleri indikçe, siyah cübbesi kabarıyor ve bu uçuş bana, cadıların süpürge sopaları üzerindeki uçuşunu hatırlatıyor. Sonrasında Eva beni bir anı karesine atıyor. Hepimiz; ben, Eva, Beezer oturuyorduk "adamın uçtuğu gün" ya da en azından Beezer bu olaydan hep bu şekilde bahseder.

Noel arifesiydi. Dr. Ward yeni gelmişti kasabaya ve Eva hepimizin ayinlere katılmasını sağlayarak ona destek oluyordu. O yıl, on iki çocukla birlikte Beezer da çanları çalmak için seçildi, hepsi kırmızı bir kaftan giymişti. Her çocuğun bir çanı vardı ve birlikte garip bir temposu olan "Neşeye Övgü"yü çaldılar. Her biri çanını bir değnek üzerinde taşıyor, sanki günahlardan kurtulması buna bağlıymış gibi sallıyordu. Beezer, kendi bölümünü bitirince, kabine geri döndü. Etraftaki ilgiden ve sıcaktan –ki Dr. Ward, çocuklar bu eski ve soğuk binada üşümesinler diye burasının çok sıcak olmasını sağlamıştı– kızarmıştı.

Orta koridordaki oturma yerleri aşağı yukarı altı ya da yedi inç kadar yükseltilmiş ki bu çok alışılmış değildir; bir an bile bunu unutursan, tehlikeli olabilir. O gece Beezer'la bu locada oturduğumuzu hatırlıyorum. Ayin bitmek üzereydi. Tıpkı şu anki gibi koro şarkı söylüyordu. Eve yetişme telaşında olan yaşlı bir beyefendi topluluğun arasında boşluğu fark edip, protokolü yarıp sıraya atladı; ancak aşağıdaki basamağı unutmuş olmalı. Daha çok hatırladığım, adam locamıza çarpacak şekilde –önce kafasını– geliyorken Eva'nın yüzündeki bakıştı. Adam adeta uçuyordu, bacakları yere paraleldi. İlk olarak Beezer bunu gördü ve "Vay canına!" diye bağırdı ki şayet evde olsaydık Eva, tokadı yapıştırmıştı Beezer'ın suratına; ancak Eva ona yetişmeden, adam locanın yerdeydi yanında beni de çekerek. Kilisedeki herkes, Eva'nın, jimnastik koçunun bir atlatıcıyı seçmesi gibi, ellerini başının yukarısına kaldırıp adamı uçarken yakalamasını görmek için tam zamanında döndüler. Bu hareket, adamın yönünü değişirdi ve büyük olasılıkla onu boynunun kırılmasından kurtardı. Adam düşmeden önce sanki tüy gibi hafifti ve uçuyordu. Adam şayet sadece uçuyor olduğuna ve yaralanmayacağına inansaydı iyi olurdu diye düşündüğümü hatırlıyorum. Ancak durum böyle değildi, yüzü buruşmuş ve gergindi. Sert bir şekilde yere inmişti, biraz Eva'nın kucağına biraz da locanın kapısına doğru, öyle ki maun ağacı kapıyı çatlatmıştı. Mucize eseri adama hiçbir şey olmamıştı. Eva'ya da. Beezer'ın Eva'nın adamı yakalayışı ve cesaretinden ne kadar etkilendiğini hatırlıyorum. Günlerce bunun hakkında konuşmuştu.

"Vay canına!" ses fısıldıyor sonra ve Beezer'ın gülümsediğini görüyorum. Bu anının benim için değil de Beezer için amaçlandığını anlıyorum. Hatırladıkça bir yandan ağlıyor, bir yandan da gülüyor. Sonrasında solist "Raglan Road"u söylemeye başlıyor ki saçma bir tercih; ancak iyi bir şarkı, kardeşimin seçtiği ve Eva'nın seveceğini bildiğim.

Geçerken Ann gülümsüyor, etekleri hâlâ kabarık. Eva'nın ruhunun bizim locadan Ann'e doğru sıçradığı bir an geliyor. Beezer'a bakıyorum fark edip etmediğini anlamak için; ancak o, yukarıda tabut taşıyan diğer kişilerle birlikte tabuta doğru gidiyor; belli ki hiçbir şey görmemiş.

Sonra, tabutu takip ediyoruz hepimiz. Koca kilise kapıları açılıyorken içerideki serin hava berrak bir sise dönüşüyor, bizi altımızda alev alev yanan kaldırıma salarken buharlaşıyor. Ancak her şeyin durduğu bir an geliyor gitmeden önce. Kimse dışarı çıkmak istemiyor. Dışarı atılan adım bir şeyin sonu, büyük bir değişiklik. Hepimiz bunu hissedebiliyoruz. Dışarısı 99 dereceymiş, boş verin. Bu başka bir şey. Bir an, eşik, sadece tabutu taşıyanlar değil herkes için üzerinden geçilemeyecek kadar yüksek görünüyor. Kimse bu adımı atan ilk kişi olmak istemiyor. Sonsuzluk işte bu tek anda ve hepimiz bekliyoruz. Sonunda büyüyü bozup dışarı adım atan Dr. Ward oluyor.

Sıcak hava dalgaları asfalt yoldan yükseliyor. İnsanlar güneş ışığına çıktıkça sıcak hava onların şekillerini bozup çizgilerini bulanıklaştırıyor, sadece Ann'inkini değil. Sanki hepimiz bir ruh ve tabutuz; gerçek bir ağırlığa ve kütleye sahip tek şey koyu ve yatay çizgileriyle bu tabut. İnsanlar bilerek merdivenlerden aşağı yavaş iniyorlar, gözleri parlak güneşe alışıyor.

Bekleyen bir cenaze arabası yok. Bunun yerine, tabutu mezarlığa kadar taşımayı tercih etmişler. Beezer, Jay-Jay, benim tanımadığım belki de Eva'nın arkadaşı olan genç adamlar.

Cadılar Evi'nde birkaç kapı aşağıda kamp yapan bir grup anaokulu çocuğu, birkaç fitte bir düğümlenmiş kalın sarı ipin her iki tarafında sıralanmış. Her çocuk bir eliyle düğümü tutmaya çalışıyor, bazıları dalgınlıkla diğer eliyle başparmağını emiyor. Bu sistemden çok eşleştirme sistemine alışkın olan daha büyükleri, bir elle düğümü yakalayıp, şansa bırakmayarak diğer ellerini düğümün altında tutuyorlardı. Bu şekilde yürümek zor olurdu; ancak şu an yürümüyorlar sadece sırada bekliyorlar içeri girmek için. Çocukları, idam hâkimlerinden biri olan Jonathan Corwin'in –diğerlerine göre daha şüpheli ve bu acı uygulamaya daha az bağlı olsa da– evine getiren öğretmenlere şaşırıyorum. Çocuklar bunu anlayamayacaklar. Benim onların yaşında düşündüğüm gibi düşünecekler: Cadılar Evi, cadıların yaşadığı yerdir. Şayet bir şey düşünürlerse de bu, Cadılar Bayramı, şeker ve gelecek yıl hangi kostümleri giyecekleri olacaktır. Karanlık hikâyenin geri kalan kısmını anlamayacaklar, şimdi olduğu gibi. Kimisi sıcaktan uykulu, aklı başında değil; onları bu sersem halden çekip çıkaracak bir şey arıyor. Gözleri tabutu yakalıyor kilise yolundan yavaşça çıkarken ve tabuta kilitlenmiş, caddeden aşağı inerken seyrediyorlar; yapmamaları gerektiğinden habersiz, gözleriyle yolculuk yapıyorlar. Ölüm hakkında bir şey bildikleri yok. Onlara göre biletine sahip oldukları turun bir parçası, belki de o gördükleri şehir şehir gezip skeçler yapan sokak oyuncuları gibi olduğumuzu düşünüyorlar, hani sizi Salem Cadı Müzesi, Cadı Zindanı ya da perili köşklerden birine çekmeye çalışanlardan.

Ropes Konağı'nın bahçelerini geçiyoruz. Essex Caddesi'ni geçip, Eva'nın şehirdeki en sevdiği cadde olan Chesnut Caddesi'ne doğru Cambridge'e dönüyorken her iki yönde de arabalar durmuş. Whitneyler önceden bu caddede yaşıyordu, politika onları diğer Jefferson taraftarı cumhuriyetçilerle birlikte Washington Square'e sürmeden önce. Chesnut Caddesi'nden sağa dönüp, yukarı Flint Caddesi'ne ve sonra aşağı Warren'e dönmeden önce eski Whitney evini geçmek, sonrasında tekrar Cambridge Caddesi'ne, Broad Caddesi Mezarlığı'na doğru dönmek Beezer'ın hedefi. Bu, önceden kulağa hoş gelen bir fikirdi (Eva'yı mutlu edebilirdi) ancak şimdi oldukça zor. Sıcaklık bunu neredeyse imkânsız kılıyor. Ben çoktan yoruldum, nefes nefeseyim. Direkt gidip, yolu dolandırmazlarsa daha iyi olacağını düşünüyorum. Bu düşünceyi Beezer'a yollamaya çalışıyorum; ancak tören alayı Chesnut Caddesi'ne ve Hamilton Salonu'na vardığında, Beezer, planlandığı gibi onları döndürüyor ve tabut takip ediyor onları; arka sıra, botun kıç tarafı gibi genişçe dönüyor.

Chesnut Caddesi, pencere önlerindeki çiçeklikler ve eski federal evlerin ön basamaklarındaki çiçek dikme makineleriyle yaz için süslenmiş. Bu cadde her zaman güzel olmuştur; ancak yürümek için hiç de kolay bir yol değildir. Tuğladan yapılmış eski yaya kaldırımları, son iki asrın bükülmüş ağaç köklerini ve don kabarmalarını misafir edebilmek için batıp çıkan dalgalar gibidir. Zamanın içinde bir an, bu cadde; ancak fırtına gelgitinde Salem Limanı'nın olduğu gibi inişli çıkışlı ve tabut, sanki suyun üzerinde yüzüyormuş gibi sallanıyor burada. Bir turist otobüsü köşeyi dönüyor, fotoğraf çekme fırsatını sezen ziyaretçilerin bazıları, yanımızdan geçerken otobüsten sarkıyor. Otobüs kornasını çaldığında, pencere yanındaki masada kâğıt oynayan yaşlıca bir adam, otobüse sabırlı ve kızgın bir bakış atıyor. Tabut ve bütün tören geçidi otobüsün arkasından, penceresinin yanından göz hizasında geçince şaşırıyor. Kalkıp, pencereye yürüyor ve Hintli panjurları kapatıyor.

Broad Caddesi Mezarlığı, yukarıda bir tepede duruyor ve hafif bir yokuşla kiliseye iniyor. Uzak değil, "kestirmeden". Ancak bu sıcakta tabut taşıyanlar için çok uzak; Beezer'ın zorlandığını görebiliyorum yüzünde, bunun kötü bir fikir olup olmadığını merak ediyor. Defin yerine geliyoruz, akrabalar birkaç şapkalı hanımefendiyle öndeler. Mezarlık tam tepemizde; ancak yol tekrar yükselmeden iniyor. Yamaçtaki mezar taşlarını görebilsem de mezarlığın girişini artık göremiyorum; dolayısıyla tepeye çıkana kadar herkesin neye baktığını anlayamıyorum. Arkamızda yükselen ve hâlâ bütün tabloyu görebilen cadılar oldukları yerde donmuşlar, yolları üzerindeki bir şeye gözlerini dikmişler.

"Ne oluyor?" Pastel renkler içindeki kadın arkadaşına soruyor. "Neye bakıyorlar?"

Protestocuları hissedebiliyorum, onları görmeden; sanki bir duvar, kilitli bir kapı gibiler. Sonra pankartları fark ediyorum; büyük olanları, şu keçeli kalemle mukavva üzerine elle yazılmış olanları: "Hıristiyan gibi gömülemez ve büyücülük Tanrımıza nefrettir."

Başından beri sanki bir aksilik olacağını sezen Dedektif Rafferty çoktan telefonuna sarılmış, yardım çağırıyor. Chesnut Caddesi'nin kaldırımlarında, bir kez bile takılmadan dolanmayı başaran tabut taşıyıcılardan biri, tekrar sert asfaltın üzerinde olmamıza rağmen tökezliyor şimdi. Neredeyse düşecekken son anda kendine geliyor. Dengesizlik dalgası aralarında geziniyor ve bir an tabutu kaldırımda oldukları yere bırakacaklarını düşünüyorum.

Diğer ekip otosu yanaşırken, Raffety protestoculara "Çekilin" diyor. İki memur fırlayıp, tabut geçebilsin diye protestocuların yolunu kesiyor. Tabutu taşıyanlar tepeye çıkmaya başlıyorlar; ancak tepe dik. Ceketlerinden sızan teri görebiliyorum.

"Anlamıyorum" diyor pastel renkler içindeki kadınlardan biri, Kırmızı Şapkalılar'dan birine, "Bu insanlar kim olduklarını sanıyorlar?" diye soruyor.

"Bunlar, Kalvinistler" Kırmızı Şapkalı cevap veriyor. Beezer'ın baktığı tarafı hissediyorum birden. Buraya gelmeden önce bir şeyler yemiş olmam gerektiğini fark ediyorum; ancak yemedim.

Sanki bütün olan bitene ters tutulmuş bir dürbünden bakıyorum, her şey uzaklaşıyor.

"Geçmişteki püritenler gibi mi?"

Kırmızı Şapkalı yana kaçarak dikkatlice protestocuları geçiyor; böylece onların yoluna girmiyor; ancak onlara arkasını dönmeye de cesaret edemiyor.

"Şaka yapıyor olmalısın" diyor pastel renkler içindeki kadın hem şapkalı kadına, hem de göstericilere. Hiçbir cevap alamayıp, yetişmeye çalışıyor. Uzakta, bir sirenin sesi yaklaşıyor.

"Geçmelerine izin verin"diye tekrarlıyor Rafferty, bu sefer daha sert; zira takviye ekipleri yolda. "Protesto etmek istiyorsunuz, bu sizin hakkınız; ancak bunu mezarlığın içinde yapamazsınız" Rafferty, Kalvinistler ile cadıların arasına giriyor. Cadılar, sessiz bir grup halinde beraber hareket ediyorlar ve bir şeyin değiştiğini hissediyorum. Onlar geçerken, bir adam istavroz çıkarıyor, önceki Katolik inancından kalma eski bir batıl itikat; sanki kabul ettiği bu yeni dinin (gerektiğinde) onu koruyup korumayacağından emin değil. Hatta bu adamların cadılardan korktuğunu bile söyleyebilirim. Korkuları, güç dengesini değiştiriyor; şimdi cadılar geçip gidecek kadar güçlü hissediyorlar kendilerini, bu adamların kendilerinden korktuklarını biliyorlar, özellikle böylesine büyük bir gruptan.

Anya, teyzeciğim Boynton'un kolundan tutup, Whitney ailesinin yerine, tepeye doğru yol alıyorlar. Arkalarından yürüyorum, gözüm Kalvinistlerde. Aşağıda, daha fazla polis arabasının yetiştiğini görüyorum.

Rüzgâr, denizi uçuruyor. Tepeye vardığımızda hava en sonunda değişmeye başlıyor. Alçak akıntı ve tuzlu su kokusu var havada. Ameliyat dikişlerimi hissedebiliyorum, hâlâ çözülmemiş, her adımımda zonkluyor. Oturacak bir yer arıyorum; ama hiç yok. Ağlamak istiyorum; ağlamayı istemem gerektiğini biliyorum; ancak bu, benim için imkânsız, beni seyreden bu kadar insanla imkânsız. Beni seyrediyorlar.

Karşımda uzun Whitney anıtı ve onu çevreleyen küçük nişanlar var. Önümdeki nişana bakıyorum, büyükbabamın mezar taşı, G. G. Whitney. Salem'de karşılaştığınız herkes, büyük büyükbabamla ilgili bir hikâye anlatabilir size. Ancak şu an aradığım onun nişanı değil, Lyndley'inki. Kız kardeşim gömülene kadar, ben çoktan hastanedeydim. Sıranın sonuna, yeni görünen mezar taşlarına bakıyorum, onunkine.

Eva'nın mezar taşı çoktan kesilmiş. Açık mezarlığın yanı başında duruyor. Anya, mezar taşına ateş püskürüyor. Eva'nın adını yanlış yazdıkları için çok kızgın. "Eva" yerine "Eve" diye yazmışlar. Bu, masum bir hata olabilir; ancak Anya birilerinin bunun bedelini ödemesini istiyor. "'Öldü' kelimesini nasıl yazdıklarına baksana. 'v' harfini kullanmışlar. 'Övdü' olmuş. Bu insanları nereden buldunuz?"

Benimle konuşmuyor. Bu konuyla ilgili bir şey yapabilecek biriyle de. Yıllardır aynı aile, Whitney mezar taşlarını yapıyor, İtalya'dan gelen mezar taşçıları, G. G.'nin getirdiği mermer kesicileri. Küçüklüğümden beri onları tanıyorum. Detaylı bir şekilde oyulmuş ortadaki anıtı onlar yaptı. Eva'nın bahçesindeki granit heykelcikleri de yaptılar; alışkın oldukları yumuşak mermerden farklı olan Yeni İngiltere'nin sert granitinden, narin gül taçyapraklarını ve eğreltiotlarını oyarak. Onlar, bu işi harika yapıyorlar, yazım kurallarında iyi olmasalar da ve bu yüzden Anya'nın onlar hakkında kötü şeyler söylemesine izin vermeyeceğim.

Whitney nişanları sırasını takip ediyorum. Lyndley'inkini bulduğumda duruyorum ve bakıyorum. Lyndley'in adı da yanlış yazılmış. Soyadını doğru yazmışlar; ancak adında "l" harfi yerine "s" harfini kullanmışlar ("Lyndley" yerine "Lyndsey"). Kendimi kötü hissediyorum, duruyorum orada. Başım dönüyor.

Gruba döndüğümde Anya, teyzeciğim Boynton'un kolundan tutuyor. Kendine gelip, ateş püskürmeyi kesiyor.

Dr. Ward, mezarın başında dualar okuyor. Okurken, teyzeciğim Boynton'a bakmaya devam ediyor, okumasını ona yönelterek. Ama o, fark etmiş gibi görünmüyor. Papaza değil de açık mezarın yanı başındaki pislik yığınına bakıyor. Bütün bunlara rağmen, bugün annesini gömüyor olduğumuzun farkında olmadığını düşünüyorum. Buraya vardığım gün, biliyormuş gibi görünüyordu. Ama bugün habersiz gibi. Biz, yirmi üçüncü ilahiyi okurken, gözleri bir yere dikilmiş. Ne üzgün görünüyor, ne de hepimizin burada ne yaptığı konusunda aşırı meraklı.

Tören sona erdi şimdi ve insanların birkaçı ayrılıyor. Ancak protestocular hâlâ aşağıda iken hiçbirimiz Eva'yı burada, toprağın üstünde bırakmak istemiyor. Bu yüzden bazılarımız kalıp, Eva gömülene kadar bekliyor, her biri bir avuç dolusu tören toprağı ya da çiçeklerden alıp Eva'yla birlikte aşağı indiriyor.

Ve sonra, tören tamamen sona erdiğinde, hepimiz gitmeye yöneldiğinde, şapkalı kadınlardan birinin nefesi kesiliyor. Cal'ın müritlerinden birinin mezarlığa doğru yürüdüğünü görmek için tam zamanında dönüyorum. Cübbeli ve sandaletli biri, saçları uzun ve dalgalı. Sakalı var. Dr. Ward bile bakmadan edemiyor. Çok geçmeden Rafferty'nin adamın önüne geçip, yolunu kestiğini görüyorum. Protestocu grup içeri giriyor ve polis arabalarıyla karşılaşıyor. Rafferty'nin yüzünün sanki bozulmuş balık ya da ona benzer bir şey yemiş gibi buruştuğunu görüyorum.

"İsa Peygamber!" diyor pastel renkler içindeki kadın.

"Değil" Kırmızı Şapkalılar'dan biri söylüyor.

"Bu, İsa değil; bu, Yahya Peygamber" bir diğer Kırmızı Şapkalı söze karışıyor.

"Bu, Cal Boynton" diyor ikincisi daha ciddi bir tonla. Siyah Armani takım elbise giyen bir adamı işaret ediyor.

"Ne haddine!" diğer Kırmızı Şapkalılardan biri söylüyor.

Cal geçerken, kalabalık sessizleşiyor. Cal, teyzemin önünde duruyor.

"Merhaba Emma" diyor teyzeciğim Boynton'a. Teyzem, kaskatı kesiliyor. "Ve sana da merhaba Sophya" bana bakma gereği duymadan, bunu söylüyor. "Evine hoş geldin."

Her şey dönüyor ve Beezer kolumdan tutuyor.

Ne yapacağımı düşünemeden, Rafferty yetişiyor. "Git buradan" diyor Rafferty, yerinden kımıldamayan Cal'a.

"Rahat ol, Dedektif Rafferty" diyor Cal. "Diğerleri gibi üzüntümü paylaşmak için geldim."

Anya, teyzeciğim Boynton'un kolundan tutuyor ve onu kalabalıktan uzaklaştırıyor. "Hadi" diyor Anya. "Sona erdi." Beezer, bana bakıyor. Anya, teyzemi tepenin diğer tarafına, mezarlığın arka kapısına, limana doğru götürürken Beezer yanımda kalıyor.

Beezer, önünde gitmem için bana işaret ediyor. "Hadi eve gidelim" diyor.

Rafferty geride kalıyor, gözü Cal'da; onun bizi takip etmediğinden emin oluyor.

9

Zirvesindeyken, gemiye yüklenip kasaba limanından dünyanın her yerindeki limanlara yollanan Ipswich dantelini yapan ve satan tam altı yüz kadın vardı.

Dantel Falı Rehberi

Anya, Sarı Köpek Adası'na dönerken teyzem Boynton'a eşlik ediyor. Anya, Eva'nın evine vardığında, doğru kilere gidip kendine içecek bir şey alıyor. May ve teyzemden başka eve dönmeyen tek kişi Dr. Ward. Bir not gönderip, özürlerini iletmiş; kendini iyi hissetmediğini, hafta içinde beni görmek için uğrayacağını söylemiş. Diğer yas tutanların hepsi evde, cadılar da dahil olmak üzere. Kalvinistler de çıkagelebilirdi; çünkü herkesin sohbet konusuydular. Herkes, *mezarlıkta bu şekilde kendilerini göstermeleri cesaret işi*, diyordu. Bütün olan bitenden dolayı hâlâ şaşkınım ve böyle olduğum için Beezer'ın bana kızdığını ya da en azından hüsrana uğramış olduğunu söyleyebilirim. Bu durumun beni şaşırtmamış olması gerektiği konusunda ısrar etmeye devam ediyor. Cal'ı tanıdığımı, müritler gibi giyinen bu taraftarları nasıl edindiğini ve nasıl kendisinin dünyaya tekrar dönen İsa zannettiğini bildiğimi söylüyor. Bu şok edici ve mide bulandırıcı ve daha birçok şey olsa da Beezer, bu durumun beni bu kadar da şaşırtmaması gerektiğini söyledi; çünkü ben zaten bütün bunları biliyordum. Beezer, onla bu konuda konuşalı bir yıldan fazla olduğunu ve ona daha önce bunu umursamadığımı söylediğimi belirtti.

Böyle bir sohbetle ilgili en ufak şey bile hatırlamıyorum ve Beezer'a da söylüyorum bunu.

"Eva'nın sana bütün o gazeteleri gönderdiğini hatırlıyor musun?" Sanki bu işe yarayacakmış gibi söylüyor. "İçlerinde Cal'la ilgili makaleler olduğu için sana o gazeteleri göndermişti."

Hâlâ ona boş boş bakıyorum.

"Tanrı aşkına, Towner, bu, H. S. G."

Bu, Beezer ile benim geçmişimden söz etme şeklimizdi. H. Ö. G, hastaneden önceki geçmişim, H. S. G ise hastaneden sonraki geçmişimdi. Hastaneden ilk çıktığımda, Beezer hatıralarımı tekrar düzenlememde bana yardım etti. Birçok hikâye ve imge doğrudan erkek kardeşimden geliyordu, onun kendi hatıraları benimkinin zayıf iskeletinin üzerinde üst üste binmişti. Beezer, bir sonraki yaz, okul tatil olduğunda Kaliforniya'ya geldi ve bana yardım etmeye çalıştı. Üniversite için burada kalmayı bile düşünüyordu; Kaliforniya Teknik Üniversitesi'ne başvurmayı planlıyordu; ancak günün birinde bütün olup biten ona çok fazla geldi ve ayrılmak zorunda kaldı. Hazırlık okuluna dönmek için geride sadece bir haftası kalmıştı. Bana Eva'nın ondan erken gelip hazırlanmasını istediğini söylemişti. Beezer'in kendini kötü hissettiğini söyleyebilirdim. Bunun bir yalan olduğunu da. Hatırlamak, zor bir süreçti. İlerledikçe kötüye gidiyordu; özellikle de Lyndley hakkında konuşmaya başlayınca. Belki de tacizleri bilmemiz gerekiyordu ya da en azından Lyndley'in sıkıntıda olduğunu; böylece ona yardım edebilirdik şeklindeki fikirlerler ortaya attığımı hatırlıyorum. Her yerde belirti vardı, ona söyledim: Çürükler, vaktinden evvel gelişmiş cinsellik, rol yapma. Kız kardeşim hakkında konuşmaya devam ettikçe Beezer'ın gerginleştiğini görebiliyordum. Bundan dolayı çöktüğünü fark edebiliyordum. Bu, onun konuşabileceği bir şey değildi; herhangi sağlıklı biri gibi onun için de çok fazlaydı bu, bütün olup bitenle benim gibi saplantılı olmayan biri için. Bunun kaybolmasını istiyordum; ancak sahip olduğum hatıraların karşısında artık güçsüzdüm. Onlara sanki cankurtaran sandalıymış gibi sıkıca tutunmuştum ve bu, erkek kardeşimin başa çıkamayacağı kadar fazlaydı.

Beezer, benim H. Ö. G ile ilgili hatalarımda çok sabırlı; ancak H. S. G ile ilgili en ufak yanlışa tahammül edemiyor. H. S. G'de şok terapi almadım ve uzun süre hastanede yatmalar yoktu artık, son ameliyatımın dışında; ancak o da fizikseldi, ruhsal değil (eski psikiyatristim bu noktaya karşı çıkan tek kişi olsa da). Erkek kardeşimin, Cal'ın yeni işini bildiğime dair kanıt olarak gösterdiği gazeteler, benim hiç açmadığım gazetelerdi. Bu yüzden Beezer'ın *kanıtı* benim için hiçbir şey ifade etmiyor. Onunla Cal hakkında konuştuğumu hiç hatırlamıyorum. Aslında bu, beni sinir etmeye başlıyor, Beezer'ın nasıl hissettiğimi ve bunu hiç umursamadığımı sürekli söyleme şekli. Bu konuda rahat olmak için bana ihtiyacı var biliyorum ve buna saygı duyuyorum; ancak bırakın artık şunu. Tanrı aşkına, amcam Cal'ın müritlerinin onun yeni Mesih olduğuna inandığını, onun aşırı tutucu bir vaiz olduğunun bana söylendiğini hatırlardım bence. Sanırım böyle bir şeyi anımsayabilirdim.

Kalabalık biraz dağılınca, Beezer aşağı inip Eva'nın şarap mahzenine hücum ediyor, biraz tatlı İspanyol şarabı, tozlu bir Fransız konyağı ve biraz amontillado şarabı ile geri dönüyor. "Seni tatlı şey" diyor Anya. "Ne kadar da Poe'ya benziyor." Pastel renkler içindeki kadınlar ve Kırmızı Şapkalılar, İspanyol şarabını görmekten memnunlar ve herkes için küçük kadehlere döküyorlar şarabı. Eva'nın şerefine ben çay alıyorum ve sanki Eva'nın cenazesi değil de çay salonunda olağan bir günmüş gibi insanlar dantel altlıklarıyla küçük masaların etrafında oturuyor. Eva'nın yaptığı gibi dışındaki kabuğu kesilmiş ekmekle salatalık sandviçleri yapmam gerektiğini düşünüyorum; ancak İspanyol şarabı, çay ve insanların getirdiklerinden başka evde hiç yiyecek yok. Geçmişe baktığımda, Eva'nın bana cenaze töreni kurallarını öğretmeyi unutmuş olduğunu fark ediyorum; çünkü Lyndley dışında G. G. ve büyükannemden beri ailede hiç kimse ölmedi; ancak her ikisi de ben küçük bir kızken, ayinlere katılamayacak kadar küçükken olmuştu. Lyndley'in cenazesine gitmedim; çünkü o zamana kadar çoktan hastanedeydim; ancak onun için de bir cenaze töreni yaptıklarını ve sonrasında buraya geldiklerini zannediyorum. Başka nereye gidebilirler ki?

Pastel renkler içinde olan kadınlardan biri çok fazla İspanyol şarabı içmiş. Yüzü kırmızı ve ağlamaya başlıyor şimdi. Eva hakkında konuşuyor ve kadının oğluna nasıl yardım ettiğinden. Dans okulu ve oğlunun küçükken ne kadar umutsuzca hantal olduğundan bahsediyor, saçma sapan monologunun bir yerinde, oğlunun Körfez Savaşı'nda "ölmüş" olduğunu fark ediyorum. "Dost ateşi" diyor kadın garip garip gülümseyerek, "sanki böyle bir şey var". Ve sonra bana dönüyor. "Bahçelerinin ölmesine izin veremezsin" diyor aceleyle kolumdan tutarak. "Söz ver bana, onların ölmesine izin vermeyeceksin."

Başımı sallıyorum; çünkü başka ne yapacağımı bilmiyorum ve çünkü kadının aklında o ikisi bir şekilde birbirine bağlı olmalı. Eva'nın bahçeleri ve kadının ölmüş oğlu; ancak onların arasında nasıl bir bağlantı olduğunu anlayamıyorum; dolayısıyla aptalca başımı sallıyorum ve ona söz veriyorum.

Bütün grup sessiz. Kırmızı Şapkalılar'dan biri ağlayan kadının elinden tutuyor ve sonra hâlâ şapkasını giyen tek kişi olan Ruth, şapkasını çıkarıp ağlayan kadına veriyor, her hastayı iyileştirme garantisi olan eski moda bir iksiri takdim ediyormuş gibi sunarak. Şapkanın kendisinden midir yoksa hareketin çocuksu masumiyetinden midir bilmiyorum; ancak bu işe yarıyor. Ağlayan kadın şapkayı kafasına koymuyor; ancak ellerini onun üzerinde gezdiriyor, sanki o, nazlanmak için kucağına zıplayan sevimli, yaşlı bir kediymiş gibi. Bu hareket, onu sakinleştirmişe benziyor. Bir dakika sonra, gözyaşları arasından gülümsemeyi başarıyor. "Onu takabilirsin" diyor Kırmızı Şapkalı.

Ağlayan kadın reddetme şansına erişemeden, Ruth, büyük ve yumuşak pastel renkli şapkayı kadının kafasından alıp, yerine büyük boy kırmızı olanını koyuyor. Ve böylece Halka gibi (adadaki kadınlar gibi) grup yeni arkadaşlarının etrafını kuşatıyor.

Kırmızı Şapkalılar ayrılıyorken, tıpkı geldikleri gibi grup halinde gidiyorlar. Giderken el sallıyorlar, sesleri taziye ve övgüler eşliğinde adeta koro gibi, müzik gibi uçup gidiyor, sonrasında da onlar ayrı ayrı arabalarına doğru giderken tek notalara bölünüyor. Şömine rafına yaslanmış tek şapkayı çok sonraları fark ediyorum. Kederli kadın arabasıyla uzaklaşana kadar şapkayı görmüyorum; ancak fark ettiğimde de çok geç oluyor; bu yüzden orada bırakıyorum şapkayı.

Birisi radyoyu açıp Ulusal Halk Radyosu'nu arıyor; ancak radyo eski ve sinyal zayıf ve WBUR radyo istasyonu, gösteri melodilerini destekleyen daha güçlü bir istasyon tarafından ele geçirilmiş. South Pacific çalıyor, Ezio Pinza "Büyülü Gece"yi söylüyor.

Rafferty, uğrayana kadar insanların çoğu gitmişti. Burada gerçekten tanıdığı tek kişi olan Jay-Jay'e doğru yürüyor şimdi. Rafferty yaklaşırken Jay-Jay'in doğrulmaya çalıştığını görüyorum. O ana kadar hem Jay-Jay, hem de Beezer epey sarhoş olmuştu; çünkü diğer herkes İspanyol şarabı ya da çaydan bir tane içiyorken, Beezer ve Jay-Jay Fransız konyağına el koymuş, şişeyi yanlarında gezdiriyorlardı, kadehlerini tekrar tekrar doldurarak. Beezer'ı hiç sarhoş görmedim ve onun *içebileceğini* hiç düşünmemiştim; ancak Anya gayet rahat görünüyor. Beezer'ın kalçasına bağlıymış gibi yürüyordu yine, misafirlerini masaya çağırmak için çalmak üzere olduğu akşam yemeği zili gibi elindeki boş İspanyol şarabı kadehini baş aşağı tutuyordu.

Jay-Jay kendisine bir içki daha dolduruyor.

"Çaya gelen hanımefendiler nerede?" Rafferty soruyor.

"Onları kaçırdınız" diyorum ve Rafferty rahatlamış görünüyor.

"Kalvinistler, kafeslerine geri döndüler mi?" Jay-Jay bilmek istiyor.

"Karavanlarına" Rafferty onu düzeltiyor. "Evet, döndüler, şimdilik."

New York aksanının izini yakalıyorum onda.

"Anneniz burada değil mi?" gözleri odayı kolaçan ederken soruyor Rafferty. Bir polis olarak, olanları fark etmesi kısa bir süreyi alıyor.

"Hayır."

Şaşırmış görünüyor, kesinlikle onu iyi tanımıyor. "Bu evde tek başına kalmayacaksınız, değil mi?"

Bu tarz sorulara cevap vermem, bir polis sorsa bile.

"Anya ve ben, Towner'la kalacağız" Beezer beni kurtarmak için hemen lafa karışıyor.

"Tabii ki" diyor Rafferty, birdenbire nasıl bir etki bıraktığını fark ediyor. "Üzgünüm."

"Bir kanun adamı olarak mı yoksa sadece meraklı bir vatandaş olarak mı soruyordunuz?" diyorum durumu açıklığa kavuşturmaya çalışarak.

"Daha çok sohbet etme teşebbüsüydü" diyor.

"O zaman içecek bir şeye ihtiyacınız var." Beezer bir bardak almaya gidip, Fransız konyağı ikram ediyor Rafferty'e.

Rafferty elini kaldırıyor; ancak vazgeçiyor.

"Aaa" diyor Jay-Jay, abartılı bir pandomim içersinde Beezer'a; ancak hepimiz yakalıyoruz, gözlerini kaçıran Rafferty de dahil olmak üzere.

"Çay?" diye soruyorum.

"Tanrım, hayır" diyor dehşete düşmüş bir şekilde ve ikimiz de gülüyoruz.

Beezer iyi olduğumu fark ediyor, Anya ve Jay-Jay'e dönüyor.

Rafferty bana söyleyecek bir şeyler arıyor. Gözleri odayı süzüyor. En sonunda ne söyleyeceğine karar veriyor. "Büyükanneniz için üzgünüm" diyor. "Hoş bir hanımefendiydi."

"O benim büyükteyzemdi, aslında" diyorum ve bu durum karşısında ne söyleyeceğini bilemiyor. "Yine de teşekkür ederim."

Bir sonraki cümlemizin ne olacağını bilmeden boş boş duruyoruz oracıkta.

"Birbirinizi nasıl tanıdınız?" diye soruyorum sonunda.

"Buraya öğle yemeği için gelirdim" dedi Rafferty.

Eva'nın mönüsündeki öğle yemeklerini düşünüyorum: Parmak sandviçler, itinayla hazırlanmış kabuksuz beyaz ekmek üzerinde salatalık ve dereotu, krem peynirli cevizli ekmek. İmkânsız görünüyor.

"Soğanlı sandviçlerin büyük bir hayranıyım" diye açıklıyor Rafferty.

Bu, onun söylemesini beklediğim en son şey ve gülüyorum.

Eva'nın bir polisle iyi arkadaş olduğunan bahsettiğini hatırlar gibiyim. Nedense onun bu arkadaşını daha yaşlı resmetmiştim aklımda.

Rafferty, ne düşündüğümü anlamaya çalışıyor. Bana tuhaf tuhaf bakıyor.

Onun hâlâ içecek bir şey almadığını fark ettiğim zaman söyleyecek bir şey bulmak için Eva'nın bana öğrettiklerini yokluyorum. "Sodaya ne dersiniz?" diye soruyorum. "Sanırım kilerde biraz vardı. Ama ne kadar eski olduğunu bilmiyorum."

"1972'den sonraki her şey bana uyar."

Mutfağa gidiyorum ve biraz buz alıyorum, bardak ve sodayla geri dönüyorum. Jay-Jay, büfenin alt çekmecesinden eski fotoğrafların olduğu kutuları çıkarmaya başlıyor. O ve Beezer, mevcut her alana fotoğrafları yaymışlar ve sodayı koyacak bir yer bulamıyorum. Bardağı, Rafferty'e veriyorum ve sodanın kapağını açıyorum. Çıt diye ses çıkıyor kapak açıldığında; böylece hâlâ iyi durumda olduğunu anlıyorum, aslında çok çok iyi. Sodayı bardağa dökmeye başlayınca soda köpürüyor ve taşıyor. Kiler çok sıcak olduğu için midir yoksa içine çok buz attığımdan mıdır bilmiyorum; ancak bardağı yarısına kadar bile doldurmadan, soda köpürüyor, Rafferty durdurmak için bardağın içine soktuğunda, Aubusson halıya varmak üzereydi soda.

Oracıkta aptal aptal duruyoruz, Rafferty'nin işaretparmağı ikinci eklemine kadar bardağın içinde, bense bardağın altına bir şey koymak için çılgınca etrafa bakınıyorum. "Problem değil" diyor. "Durdu."

"Üzgünüm" diyorum Rafferty'e. Sonra ise parmağına bakarak, "İyi numara."

"İyi bir bira içicisiydim" diyor. "Önceki hayatımda."

Beezer ve Anya bir yığın eski fotoğraf alıp pencere önünde oturuyorlar ve onları karıştırmaya başlıyorlar. Doğası gereği saldırgan olan Jay-Jay, dolapları açıp çocukluğundan hatırladığı şeyleri alarak odanın etrafında dolanıyor. Daha küçükken bu odada çok zaman geçirmişti. Beezer tatillerde evde olduğu zaman, satranç ve poker oynarlardı birlikte. Büyük masalardan birini boşaltır, üzerine kendi eşyalarını yayarlardı. Bunun Eva'yı çılgına çevirdiğini hatırlıyorum. Çekmecelerin içine ve yastıkların altına saklayarak odadaki bütün dantellerden kurtulurlardı. Beezer yatılı okula döndükten sonra bile Eva haftalarca dantel parçalarını arardı.

"Bunu hatırlıyor musun?" diye soruyor Jay-Jay, elindeki kuş şeklindeki çaydanlığı kaldırarak.

"Bunu kırdığın zamanı hatırlıyorum" Beezer, çatlak kısmı göstererek söylüyor.

"Borcumuzu çay servisi yaptırarak ödetmişti bize Eva." Dolaba dönüyor, daha derinleri eşeliyor bu sefer.

"Bunu yapmak için arama iznin var, değil mi?" diyor Rafferty, Jay-Jay'e.

"Oh, Towner, umursamaz" diyor Jay-Jay.

Onaylamak için Rafferty bana bakıyor. Omzumu silkiyorum.

"Fazla merak kediyi öldürür" diyor Rafferty ve gülümsüyor.

"Tatmin olmak da onu hayata döndürür" diye karşılık veriyor Jay-Jay, Rafferty'e.

Rafferty, kafasını sallıyor.

"Muhtemelen bu, onu iyi bir polis yapıyordur yine de" Rafferty'e söylüyorum.

"Öyle olduğunu düşünüyorsunuz, değil mi?" O kadar gerçek ve doğal ki gülmeden edemiyorum. Birdenbire suratı asılıyor. Kapı zili çalıyor.

"Paçayı kurtardım" diyor ve gözlerini kaçırıyor. Sanki Eva odada ve kalıplaşmış sözlerini bize yöneltiyor.

Bu, şapkasını unutan kadın. Şapkayı alıp, kapıya doğru gidiyorum. *Buyurun şapkanız burada, bu ne acele böyle?* Böyle düşünüyorum; ancak bu sefer yüksek sesle söylemiyorum.

"Üzgünüm" diyor kadın. "Şapkamı burada bıraktığımı fark edemeden Beverly'e kadar bütün yolu gitmiş oldum." Onunla kapı girişine doğru yürüyoruz. "Eva, döndüğün için çok mutlu olurdu" diyor. "Umarım bunu söylemem seni rahatsız etmemiştir." Cevap vermemi beklemiyor.

Sonunda hava serinliyor. Parkta bir yerlerde biri keman çalıyor.

Döndüğümde, Eva ile ilgili hikâyeler anlatıyorlardı. Fotoğraflarla hatırlanan. Her resim, bir hikâye. Beezer ve Jay-Jay birbirlerinin önüne geçmeye çalışıyorlar, Anya'ya ya da Rafferty'e veyahut dinleyecek herhangi birine gösteri yaparak.

"İrlanda'ya özgü bir cenaze törenine benzemeye başladı bu" Rafferty, boş soda bardağını fotoğrafların ortasına koymak istemediği için bana veriyor.

"Biraz daha ister misin?" diye soruyorum, bu kadar hızlı bitirmesine şaşırarak. Elini kaldırarak kâfi olduğunu belirtiyor. "Eva, biraz İrlandalıydı." diyorum.

"Şaka yapıyor olmalısın" diyor Rafferty. Onun şaşkın olduğunu söyleyebilirim.

"Anne tarafından." Eva'nın, bizi dantel falında bu kadar iyi yapanın ve bütün İrlandalılara en azından bütün İrlandalı kadınlara kör bakış yeteneğini verenin İrlandalı kanımız olduğunu söylediğini hatırlıyorum. Ama bende hiç İrlandalı taraf yok. Annemi doğururken ölen büyükannem Elizabeth, G.G'nin ilk karısıydı. Her ne kadar inkâr etse de May epey bir medyumdur. Bu yüzdendir ki bu yeteneğin her iki aileden de geldiğini düşünüyorum.

Odanın diğer tarafından gelen hikâyeler, o kadar gürültülü ki başka bir sohbete devam etmek imkânsız.

"Eva'nın cumhuriyetçi adaya valilik için aday olmamasını söylediğini hatırlıyor musun?" diyor Jay-Jay ve Beezer ağzındakini püskürüyor. "Ona ne söylemişti?"

"Bundan hiçbir yarar gelmez" diyor Beezer.

"Evet, buydu." Jay-Jay, Anya'ya dönüyor. "Adamın tonlarca parası vardı, insanlar aslında onun kazanacağını düşünüyordu. Seçimden bir hafta önce, dört renkli, parlak kampanya el ilanlarından birinin üzerine basıp kaydı ve Doğu Cupcake'de Podunk Hastanesi'nde altı hafta sırtüstü yatmak zorunda kaldı, hastaneden ayrılmaya cesaret edemedi; çünkü aynen aktarıyorum, 'seçmenleriyle arasını açmaktan korkuyordu.'"

"Ki onlar doğruca demokrata oy verdi zaten" Beezer, Anya'ya anlatıyor.

"O zaman kaybetti?" Anya şüphe içinde soruyor.

"Bir cumhuriyetçi? Massachusetts'de? Tabii ki kaybetti. Bunu tahmin etmek için bir medyuma sormaya gerek yok" Jay-Jay gülmekten yerlere yatıyor.

"Ona cumhuriyetçi valiler zincirimizden bahsetmemiz gerektiğini mi düşünüyorsun?" diye soruyor Rafferty, sonra kararını değiştiriyor. Anya ve Beezer o kadar çok gülüyorlar ki ikisi de bir şey söyleyemez.

"Ne?" diyor Jay-Jay; ancak Beezer'ın gürültülü kahkahası devam ediyordu ve kimse buna karşı dirençli değil.

Rafferty, bana bakıyor. Bütün grup gülüyor şimdi. Beezer, sessiz sessiz gülüyor, yüzünü ekşitmiş adeta korku filminden çıkma bir şeye benziyor. Yaptığı tek gürültü, ağzındaki o sesli hırıltı, sanki dalga geçiyormuş gibi; ancak değil. İnsanlar sakinleşmeye başlıyor ve sonra o tekrar haykırıyor ve böylece tekrar kendilerini kaybediyorlar, kahkaha ve rahatlama ile güçsüz düşüyorlar.

Jay-Jay'in kız arkadaşı, adı Irene idi sanırım ya da öyle bir şey, koşarak yanımıza geliyor.

"Banyo nerede?" acelesi varmış gibi soruyor, "Sanırım altıma işeyeceğim."

"Güzel" diyorum koridoru işaret ederek ve banyoyu bulduğundan emin olmak için onu takip ediyorum.

Rafferty, peşimden geliyor.

"En son kapı" diye gösteriyorum ve kız içeri giriyor.

Rafferty ve ben böylece koridordayız, burası daha sessiz ve sesler daha hafif. Sessizlik için minnettar gözüküyor. Rahatlamış ve ayrıca mahcup görünmekte söyleyeceği kelimeleri ararken.

"Bu, zor bir durumdu" diyor.

"Ne demek istiyorsun?"

"Şu durum. Eva'nınki. Biri arkasında iz bırakmadan kaybolduğunda, gittiğim kişi genelde Eva olurdu."

"Gerçekten mi?"

"Birçok kez bize yardım etmiştir aslında."

Eva'nın polis olan bir arkadaşına yardım ettiğinden bahsettiğini hatırlıyorum. Dantel falıyla onun kayıp bir çocuğu bulmasını sağlamıştı. Dolayısıyla haklıydım; Eva'nın hakkında konuştuğu kişi Rafferty'di.

"Çok iyi bir hanımefendiydi."

"Onu tanıdığınıza memnunum."

"Her zaman sizin hakkınızda konuşurdu."

Eva'nın hakkımda konuşması fikrinden nefret ediyorum ve Rafferty anlatabilir artık. Kendimi toplamaya çalışıyorum; ancak çok geç artık.

"Bütün hoş şeylerden" dedi; ancak hoş şeylerden çok daha fazlasını bildiğini söyleyebilirim. Bu kasabadaki herkes hakkımda hoş şeylerden fazlasını biliyor, bunlar halk tarafından bilinenler. Eva ile benim hakkımda yapmış olabilecekleri tartışmaları hayal edemiyorum –hastanede yatmamla ilgili. Tanrım, şayet merak edip polis kayıtlarıma baktıysa, bir sonraki yıl boyunca hakkımda konuşacak kadar materyal eline geçmiştir.

"Oturmam gerekiyor" diyorum, sadece söylerken bunun doğru olduğunu fark ediyorum. Kendimi kötü hissediyorum. Çok uzun bir gün oldu ve böyle uzun günler geçirmeyi beklemiyordum. Odada söylenmeyen şeylerin gürültüsüyle başım dönüyor. İnsanların düşüncelerini kovmak için daha fazla gücüm yok. Onların dile getirmediği sorularını duyabiliyorum: *Ne halt etmeye gelmiş buraya? Ne kadar deli değil mi?* Rafferty itiraz edemeden, içeri kaçıyorum.

Odayı geçiyorum aramızda mesafe bırakarak, cumbadaki bir masaya gidiyorum. Bir dakika sonra Rafferty geliyor. Beni görene kadar odaya göz atıyor ve sonra yürüyüp eğiliyor. "Üzgünüm" diyor. "Bu, başarısızlıkla sonuçlanan bir diğer sohbet etme teşebbüsüydü."

Gülümsemiyorum.

"Eva, sohbet açma konusunda ne kadar kötü olduğumu defalarca söylemiştir."

Ona karşı şefkat duyuyorum; deniyor. Ona bakıyorum ve bu gece bu odada okumadığım sadece onun saklı düşünceleri, her ne iseler.

"Benim için derslerinde indirim yapacağını söylemişti kaç kez."

Uzun bir sessizlik mevcut. Beceriksizce konuyu değiştiriyor. "Sanırım bu konuda onunla görüşmeliydim" diyor.

Hâlâ ona söyleyecek bir şey bulmaya çalışıyorum; kibar bir şey; ama kişisel değil, sonunda buluyorum, teyzemin cümlelerini söylüyorum ona: "Çorbayı severim, ya siz?"

Bu, bir test. Teyzemi ne kadar tanıdığını görmek için. Şayet ondan şüphelendiğim kadar teyzemle konuşmuşsa, bu tabiri bilecektir. Bu, onun favorilerinden biriydi. Özellikle sohbet etmekten ya da bu konudaki eksikliğinden konuşmuşlarsa. Çorba hakkında konuşmayı öğrenmek Eva'nın öğrettiği ilk dersti.

Merak içinde bana bakıyor. Tanıdığını gösteren işaretleri bekleyerek gözlerini takip ediyorum. Hiçbir şey belli etmiyor. "Affedersiniz?" diyor yavaşça, kasten.

Gözlerimi ona dikiyorum, zihnini okumaya çalışarak. Zihni ya bilerek boş, ya da okunaksız. Gözleri sabit. Ya doğruyu söylüyor ya da çok iyi bir polis. Hangisi olduğuna karar veremiyorum.

Irene, sonradan odaya dönüyor, eteklerini kabartıyor gelirken. "Ne kaçırdım?"

"Ona heykelden bahset" Jay-Jay, Beezer'a söylüyor. "Hey, Reenie bunu duymalısın."

"Anya'ya, Cal'ın Roger Conant'ın heykelini kaldırtmaya çalıştığı zamandan bahsediyordum" diye anlatıyor Beezer.

Irene, hatırlayıp gülümsüyor.

"Cadıya benzediği için mi?" diye soruyor Anya.

"Mastürbasyon yapıyormuş gibi göründüğü için" diyor Irene.

"Ne?" diyor Anya, meydanın tam karşısında olan Salem'in kurucu babasının heykeline pencereden bakarak. "Oh, lütfen, öyle bir şey yapmıyor."

"Yemin ederim ki" Jay-Jay istavroz çıkarıyor.

Irene pencereye gidiyor ve görmek için uğraşan, etrafı saran karanlığa gözlerini kısarak bakan Anya'ya göstermeye çalışıyor.

"Nerede?" diyor Anya.

"Tam şurada. Asasını tutma şekli."

"Daha çok penisi gibi" diyor Jay-Jay ve Irene bile onun çok ileri gittiğini düşünüyor.

"İşe dönmem gerekiyor" diyor Rafferty o zaman. Ona kapıya kadar eşlik etmek için ayağa kalkıyorum. "Onu da yanımda götürmemi ister misin?" Jay-Jay'i gösteriyor.

"Sorun değil" diyorum.

Rafferty, omzunu silkiyor.

"Geldiğin için teşekkür ederim" diyorum.

"Birbirimizi tekrar göreceğiz."

"Evet" diyorum.

Onu kapıya kadar götürüyorum, merdivenlerden inip siyah markasız arabasına giderken onu izliyorum. Arabada bir dakika oturuyor, sonra çalıştırıyor motoru ve meydanda kurallara aykırı bir U dönüşü yapıyor, kıl payı park edilmiş bir aracı ıskalıyor.

Ann Chase etrafı temizliyor, masalardaki tabakları toplayıp mutfağa götürüyor. Peşinden gidiyorum.

"Gördün mü? Orada? Gerçekten de mastürbasyon yapıyormuş gibi görünüyor."

"Değil" diyor Anya; ancak şimdi gülüyor, candan bir Norveçli kahkahası.

"Öyle yapıyor" Lyndley'in sesi zihnimde konuşuyor, rasgele bir hatırayı aklıma getirerek. Lyndley ölmeden önceki yazdı ki o, Roger Conant heykelini keşfetmişti. Onun bu heykeli bulduğunu kastetmiyorum, hayatımız boyunca bu heykele bakıyorduk zaten. Ama o yaz, Lyndley o heykele baktığında tamamen farklı bir şey gördü. O kadar şiddetli gülüyordu ki neye güldüğünü dahi söyleyemiyordu bize. Kaldırımda durup, bizi yönlendiriyordu, heykelin etrafında bizi yürüterek heykele her açıdan bakmamızı istiyordu ta ki onun gördüğünü biz de görene kadar. İlk fark eden Beezer oldu ve yüzü parlak bir kırmızıya döndü. O kadar utanmıştı ki eve döndü, şu an hatırlamayacağından emin olsam da. Benim görmem daha uzun sürdü. Ben fark edene kadar, arabalar durmuştu, korna çalıyorlardı ve Lyndley gülüyordu arabalara bağırarak ve onlara "pireyi deve yapmamalarını" söylüyordu, kışın edindiği bir Güneyli tabiriydi bu ve her şey için kullanıyordu bunu. En sonunda bir sürücü kornasına yüklendi ve Lyndley, ona ortaparmağıyla işaret yaptı. Ve böylece ben yaşlı Roger Conant'da doğru açıyı yakaladım ve histerik bir şekilde gülmeye başladım. Sürücünün ya da Lyndley'in yüzündeki ifadeden midir, yoksa elinde asasını tutan cüppeli, seçkin kurucu babamızın arka sağ açıdan ereksiyon halinde bir penise benzeyen görünüşü müdür bilmiyorum. Hangi şey beni bu kadar ateşledi anlamıyorum ama Eva gelip, beni kaldırımdan ayırıp, eve getirene kadar gülmekten kendimi alıkoyamadım. Bana ne için bu kadar güldüğümü sormadı. Bilmek istemediği izlenimine kapıldım.

"Ben, onu görmüyorum" diyor Anya.

"Buradan iyi göremezsin" Beezer, Anya'ya söylüyor. "Dışarıdan daha iyi." Sonra Beezer ona Eva'nın nasıl tek başına bu heykeli koruduğunu ve bunun Cal'ı nasıl asil bir şekilde kızdırdığını anlattı; ancak bu olay, Eva'yı o dakikadan sonra kasabanın kahramanı yapmıştı.

Birkaç tabak daha alıyorum ve Ann Chase'in peşinden mutfağa gidiyorum. Lavobonun yanı başında duruyor, çay tabağının altına sıkışmış olan dantel parçasını dikkatlice kurtarıyordu.

"Bizimle bu akşam eğleniyor olduğunu söyleyebilirim" diyor bana.

"Kim?" diye soruyorum, Anya belki de Irene'yi kastettiğini düşünerek.

"Eva" diyor.

Hiçbir şey söylemiyorum, nasıl doğru bir karşılık vereceğimi bilmiyorum.

Danteli çıkarıyor ve ona bakıyor. "Yorumlayabiliyor musun?" diye soruyor danteli kastederek.

"Hayır."

"Nasıl yani?"

Omzumu silkiyorum.

"Senin bu konuda ne kadar iyi olduğunu söylemişti halbuki."

"Sanırım dantel falını doğru bulmuyorum."

"Gerçekten mi?" Biraz soru sorarmış, biraz da beyan ediyormuş gibi söylüyor bunu. Ama buna kanmıyor.

"Bir kere" neden kanıtlama gereği hissettiğimi bilmiyorum; ancak kendimi durduramıyorum. "Eva, bana bir kızımın olacağını söylemişti."

"Ve olmadı mı?"

"İmkânsız" diyorum. Sadece onu rotasından çıkarmaya çalışıyordum. Lyndley hakkında konuşmaktan kurtulmak istiyordum; ancak şimdi sesimde bir keskinlik var.

Ann, belli ki ne söyleyeceğini bilmiyor. "Eva, bizden bir gruba dantel falını öğretti" diyor. "Korkarım ki ben zihin okumada daha iyiyim."

Dantele gözlerini kısarak bakıyor ve sonra vazgeçip onu katlıyor. "*Bazen sihir işe yarar, bazense yaramaz.*"

Tuhaf tuhaf ona bakıyorum.

"Bu, bir alıntı" bana bakıyor. "*Küçük Dev Adam'*dan."

"Nereden olduğunu biliyorum" diyorum sesimdeki şiddeti duyarak. "Üzgünüm söylediğim şeyi kastetmemiştim."

"Benim, hatam" diyor. "Doğam gereği her şeye burnumu sokuyorum."

İkimiz de gülüyoruz. Danteli bana uzatıyor. "O, benim arkadaşımdı, biliyorsun" dedi, danteli tekrar bana vererek. "Benimle arkadaş olmak moda olmadan çok önce." Elini uzatıyor, danteli hâlâ tutuyor.

"Neden onu saklıyorsun?" deyip, danteli almıyorum.

Kuşkulu görünüyor.

"Eminim bunun sende olmasını isterdi."

"Teşekkürler" diyor ve salona doğru yönelip, kapıda duruyor.

Daha sonra başka bir kadın içeri giriyor, bir emlakçı sanırım. Jay-Jay'in bana önceden tanıttığı biri. Mutfağa göz atıyor. Beni tek yakalamayı umduğunu söyleyebilirim, biraz hayal kırıklığına uğramış gibi görünüyor. En iyi atışını yapmaya karar veriyor.

"Orada, dışarıda neredeyse tartışıyorlar" diyor kadın bana.

Ann, bulaşıklarına dönüyor.

Emlakçı kadın kartını çıkarıp bana uzatıyor."Bu evle ne yapacağınız hakkında düşünüp düşünmediğinizi merak ediyordum."

"Ev mi?" diye soruyorum aptalca.

"Yani, farkındayım zamansız ama ailenizin satmayı düşünüp düşünmediğini bilmiyordum."

"Evi satmak."

"Evet."

Ann'in ruh halinin değiştiğini hissediyorum. Bu kadını sevmiyor. Açıkça bir cevabım yok.

"Belki de biraz zamansız geldim" diyor emlakçı.

Ann, dönüyor. Kurutma bezini elinde tutarak, kaşımızda duruyor. "Öyle mi düşünüyorsunuz?" sesi kinayeli.

"Üzgünüm" diyor, elini cüzdanının içine daldırıp, daha yeni verdiği ilk kartı unutup bir diğer iş kartını çıkarıyor. "Sonra sizi arayacağım" diyor kadın, sonra Ann'in bakışını görerek, "ya da siz beni ararsınız."

Odadan ayrılıyor.

"Güzel" diyor Ann.

Ann, bize bir fincan çay yapıyor. Mutfak masasında oturuyoruz. Bu konuda konuşamayacak kadar tuhaf olduğumu söyleyebilir; dolayısıyla sadece benimle oturuyor, fincanımı tekrar dolduruyor, masayı kurutma beziyle siliyor, cilalıyor, sadece yapacak bir şey olsun diye yapıyor hepsini. Sonunda diğer cadılardan biri dürtüyor onu. "Hazır mısın?" diyor kız. Ann, dışarıda beklemesi için işaret ediyor ona.

"Gitmeliyim" diyor. "Arabayı ben kullanıyorum."

"Teşekkürler" diyorum.

"İyi olacaksın" diyor. "Yalnız biraz zaman alacak."

Başımı sallıyorum.

"Bir şeye ihtiyacın olursa beni ara" diyor. "Telefon rehberinde yazılı numaram."

"Teşekkürler" diyorum tekrar.

Mutfağı temizlemeyi bitiriyorum. Ann yapacak pek bir şey bırakmadı; ancak biraz daha topluyorum. Ne kadar yorgun olduğumu hatırlıyorum o zaman, ayrıca arka basamakların kutularla kaplı olduğunu ve merdivenlerden yukarı çıkmak için ön koridordan geçmek zorunda olduğumu fark ediyorum. Gücümü toplayarak, kapıdan geçiyorum.

İçerideki grup hâlâ güçlü. Eva'nın kalıplaşmış sözlerine geri dönmüşler, biri diğerinin önüne geçmeye çalışıyor.

"Er geç gerçek ortaya çıkacaktır" diyor Jay-Jay.

"Eninde sonunda gerçekler su yüzüne çıkacaktır" Beezer'dan geliyor bu.

"Etrafımızda arapsaçına dönmüş bir ağ örüyoruz" tekrar Jay-Jay'den bir vecize.

"Hukukun onda dokuzu mülkiyettir." Bu, Beezer'inki.

"Ancak büyük dalga gemini yüzdürür" bunu yanlış aktarıyor Jay-Jay.

Beezer gülüyor. "Pire için yorgan yakma."

"Her yer su..." diyor Jay-Jay.

"Eli işte gözü oynaşta" diyor Beezer, Eva'nın lafını kullanıyor; ancak Jay-Jay'i ima ediyor.

"Ahmak, kendisini her yakanı güneş sanar." Jay– Jay'in cevabı gecikmiyor.

"Bir ahmak kadar çılgın" Anya söylüyor bunu.

"Birkaç tahtası eksik" Jay-Jay'de sıra.

"Kendini dahi sanma" tekrar Anya söylüyor.

"Birkaç tahtası eksik" diyor Beezer, ikisi de tekrar kendilerini kaybediyor. Ayrıca konuşma güçlüğü çekmeye başlıyorlar.

"Bunu az önce söylemiştin" diyor Jay-Jay. "Su katılmamış salak."

"Sadece aktarıyor musun yoksa beni mi kastediyorsun?" Beezer ona dönüyor yapmacık bir gerginlik içinde.

"Yarası olan gocunur" diyor Jay-Jay ve gülmekten kırılıyor.

"Yarası olmayansa aklanır" diyor Irene.

"Bu, Eva değil. Bu, Johnnie Cochran" diyor Beezer.

"Bunların hiçbiri Eva'nın değil" Anya, Irene'yi savunuyor. "Teknik olarak düşünürsek."

"Değil mi?" diyor Beezer sahte bir korku içinde. "Bunu söyleme bana. Çocukluk hayallerimi yıkma." Anya Fransız konyağı içiyor şimdi küçük kadehini doldurarak.

"Bir tane daha var" diğer odadan Beezer'ın söylediğini duyuyorum. "Onun her zaman söylediği. Hatırlayamıyorum."

"Hangisi?" Jay-Jay bu oyunu seviyor.

"Sen biliyorsun onu." Beni de içlerine çekmeye çalışarak söylüyor Beezer.

"Ben yatıyorum" diyorum, resim kutularından birini seçip yanıma alarak.

"Bu, değil" diyor Beezer.

"Oyunbozan" Irene küstahlaşıyor.

"O, kesinlikle oyunbozan demezdi" diyor Jay-Jay ve uğultulu bir ses çıkarıyor, tıpkı oyun gösterilerindeki tekerlemeler gibi.

"Eva'yı değil Towner'ı kastettim" diyor Irene ve kahkahalara boğuluyor.

İşte bunun için beni yeteri kadar tanımıyor.

"Anladım" diyor Beezer, birden gözükerek. "Dikişle ilgili bir şeydi."

"Dikiş mi?" Jay-Jay gülüyor. "Onun, dikiş hakkında bir şey söylediğini hatırlamıyorum."

"Dikiş" diyor Beezer. "İğne ile alakalı bir şey."

"Devenin iğne deliğinden geçmesi..." diye Anya başlıyor.

"Bir mıh bir nal kurtarır" bölüyorum. Merdivenleri yarılamışım ve sesim yankılanıyor, yukarılardan bir mesaj.

"Doğru! Bir mıh bir nal kurtarır! Bir mıh bir nal kurtarır!" Beezer memnun.

"Evet, hatırlıyorum" diyor Jay-Jay. "Ama yine de devamı vardı bu sözün."

"Hayır, yoktu" diyor Beezer ve tekrar başlıyorlar.

"Bir mıh bir nal kurtarır ve..." diyor Jay-Jay.

"Towner?" Beezer eşitliği bozmak için ek bir sete ihtiyaç duyuyor.

"İyi geceler" diyorum, bu işe karışmayı istemiyorum.

"Bir nal bir mıh kurtarır" diyor Irene.

"Ne?" Beezer ona bakıyor.

"Bir nal bir at kurtarır" diyor kız. "Deyim bu. Bir mıh bir nal kurtarır, bir nal bir at kurtarır."

"Bir ne?"

"Bir at."

"Aptalca."

"Ben uydurmadım."

"Bence o, haklı" diyor Anya.

"Neden bir at? Neden bir eşek, bir öküz değil?" Beezer bundan emin değil.

"O, at." Anya çok emin.

"Sen Norveçlisin" diyor Beezer tereddütle.

"Ne? Ben Norveçliyim dolayısıyla sayılmaz, öyle mi?"

"Kafiyeli oluyor bu" Jay-Jay fikrini söylüyor.

"Öyle olsa bile Norveçli olduğum için ekstra puan almalıyım" diyor Irene.

"Ne puanı? Puanına oynamıyoruz burada" diyor Beezer ve kafasını sallıyor.

"Zamanından önce hiçbir şiiri satmayacağız" Jay-Jay, en iyi Orson Wells tonunda söylüyor.

"Kesin artık" Irene Jay-Jay'e söylüyor.

"İkiniz de susun" diyor Beezer.

Üçüncü kata ulaştığımda hepsi birden kapıya doğru yol alıyordu. Anya, Beezer'dan büsbütün kuşkulanarak Roger Conant'ın heykelini kendisi görmek istiyor ve Beezer da ona eşlik etmeye razı olmuş. Jay-Jay de orada olmak istiyor Anya "tam resmi" yakaladığında. Ve Irene ise sadece Jay-Jay'e göz kulak olmak için onlara katılıyor.

Tek yapmak istediğim yatağa gitmek ve uzanmak. Ama her şey uzak yine ve yatak, kapıdan sadece birkaç fit uzakta olmasına rağmen sanki aralarında millerce mesafe varmış gibi görünüyor.

Sesler bozuluyor, yankılanıyor. Attığım her adım sanki hiç bitme-
yecek gibi. Suların içinde yürüyorum.

Yatağa gömülüyorum, uykunun huzuru için minnettarım; an-
cak birden nefes alamıyormuş gibi hissediyorum. Korkarım ki
daha derine gidersem, bir daha asla su üstüne çıkamayacağım.
Havaya ihtiyacım var.

Su üstüne, yeryüzüne doğru yol alıyorum merdivenden yukarı,
terasa doğru. Üzerimdeki havayı hissedebiliyorum, dışarıya götü-
ren, küçük camlı odanın içinde. Çatının kapısını itiyorum; ancak
sıkışmış, Eva'yı aradığım günkü halinden daha ağır. Dikişlerim
sızlıyor. Omzumla itiyorum, merdivene dayanıp son nefesimi de
gayretle tüketerek. Kapı açılıyor, kocaman bir martıyı yerinden
edip, terasın üstündeki civciv yuvasına onu taşıyarak. Martının
kanat açıklığı geniş, bir uçtan diğerine muhtemelen altı fittir.
Yükselirken yaptığı rüzgâr bana çarpıyor, sıcak ve pis kokulu.
Burada yuva yapıyordu büyük ihtimalle, yumurtalarını bırakıyor,
tam mevsimi. Yıldızları karartarak, tepemde havada asılı duruyor
ve bir an için aynı zaman ve aynı mekânda bir aradayız. Aramız-
da bir anlık bir iletişim var, bu kocaman yaratık ve benim aram-
da; ancak sonradan ben daha bu anı tarif edemeden sona eriyor.
Beni yuva, gübre ve bu leş kokuyla bırakarak yükselip gidiyor
martı. Aptal aptal duruyorum oracıkta, sonunda nefes alabiliyo-
rum; ancak önceden hep oturduğum gibi oturamıyorum şimdi.
Bunun yerine, parmaklıklara yaslanıyorum, buraya geldiğimden
beri ilk defa her şeyi içime çekerek, bir şekilde tanıdığım kasaba-
yı seyrediyorum yukarıdan.

Anya ve Beezer'ın Common Parkı'nı geçtiğini görüyorum, Ro-
ger Conant heykelinin etrafında dolanıyorlar, müstehcen hareke-
ti saptamaya çalışarak. Jay-Jay yanyolda duruyor, talimatlar vere-
rek onları yönlendiriyor. Kahkahaları aşağıda sessiz caddelerde
yankılanarak dikkat çekiyor.

Kara parçasının ötesinde siyah sular, Marblehead'de Peach's
Noktası'ndan Sarı Köpek Adası'na kadar alabildiğine uzanıyor.
May'in yatak odasında yanan ışığı görebiliyorum. Aslında iki ışık
mevcut. Bu yeni bir şey. Daha parlak olan ışık, gaz lambası. Her
zaman buradan görülebiliyordu ve Eva'nın çok uzun zaman önce
bana bu odaları vermesinin ana sebebidir bu; böylece May'in ışı-
ğını kontrol edecek, onun iyi olduğunu, orada hayatta olduğunu,
kayalıklarda ayağının kaymadığını, kendisine zarar vermediğini
ya da kışın soğuktan donup ölmediğini bilecektim. Eva, istediğim
zaman buraya tırmanıp May'i kontrol edebileceğimi söylemişti.

Her gece o ışığı kontrol ederdim, gecede birkaç kez. Aslında çok kez o ışığı yokladım, öyle ki kontrol etmek hâlâ uyku alışkanlığımın bir parçası, en azından kafamda, her gece uykuya dalmadan önce yapmam gereken bir şey. Kaliforniya'da, üç bin mil uzakta bile, yeryüzünün eşiğinden düşmeden yapabildiğim kadarıyla hâlâ May'in ışığını görebiliyorum. Aslında bu rahatlatıcı çünkü beni bu akşam buraya getirenin bu olduğunu fark ediyorum. Nefes alamadığımdan değil; uyumadan önce bu ışığı görme ihtiyacı duyduğumdan buraya geldim, hatıra da değil, gerçekten. Hepsi bu.

Ama gerçek, hatıralardan farklıdır. Bu gece, sadece bir ışık yok, iki tane var. May'de ne zamandır bu yeni ışığın olduğunu merak ediyorum ve bence bir bakıma bu acayip ve iki suret birbirine uymuyor. Ayrıca o kadar tuhaf ki bir anlam ifade etmiyor. Eva gibi May de tutumludur. İki lamba yakmak lüks olur, kendisine böyle bir şey için izin vermez.

Ve sonra, hastanede bana verdikleri Stelazine ilacını hatırlıyorum ve bir süre kullandıktan sonra nasıl her şeyi çift gördüğümü. Bazı insanlarda olduğu gibi tikim olmadı (doktorum, açık bir kanıt, diye adlandırır bunu), ancak yutarken zorluk çektiğimi hatırlıyorum (hiçbir zaman tamamen kaybolmadı ki). Her şeyi çift gördüğümü de anımsıyorum. Eve geldiğimde buraya çıktığımı hatırlıyorum, sanki May'in odasında yanan iki lamba vardı; ancak bu bir hayaldi.

"*Denizin yanında her şey çift görünür*" bir ses söylüyor ve bunun Eva'nın mı yoksa benim sesim mi olduğunu anlayamıyorum; ancak iyi ki yalnızım diye düşünüyorum; çünkü kendimle konuşmak ya da kendi sesime cevap vermek insanların arasında yapmaya cesaret edemeyeceğim bir şey. Bana sorarsanız bu tikten daha açık bir kanıt.

Yine de hastaneye yatmamdan bu yana bayağı bir şey değişti: Çoğunlukla zaman ve sağduyuyu, gerçekle hayali ayırt etmeyi öğretti bana. Bu gece gördüğüm ışıkların gerçek olduğunu biliyorum, kafamdaki sesler hayal olsa da. "*Denizin yanında her şey çift görünür*" ifadesini düşünüyorum, daha derin ve sembolik bir anlam bulmaya çalışarak; ancak sonra aklım şu Paul Revere[8] şeyine takılıyor. Revere, lambayı Lexingto'daki ya da Concord'daki ya da hangi cehennem ise kilisede asıyor ve bu film makarasının nereden geldiğini merak ediyorum, kırmızı okul binasındaki yaz mevsiminden kalma eski bir tarih dersinden muhtemelen, hâlâ bizim okulumuzken, resmen kapatılıp Beezer ve beni kasabaya

---

8. Amerikan devrimi sırasında gösterdiği vatanseverlik ile ün yapmıştır.

taşınıp Eva ile yaşamak zorunda bırakmadan önce.

Aşağıda, erkek kardeşimin gülüşünü duyabiliyorum.

Ve ağlamaya başlıyorum. Eva, Lyndley ve ölen herkes için ağlıyorum, bu yere dönmek zorunda kaldığım, hatta Beezer ve Anya için, onların geleceklerine olan inançları için ağlıyorum. Çünkü düşündüğünde onların şansları neydi? Beezer'ın evlilikte başarılı olma olasılığı neydi? Herhangi birinin şansı bu günlerde kötüydü; ama bizimkisi çoğundan daha kötüydü. Birkaç dakika boyunca herkes için ağlıyorum. Bütün gece ağlamak için hazırım, bunun için burada mesken tutuyorum; ancak bir süre sonra gözyaşlarım artık gelmiyor. Uçaktan, ameliyattan ve üzüntüden daha fazla gözyaşı dökemeyecek kadar kurudum. O kadar kurağım ki gözyaşım bile oluşmuyor.

Sesleri aşağıdan yankılanıyor. Şu an hepsi birden gülüyor. Jay-Jay ve Beezer, Anya'yı heykelde doğru açıyı yakalayıp sonunda yaşlı Roger Conant'ı o şeyi yaparken gördüğünü seyrediyorlar. Kahkahadan ve heykeltıraşın hatasının gülünçlüğünden yorgun düşüyorlar. Bunun Beezer'in bekârlığa veda partisi olduğu aklıma geliyor; çünkü o ve Anya yarın Norveç'e gidiyorlar. Muhtemelen başka bir şey planlamışlardı. Massachusetts Teknoloji Enstitüsü'nden meslektaşları onu dışarı çıkarabilirdi, en azından Cambridge'de bir bara ya da belki Route 1 veyahut Golden Banana denilen yere götürebilirlerdi (bütün o bilgisayar kurdu profesörleri öyle bir yerde hayal etmek zor olsa da). Her neyse, bu hiç olmadı. Bunu yerine, bu gece hepsi parktalar: Beezer ve Anya, Jay-Jay ve Irene. Bu gece eğlence programı, yaşlı Roger Conant'ı başrolde oynatıyor, Golden Banana'nın yerini alıyor ve kendimi, Ann Chase'in muhtemelen haklı olduğunu düşünürken buluyorum, Eva gerçekten bu gece bizimle eğleniyor.

10

George Washington'un Ipswich'e geliş sebebi politik değil; Martha'nın yapıyor olduğu şal için birkaç siyah danteli beğenmesiydi. Bu, bir fenomendi. Kadınlar tarafından yaratılan ve idare edilen bu endüstri, daha öncekilerden farklı olarak büyüyordu.

Dantel Falı Rehberi

Stelazine hapını cebimde taşıyorum. Eski ve son kullanma tarihi geçmiş ve şayet onu yutursam beni öldürebilir. Gerçi hiçbir şey yapmayacağı daha muhtemel. Yine de bu benim sigorta poliçem, ruh sağlığımın cankurtaran haladı. Acil bir durumda, hapı yut. Sarı Köpek Adası'na giderken, kendimi ceplerimi kontrol ederken buluyorum. Sadece hapın hâlâ orada olduğundan emin olmak için.

Eva'nın vasiyetinin okunması için bugün oraya gidiyoruz.

Adamızın adı, ilk başta humma hastalığından dolayı Sarı Ada'ydı. Burası, Salem gemilerinin dönüşte limana giderken hasta denizcileri attıkları yerdi. O zamanlar hâlâ sarıhumma hastalığının bulaşıcı olduğuna inanıyorlardı ve birçok denizci adada ölmüştü, kimisi hummadan, daha fazlası açıkta kalmaktan.

Ada, çok sonraları Sarı Köpek Adası oldu, birisi, iki tane Golden Retriever cinsi köpeği anakaradan attığında. Onları bizim ada ile Miseries Adası arasındaki kanala terk eden her kim ise muhtemelen onların boğulmasını bekliyordu; ancak rüzgâr ve akıntı bu sefer çok elverişliydi ve köpekler kanalın içinde yüzmüştü. Bütün adada yabani tavşanlar, su fareleri ve binlerce martı olduğundan, köpekler hayatta kalmayı başardı ve harika bir avcı oldular. Los Angeles'teki çakallar gibi, bu köpekler nadiren insanların yanına gelir. Annem dışında. Köpekler, ona uysal yaklaşır: Yatarlar, yuvarlanırlar, ayaklarını havaya kaldırırlar May yanlarına gittiğinde, sanki onu, karınlarını kaşıması için bekliyorlarmış gibi; halbuki o, bunu hiç yapmaz.

Vasiyeti kasabada, Eva'nın avukatının ofisinde, hatta Eva'nın evinde okumak daha uygun olurdu (ve daha mantıklı); ancak tabii ki May, kasabaya gitmezdi.

Kimse burada olmaktan mutlu değil. Beezer, Anya ve ben Whaler botunu aldık. Limanın içi sıcaktı; ancak Peach's Noktası'nı geçtiğimiz an rüzgâr kendini toparladı. Bazı yerlerde dalgalar altı fite kadar yükseliyordu.

"Neden burada olmamız gerektiğini anlamıyorum" Anya, Beezer'a söylüyor bunu. "Onun her şeyi Emma'ya bırakacağını zaten biliyoruz."

Beezer, cevap vermiyor; ancak botu ada çocuğu gibi ustaca dubalara yanaştırıyor. Şayet Anya bundan etkilenmemişse, bence etkilenmeli.

Avukat, Dr. Ward ile birlikte geliyor. Kanala dönmek için yavaşlayan deniz taksisini gördüğümüzde iskelenin tepesindeyiz. Beezer, karşılamak için aşağı iniyor.

"Eva'yı özlüyorum" diyor Anya, kasabaya doğru bakarak duruyor orada.

"Ben de" diyorum. Bana inanmadığını söyleyebilirim. Özellikle de ziyaretine hiç gelmediğim için. Bir kez bile. Anya'nın bakış açısından, hiçbirimiz iyi değiliz. May, cenazeye gelmedi. Ve ben Eva'yı hiç ziyaret etmedim. O, bizi anlamıyor. Bizim Eva'yı sevmediğimizi düşünüyor. Bu konuda yanılıyor. Eva'yı her şeyden çok sevdim. May'in cenazeye gelmemesine çok sinirlensem de biliyorum ki o da Eva'yı seviyordu.

Sessizlik içinde eve doğru yürüyoruz.

Kulenin yanındaki bayırdan kırmızı okul binasını ve çalışıyor olan dantelcileri görebiliyorum. Yaklaşık yirmi kadın var, sandalyeleri daire şeklinde dizilmiş, ortada dantel falına bakan biri var. Birkaç çocuk yan tarafta daha küçük bir daire oluşturacak şekilde oturmuş. Günlük derslerde kadınlardan biri onları yönlendiriyormuş gibi.

Kanunlar değişti. Evde eğitim şimdi yasal. Derslerimiz için Beezer ve benim burada kalmamıza izin verilseydi şayet, ne farklı olurdu diye merak ediyorken buluyorum kendimi. O güz, Eva ile yaşamak için kasabaya gitmek zorunda kalmasaydık.

Anya, aniden duruyor. Bana bir şey söylemeye çalışıyor; ancak rüzgâr bütün sesi yok ediyor. Kayalıkları gösteriyor. Köpekler, ne olduğunu görmek için mağaralarından çıkıp, her yerden boy gösteriyor. Tıpkı biz küçükken, insanların sahip oldukları bulmacalar gibi. *Bu resimde kaç tane saklanmış köpek bulabilirsiniz?*

Beş? On?.. Daha fazla? Hepsi etrafımızda, gözleri avukatın attığı her adımı takip ediyor. Beezer'ın da onları gördüğünü söyleyebilirim; ama yürümeye devam ediyor, ilgi çekici yerleri gösterip herkesin gözlerini kayalıklardan uzak tutuyor. Sonunda köpeklerin hevesi kaçıyor ve mağaralarına dönüyorlar.

May'in evine gidene kadar dördümüz de birlikte yürüyoruz. Vahşi köpekler bizden sıkılmış; ancak eve yaklaşmasına izin verdiği May'in iki gözdesi verandada güneşleniyor. Her biri basamağın bir tarafına yerleşmiş, yeleleri kabarık, ön patileri uzanıyor önlerinde tıpkı taştan yapılmış aslanların karşılıklı durması gibi.

Dişi olan ilki şaşkın görünüyor. Erkek olanı hareket etmiyor; ancak avukatla göz göze geliyorlar. Avukat, köpeğin arkadaşça olduğunu düşünüyor. Onu okşamak için elini uzatmak üzereydi, May aralarına girip, köpekleri verandadan kovduğunda. İlki hemen gidiyor; ancak gözlerini dikmiş olan hareket etmeye niyetli değil.

"Bizans... Git" diyor May ve köpek isteksizce terastan ve basamaklardan aşağıya sürüklüyor kendini, arkaya dönüp May'e bir bakış atıyor, onun hakkındaki iyi hükmünden kuşkulanır gibi ki bu hemen onu sevmemi sağlıyor.

"Bir köpek için ilginç bir isim, Bizans. Sen mi buldun?" diye soruyor avukat.

"Golden Retriever cinsi" diyor Anya.

Avukat ona tuhaf tuhaf bakıyor.

"Gold?.. Bizans İmparatorluğu?" Anya sanat tarihçisi haline dönüyor ve onu sanki öğrencilerinden biriymiş gibi yönlendiriyor.

"Aslında bu isim, Yeats'in bir şiirinden geliyor" diyor May, Anya'yı düzelterek.

Tipik May. Kimsenin haklı olmasına izin vermez. Köpeğin adı şiirden gelebilir; ancak şiir Bizans altını ile ilgiliydi. Annem hakkında kastettiğim işte tam bu.

Yemek odasında maun ağacından yapılmış büyük bir yemek masasında oturuyoruz, bu karanlık günde doğal ışığın olduğu tek yerde. Avukatın, May'in bir lamba yakmasını umduğunu görüyorum, sonradan fark ediyor ki hiç lamba yok. Düşünme sürecini duyuyorum, gözlüklerini unutmamış olmayı umuyor, onlara ulaşma ümidiyle elini cebine atıp başka bir şey buluyor, anahtarlar. *Lanet olsun. Bunları onun için bırakacaktım. Gözlükler... Gözlükler.* Diğer cebini deniyor. *Bingo.*

Hepimizin çok şaşıracağını düşünüyor. Bu görevi yapmak için kendisi yerine ortağının gelmiş olmasını dilerdi. *Adamı ayartmaya çalıştı; ama nafile.* Asla kötü haber vermeyi beceremediğini düşünerek. *Özellikle de böyle deli bir aileye. Yaşlı hanımefendiye anlatmaya çalıştım. Yüz kez denedim. Sakat olanı da düşünmelisin. O, senin kızın Tanrı aşkına. Bütün bu eski, paralı ailelerle hiç geçinememişimdir. Onlar benim ekmek param olsa da. Onların yöntemini hiç anlayamayacağım.*

"İyi misin?" diyor Anya bana. Kolumdan tutuyor.

Avukata gözlerimi dikmişim. Sanırım yüz ifadem okunuyor.

Odada bir huzursuzluk var. Sadece avukattan dolayı değil. Herkes o enerjiyi hissediyor. Belki de durum bu.

"Biraz su ister misin?" May eğiliyor ve bana soruyor. O ve teyzem, odadaki tek tedirgin olmayan kişiler. Teyzem habersiz olduğu için; May ise, şimdi fark ediyorum, avukatın ne söyleyeceğini bildiğinden.

Bana bir bardak su dolduruyor, masanın karşısına kaydırıyor onu, sanki satranç tahtası üzerindeki bir taşmış gibi. Susamış olmama rağmen, bardağı almıyorum.

Avukat belgeyi yüksek sesle okudukça, oda sessizleşiyor. Bitirdiğinde, kimse konuşmuyor uzun bir süre. Avukat boğazını temizliyor. Sonra, hepimizdeki şaşkın ifade anlamadığımızı gösteriyormuş gibi renkli bir açıklama yapıyor, daha yeni duyduğumuz şeyleri başka sözcüklerle anlatıyor. "Vasiyetin amacı basit" diyor. "Kör çocuklara konaklama yeri yapmaları amacıyla İlk Kilise'ye verilecek olan Ipswich'teki aile arazisi hariç, mülkün çoğunluğu, uygun gördüğü gibi harcaması için Sophya'ya bırakılmıştır."

"Ne?.." diyor Anya. Bunu sesli söyleyecek kadar ihtiyatsız olan tek o. *Ya Boynton Teyze?..* düşündüğüm son şeydi. Onun hatırı için cümleyi yarıda kesiyor.

Göz göze geldiğim May'e bakıyorum; ancak vazgeçmiyor. "Bunu biliyor muydun?"

"Evet."

"Ve bunu onayladın mı?" Anya kadar şaşkınım.

"Bu, Eva'nın parasıydı. Onaylayıp onaylamamak bana bağlı değil."

"Aslında, vasiyetin imzalanmasına şahitti." Avukat, May'in imzasını gösteriyor bana.

"Neden?" diye soruyorum.

May, yüzünü yana çeviriyor.

"O, kesinlikle senin kalıp Emma'ya bakmanı umuyor" Beezer cevaplıyor.

Teyzem Emma'nın yüzündeki bakışı görüyorum.

"Kimse Emma'ya bakmak zorunda değil" diyor May. "Emma çoğunlukla bize bakar. Bu doğru değil mi?"

Emma gülmeye çalışıyor.

"Emma, onun kızı" diyor Anna. "Ona bir güvence bırakılması ya da başka bir şey olması gerektiğini düşünmüştüm."

"Bunu enine boyuna düşünmüşe benziyorsun" May'in sesi buz gibi.

"Ben sadece şunu kastettim..." diye Anya başlıyor.

"Kalmanı isterim" diyor Emma. "Bu, çok hoş olur."

Konuşamıyorum.

"Kalmak zorunda değilsin" diyor May. "Mirası istediğin an reddedebilirsin."

"Reddedersem ne olur?" diye avukata soruyorum.

"Şayet öyle yaparsanız, hepsi kiliseye gider."

"Emma'ya kalmaz mı?"

"Eva, bu konuda kesindi."

Dr. Ward'ın etekleri tutuşmuş. "Eva'nın niyetinin bu olduğunu düşünmüyorum. Eminim ki Emma'nın geçiminin sağlandığını görmek ister." Onaylaması için May'e dönüyor.

"Bana bakma. Sophya'ya bağlı."

Şah ve mat.

1820'de dantel yapma makineleri Boston'a geldi ve birkaç yılda iki dantel endüstrisi birlikte gelişti. 1825'e kadar tamamen bitti. Endüstrinin yönü değişti, Ipswich Nehri'nin kumları birikip limanın ağzını kapatarak gemicilik ticaretini Salem ve Boston gibi şehirlere bıraktığı gibi. Ipswich geriye döndü, tarımsal kökenlerine ve Ipswich kadınları da çiftçilerin karısı rollerine ve dantel yapma, sadece kadınların kızlarına bıraktığı bir meşgaleye dönüştü –dikiş yapma ya da ekmek yapma gibi (her ikisinden de daha az önemli olsa da).

Dantel Falı Rehberi

Dantelleri paketleyerek bütün gece ayakta kalıyorum. Her masadaki ve çekmecedeki parçaları alıyorum. Almadığım tek parça, Eva'nın karyola sayvanı; çünkü Anya ve Beezer uyuyorlar ve onları uyandırmak istemiyorum.

Bitirdiğimde, dantel parçalarını beyaz kâğıt ile kaplıyorum ve onları Eva'nın dolabında bulduğum gümüş kurdele ile bağlıyorum. Sanki bir düğün hediyesi gibi görünüyor. Adlarını yazıyorum üzerine.

"Bununla ne yapacağım ki ben" Anya'nın Beezer'a bunu sorduğunu duyuyorum merdivenleri inerken.

Beezer, işaret ediyor. Anya benim orada olduğumu anlıyor ve bana dönüyor.

"Ne kadar kibarsın, Towner, gerçekten. Ben sadece dantel adamı değilim."

Beni kucaklıyor. Gülümsemeye çalışıyorum.

Taksi gecikti. Beezer, taksi şirketine telefonla ulaşmaya çalışıyor, telefonu sinirli sinirli kapatıyor.

Dışarıdan bir korna sesi duyuluyor. "İşte geldi." Anya kapıya yöneliyor.

"Düğüne gelemeyeceğinden emin misin?" Beezer, bana soruyor.

"Pasaportum yok." Bunu dün gece söylemiştim.

"Herkesin pasaportu var." Beezer gülüyor. "Senin dışında."

"Ve muhtemelen May dışında" diyorum.

"Evet, muhtemelen."

Tekrar onu kucaklıyorum, daha sonra da Anya'yı. "Her şey gönlünüzce olsun" diyorum Anya'ya, kulağa çok resmi geldiğini biliyorum; ancak Eva'nın gelini hiç tebrik etmediğimi söylediğini hatırlıyorum.

"Evi satman iyi olur" dedi Beezer. "Eva'nın burada kalmanı sağlamaya çalıştığını biliyorum; ancak bu kötü bir fikirdi."

O, her zaman zihnimi okuyabilir.

"Kimse seni suçlamayacaktır" diyor.

"Neyse, bunu düşün" diyor bir dakika sonra.

Başımı sallıyorum, "Törenden sonra beni ara". Üç çantayı birden alıyor ve yine de Anya'nın geçmesi için kapıyı tutmayı başarıyor.

Paketli danteller koridorda, masanın üzerinde duruyor hâlâ.

İkinci bölüm

Her yaşayan şeyde dantel vardır; kışın çıplak dallarında, bulutların desenlerinde, suyun yüzeyi esintiyle dalga dalga yayılıyorken... Yeteri kadar yakından bakarsanız, vahşi bir köpeğin keçeye dönüşmüş postu bile dantelsi bir desen sunar.

Dantel Falı Rehberi

12

Eski evler, tıpkı bir dantel parçasının yaptığı gibi, içlerinde yaşayan insanların zincirlerini yakalar. Çoğunlukla bu zincirler, ta ki biri onları bozana kadar usul usul yerlerinde durur. Örümcek ağlarına uzanan yaşlı, temizlikçi kadın, ilk kotilyon dansını yapan bir kızın hayali raksını gözler önüne seriyor. Bileğinden hâlâ sarkan dans kartıyla, kız gözlerini kapatıp dönüyor, yaşadığı anı ve ilk aşkın hatırasını alıkoymak için. Yaşlı, temizlikçi kadın bu hayali, kızdan çok daha iyi biliyor. Bu, onun her zaman arzuladığı; ancak hiç yaşamadığı bir hayal.

Zincirler ağında, iki dünyanın bir araya gelmesi muhtemeldir. Bunu yaşayan kız için, şimdi büyümüş, hissettikleri dışında her şey unutulmuş. O genç adamın adını hatırlayamıyor. Anıları diğer şeyleri, sonunda onun için daha önemli olan şeyleri barındırıyor: Evlendiği adam, bir çocuğun doğumu.

Temizlikçi hanımefendinin dışında, zincir kuvvetli. Bu biraz hayal, biraz da uzun süre önce yok olmuş; ancak hiç unutulmayan bir dileğin gerçekleşmesi. Kendini nefes nefese buluyor ve kızın yatağında bir dakika oturmak zorunda kalıyor. Eva'nın yatağında.

Zincirlerin birleştiği yer, iki kadını birbirine bağlıyor. Temizlikçi kadının, o genç kızın, şimdi orta yaşlarında olan Eva olduğunu bilmesi imkânsız. Kadın, buralı değil. Eva'yı genç bir kızken tanımıyordu. Ama bu bilgiden yoksun olsa bile onların arasında bir şeyler değişti. Temizlikçi kadın işini bitirip, merdivenlerden aşağı indiğinde, ilk defa Eva ona bir fincan çay ikram ediyor. Yaşlı kadın tabii ki almıyor, bu doğru olmazdı, öyle olsaydı bile o utangaç, sohbet yeteneği doğuştan verilmemiş bir kadın. İmkânsız olmasa da hayatlarında ilişkilerini değiştirmeleri tatsız. Yine de bir şeyler değişti ve her ikisi de bunu biliyor.

Bugün Eva, bana hayatının her on yılından en az bir tane olmak üzere çok sayıda anı zincirini gösteriyor: Ipswich'teki büyüdüğü çiftlik, G.G ile düğünü, Emma'nın doğumu. Kapının gıcırtısı, Brahma rahibi aksanıyla Eva'nın sesi oluyor. Ses, sorular soruyor, sanki Eva ne olduğunu öğrenmek için dantel falı bakmaya çalışıyor. *Öldüm mü? Yok oldum mu? Hayatım sona mı erdi?*

"Evet" diyorum yüksek sesle ve cevabım odanın etrafında uğulduyor, duvarlarda yankılanarak. "Öldün. Eşyalarını kontrol etmek için buradayım başka biri gelmesin diye. Senin çok değer verdiğin bu şeylere hiçbir yabancı dokunmayacak. Bunu istediğim için yapmıyorum, yapmak istediğim şey, bu yerden ayrılmak ve bir daha geri dönmemek. Hayır, istediğim için yapmıyorum bunu; ancak senin de istediğin şeyin bu olduğunu bildiğim için yapıyorum."

13

Dantel falına bakacak kişi, ilk önce danteli, sonra falına bakılacak kişiyi, sonra da kendisini aydınlatmalı. Bu basamak, hem geçmişin etkilerini, hem de gelecekten beklentileri silmek için gerekli. İşte bu temiz alana soru yöneltilmeli.

Dantel Falı Rehberi

Sabahları çoğunlukla Eva'nın gardırobunu karıştırıyorum, onun eşyalarını ayıklıyorum. Bu, alışkanlığım oldu, son birkaç haftadır her gün yaptığım bir şey. Evin her tarafında yığılı kutular var: Bazıları Beezer ve Anya, bazıları annem, bazılarıysa Sarı Köpek Adası'nda yaşayan kızlar için. Bugün küçük bir kutu paketledim, sonuncusunu, benim taşıyabileceğim kadar hafif. İçinde yanıma alacağım şeyler var.

Bu gardırobu temizleyen bir yabancı için Eva arkasında bıraktığı şeylerle tanımlanabilirdi, her ne kadar bu şeylerin hazine mi, yoksa Eva'nın bunları koyacak yer bulamayıp da bir yere tıktığı çeşitli eşyalar mı olduğunu söylemek imkânsız olsa da. Bir yabancı için bunlar bir anlam kazanırdı. Bunaklığın belirtileri gibi görünebilirlerdi. İşte bu yüzden gitmeden önce bu işi yapmak istiyorum. Herhangi birinin Eva'yı yargıladığı düşüncesine katlanamam. Yargılanmanın nasıl bir duygu olduğunu bilirim.

Ayakkabı kutuları, harika bir örnek. Bu gardıropta, en azından altmış tane ayakkabı kutusu var. Büyükbabam G. G.'nin hayatta olduğu son yılbaşında her birimize verdiği ayakkabıları buluyorum. Hatıralar, istila ediyor: Birlikte küvetin içinde duran hepimiz yeni ayakkabılarımızı ıslatıyoruz. "Ayağınızda kurutun yeni ayakkabılarınızı" diye buyurmuştu G. G. Evin içinde ıslak ıslak gezmiştik bütün gün, vıcık vıcık sesler çıkarıp, mermer yerde ve doğu işi kilimlerde küçük salyangoz böceği izleri bırakarak. Karanlık çökene kadar kurumayınca bizi ayakta tutmuştu. Ayakkabılarımızla yatmıştık, sabah da birkaç kez burnumuzu çekmekten öte hastalık nöbetleriyle uyanmıştık.

Gardırobun arkasında, yerde, diğer ayakkabı kutuları var, hepsi benzer, G. G. Fabrikası etiketli, değilse de markasız. İçlerinde Eva'ya çocukken verdiğimiz hediyeler var. Yılbaşı ve doğum günü hediyeleri. Elmas taklidi taşlarla süslediğim saç tarama-fırçalama seti var. Eva'nın ince zevklerine göre çok süslü; ancak onun herkese bu setin ne kadar güzel ve yaratıcı olduğunu söylediğini hatırlıyorum. Diğer yıl onun için yaptığım heykelciği buluyorum, deniz kabukları ve deniz camlarıyla yapılmış bir ağaç budama sanatı. Bu, Eva'nın kullanabileceği bir şey değil; ancak ayrılmayı göze alabileceği bir şey de değil. "Aramızda yetişmekte olan bir sanatçı var" hediyeyi açtığında bunu söylemişti. Ama bu konuda yanılıyordu. Lyndley'di yetişmekte olan sanatçı; ben değil. Yine de o heykelcik, şömine rafında yıllarca mağrur bir yer aldı, ta ki yapıştırıcısı kuruyup, deniz kabukları düşmeye başladığında, plastik köpüğün göründüğü yerlerde neona benzer çerçeveli, yeşil, garip boşluklar kalana dek. Deniz kabuklarının çoğu döküldüğünde, Eva, Kutsal Kitap'a işaret koymak için kullandığı aynı renkteki ince kâğıda heykelciği sarmış ve Fransız kurdeleleriyle bağlayarak şirin kutular içerisine koymuştu onları. Düşen deniz kabukları, ince kâğıdın kıvrımlarında tıpkı ölen kişinin tabutunun içine sevilen kişiler tarafından konulan en çok beğenilen eşyalar gibi, ölü heykelciğin bedeninin yanı başında uzanmakta.

Fotoğraflarla dolu olan diğer kutuyu açıyorum. Birbirine benzeyen çok kutu var ve bunun mu sadece fotoğraf kutusu olduğunu görmek için diğer ikisinin kapağını açıyorum ama hayır, bütün bu kutular fotoğraflarla dolu. Annem May'in küçüklüğünden kalma fotoğraflar var. Büyükannem Elizabeth, G. G'nin ilk eşi, May'i doğururken ölen May'in annemin annesinin bir fotoğrafı. May'in bant ve kurdelelerle ehlileştirilmiş yabani saçları, yine de kurtulmayı başarıp, başının etrafında hale gibi kıvrılıyor. Büyükannemin çok resmi varken, onun kocasının birkaç resmi var; arabasına yaslanırken, ya da golf oynarken. Sonra da G.G'nin ikinci karısı ve Emma'nın annesi olan Eva ile fotoğrafları mevcut. Bir sürü grup resimleri var, hatta bazılarında Cal bile var, Emma ile evlendiği, o cehennem henüz başlamadan önce çekilmiş fotoğraflar.

Eva'nın çiçeklerinin resimlerinin olduğu bir kutu var: Gülleri, dantel başlığı ortancaları, şakayıkları. İlk başta fotoğrafların herhangi bir düzeni olmadığını düşünüyorum; ancak dördüncü kutuyu açtığımda aslında bütün resimlerin bir düzen içinde yerleştirildiğini fark ediyorum. Her kutunun bir teması var. Eğer aile fotoğraflarıysa konu, her bir kutu birimiz üzerinde odaklanıyor, bizi çevreleyen insanlarla birlikte. Küçük güneş sistemindeki gezegenler. Beezer'ın ikinci doğum günü partisinde olduğu gibi, hepimiz orada, Beezer masanın başında oturuyor, küçük eli bileğine kadar pasta kremasının içinde ve diğerleri buna, şimdiye kadar gördükleri en komik şey gibi gülüyor.

Henüz Lyndley'in kutusunu bulmadım ya da teyzeciğim Bonton'unkini de, Cal'la olan resmi dışında. Aslında benimkilere de rastlamadım. Daha çok Beezer ve anneminkiler var. Eva'nın aklının nasıl çalıştığını biliyorum her birimize ayrılmış dolu kutular olduğunu düşünüyorum.

Bir diğerine uzanıyorum, daha büyük bir kutu. Umduğumdan daha ağır ve düşüyor, yere inerken küçük bir toz bulutu kaldırıyor. Fotoğraflarla değil; kitaplarla dolu.

Ailemizin eski Kutsal Kitap'ını tanıyorum; paragrafları, kitabın kenarlarından fırlayan, solmuş ince kâğıt parçalarıyla işaretli. Alıyorum kitabı. Göründüğünden ağır. Aslında, düzgün olarak taşımak için iki ele ihtiyacınız var. Ağırlığını yanlış tahmin ediyorum, elimden kayıp, devriliyor, kâğıtlar ekim yaprakları gibi sessiz ve ağırlıksız düşüyor.

Kutsal Kitap'ın işaretli paragrafını açıyorum.

Yuhanna 15: 13 : "Hiç kimsede, insanın, dostları uğruna canını vermesinden daha büyük bir sevgi yoktur."

Kutsal kitabı bir kenara koyuyorum. Aileden biri bunu almış olmalı, muhtemelen Emma ya da Beezer ve Anya'dır. İki kitap daha var, deri kapaklarıyla kırmızı dergilere uyuyorlar. İkisi de birbirine benziyor. İlkini açıyorum. Eva'nın eliyle yazılmış. Bunu daha önce görmüştüm. Eva'nın düşünceleri ve şu ana kadar baktığı dantel fallarıyla dolu kitap. Biraz günlük, biraz hayal, biraz da talimatname gibi. İçinde, ön sayfasına şu başlığı karalayıvermiş : "Dantel Falı Rehberi." Rasgele bir sayfayı açıyorum.

Düğün Gününde Bir Gelinin Dantel Falına Bakmak

Duvak, fal bakılacak en eğlenceli danteldir. Her olasılık onun içindedir. Evliliğin kutsal doğasından ötürü, duvakta nadiren rahatsız edici bir şey olur, daha çok ileride bekleyen hayatın güzelliğini görmek olasıdır. O anda çocuklarının yüzleri çoğunlukla görülebilir dantelde ya da bazen çiftin sahip olacağı torunlarının bile.

Taşınması gereken, dantel zincirinin olduğu yerde, yerçekiminin aksini emrettiği mekanlarda yüzen zincirleri taşıyan geçmiş kuşakların tam resimlerini görmek sık sık olasıdır. Bir gelinin bu durumdaki heyecanı, duvağın üzerinde ona eşlik edenlerle sık sık denk düşer.

Dantel Falı Rehberi

Bunların hepsi o kadar aşina geliyor ki. Daha önce bunu okudum. Öyle olmalı. Kitabın diğer sayfalarına göz atıyorum. Bazen Eva, özel yorumların detaylarını veriyor, bazense farklı türdeki danteller hakkında yazıyor. Şayet çay, özel bir dantel falıyla servis edilmişse, çay karışımı, demleme talimatlarıyla detaylı bir şekilde tarif ediliyor. Bakılan fallarla karıştırılmış günlük notlar da var, daha çok çiçekleri hakkında. Sümbülleri ve gelincikleriyle ilgili gözlemlerine yer vermiş. Ayrıca sayfanın kenar boşluklarına yazılmış, eski sözlerden parçalar var. Şiir dizeleri: Goethe, Spenser, Proust. Kalıplaşmış sözler, hava ya da akıntı ile ilgili haberlerle harmanlanmış; ancak her öğe, karmaşık bir Belçika dantel parçasını oluşturan zincir gibi merkezine simetrik olarak dönerek dantelle tekrar bağlanıyor.

Eva'yı yanımda hissediyorum. Tekrar ağlıyorum. Belki de bu paketleme işi, pek de iyi bir fikir değil. Bu, benim için çok fazla. Omzumda bir el hissediyorum. Avutucu. Bakmak için dönmüyorum. Eva olduğunu biliyorum. İkinci kırmızı kutuya doğru çeviriyor beni. Ellerim kutuyu kapıyor. O iki kutu, renk ve ebat açısından birbirinden ayrılmasa da bu kutu diğerinden daha ağır görünüyor. Tutulamayacak kadar ağır. Neredeyse düşürüyordum. O el bana yardım etmek için yetişiyor. Günlüğü açıyorum.

Bu, McLean'de yazdığım günlük. Stelazine almış, eğilmiş ve solan yüzümle hatırladığım kadarıyla geçmişimi yazmıştım. El yazım, beklediğinizin tam tersi, küçük, zoraki, kontrollü. Bu geçmiş, hastaneden çıktığımda benim biletimdi. Bunun ne kadarının doğru olduğunu bilmiyorum. Hatırlamadığım şeyleri uydurdum. Boşlukları doldurmuştum böylece.

Günlüğü okuyamam. Bu, çok acı verici. Bunun yerine, Eva'nın günlüğü ve aileme ait Kutsal Kitap'ın yanında, giderken yanıma alacağım diğer şeylerle birlikte onu da alıp, saklıyorum; diğer aldıklarıma gelince: Dantel yastığı, Lyndley'in yaptığı tablo, bir kutu Zor-Çay.

Emlakçı, sonunda vardığında, yanında evi denetlemek için birini getirmiş, "sadece hiçbir sürpriz olmadığından emin olmak için" diyor kadın. Volvo arabasının arkasında "satılık" ilanını fark ediyorum.

"İlan istemiyorum" diyorum.

"İlan koyarsak evi satmak çok daha kolay olur."

"Yine de..." Öyle bir ses tonuyla söylüyorum ki bunun Eva'ya ait olduğunu fark ediyorum. Ama kadın anlamıyor, omuz silkip ilanı arabada bırakıyor. Evi denetlemeye gelen kişi dışarıda kalıp, evin çevresinde yürüyüp, ona bütün açılardan bakıyor.

Beş dakika süren havadan sudan sohbet bunu takip ediyor. Böyle bir evi satmanın yazık olduğunu, birinin muhtemelen bu evi mülk edineceğini söylüyor kadın. Sonra da beni satmaktan vazgeçirebileceğini fark ederek, ekliyor, "Güneşli Kaliforniya'da yaşıyor olsaydım, geri dönmezdim de buraya."

Dışarıda evi inceleyen kişi, kamyonundan bir merdiven alıp, çiçek yataklarını çiğneyerek binaya taşıyor onu.

"Uzun yıllardır yaşayan bitkiler harika" diyor emlakçı. "Gerçekten tam da cazip bir nokta." Bunu not alıyor gördüğü diğer şeylerle birlikte, kayağantaştan yapılma çatı da dahil olmak üzere.

"Kaç tane yatak odası var?"

"Bilmiyorum. On? On iki? Bazılarını başka şeyler için kullanıyordu."

"Kaç tane tuvalet var?"

Hiçbir fikrim yok.

"Bu şekilde yatak odasını tarif ediyoruz; tuvaletli ya da tuvaletsiz diye."

"Oh" diyorum. Bir işe yaramıyor.

"Bilginize" diyor.

Evin etrafında onu takip ediyorum. Her tuvalete bakıyor ve yatak odalarının bitişiğindeki boş kâğıtlara "7" yazıyor. Saçakların altındaki dolaplara bakıyor. Eva'nın çekmecelerini açmak için duruyor.

Suratımı asmış olmalıyım. "Kolay değil" diyor. "Şayet bu, sevdiğin biriyse."

Evi inceleyen kişi, bodrumda su buluyor. Şarap mahzeninde küçük bir su birikintisi var, Eva'nın kurutulmuş çiçeklerinden birkaç tanesini astığı duvarın bitişiğinde. Adam, nedenini merak ederek, inceliyor suyu.

Herhangi birisinin kırık olup olmadığını görmek için şarap şişelerine bakıyor adam. Hiçbir şey bulamayarak, bana dönüyor. "Buranın üstünde bir musluk var mı?"

"Hayır" diyorum.

"Ciddi bir şey olduğunu düşünmüyorum" diyor adam. "Belki de sadece bir şey dökülmüştür."

Emlakçı, kurutulmuş çiçek demetini alıp, kokluyor. Lavanta, buradan görebiliyorum. Bozuk bir peyniri kokluyormuş gibi suratını buruşturuyor. "Kim bodrumda çiçek kurutur ki?" diye soruyor. "Şunlardan kurtulun; böylece problemin yarısını çözmüş olursunuz." Kuruyan çiçekleri gösteriyor kadın. "Bunların hepsi küflenmiş."

Eva'nın çiçekleri aşağıda, burada kurutmasının saçma olduğunu düşünüyorum; ancak o, her yere çiçek koyar, kurutulmaya bırakılan, baş aşağı asılı duran küçük çiçek demetlerinden; dolayısıyla belki de yukarıda odaların hepsi tükenmişti. Ya da mahzen o zaman kuruydu.

"Onları atacağım" diyorum ve emlakçı yüzündeki bayat peynir yemiş ifadesini silerek gülümsüyor. Bunu not almam gerektiğini biliyorum; aksi takdirde büyük ihtimalle yapmayı unutacağım.

"Başka bir şey var mı?" kadın adama soruyor.

"Bazı pencerelerin camlarının değiştirilmesi gerekiyor. Ama ev, yaşına göre çok iyi durumda."

"Bundan başka ne isteyebilirsin ki?" Emlakçı bana dönüyor, "Keşke biri de benim için böyle dese".

Gülümsemeye çalışıyorum.

Emlakçı, listesini tamamlıyor. "Eşyaların herhangi biri satılık mı? Ya da şaraplar?"

Evi inceleyen adam, bu işareti anlayıp dışarı çıkıyor.

"Bilmiyorum. Bunu hiç düşünmemiştim."

"Muhtemelen, bir ekspertize ihtiyacın olacak. Burada hoş şeyler var."

Antikalar için Skinner's denilen yerdeki bir adamın numarasını verdi. "Ofisin arkasında şarap işinde iyi olan bir adam var" diye ekliyor kadın. "Şarapları topluyor yani, içmiyor. Onda da gayet başarılıdır, aklıma gelmişken."

Onunla kapıya yürüyoruz. Şakayıklar, sıcaktan bayılmışlar. Eva öldüğünden beri, birinin onları suladığını düşünmüyorum; bu yüzden onların hâlâ yaşıyor olması şaşırtıcı. İçeri girdiğimde, Ann Chase'in telefon numarasını arayıp buluyorum, çeviriyorum numarayı.

"Merhaba Towner" diye cevap veriyor. "Aramanı bekliyordum." Alçak, insanı ürküten, gizemli bir sesle konuşuyor. Buna kanma şansım olmadan gülüyor. "Şaka yapıyordum. Seni beklemiyordum. Sadece arayan kişinin numarasına baktım."

Arkada, bazı sesler duyuyorum. "Doğru bir zamanda mı aradım?"

"Turist sezonu Cadılar Bayramı bitene kadar doğru zaman olmayacak. Bu aylar alacak. Ama bu, aramana engel değil. Nasıl gidiyor?"

"Sana bir şey vermem gerekiyor."

"Kulağa ilgi çekici geliyor."

"Belki sana uğrarım."

"Bu sabah oraya geldim, bahçeyle ilgili yardıma ihtiyacın olup olmadığını görmek için. Hâlâ Kaliforniya saatindesin sanırım."

"Muhtemelen" diyorum.

"Senin için bahçeleri biraz suladım."

"Duymadım bile. Teşekkürler."

"Onlara daha fazla su vermen gerekiyor. İyi bir sulama."

Ann, birine telefon ederken, eski moda yazarkasanın çınlama sesini duyuyorum.

"Bütün bahçeyi sula" diyor. "Ama öğleden sonra geç saatlere kadar yapma bunu; aksi takdirde yaprakları yakarsın. Bu güneş, suyu büyütece çevirir. Yarın sabah geleceğim; böylece kalan kısmını da hallederiz."

"Teşekkürler."

"Önemli değil. Bunun dışında nasıl gidiyor her şey?"

"İyiyim" diyorum.

"İyi olmana sevindim" diyor. "İyi olman gerçekten güzel."

Ne söyleyeceğimi bilmiyorum.

"İstiyorsan dükkâna uğra o zaman. Yoksa seni yarın göreceğim."

Karnımın zil çaldığını fark ediyorum. Evde hiçbir şey yok. Dışarı çıkmam gerekiyor; ancak önce giyecek bir şey bulmalıyım. Hiç temiz kıyafetim yok. Ameliyatımdan ötürü buraya gelirken bavul taşıyamadım; bu yüzden sadece bir yastık getirdim. Gardırobuma gidiyorum; ancak bütün gençlik kıyafetlerim eskimiş. Lyndley ve benim bir yaz beyazlattığımız, eski, kesilmiş bir pantolon giyiyorum. Arkasında "Wolfeboro, New Hampshire" yazan, boncuklarla süslü bir kemerle, sıkıca tutturuyorum pantolonu. Sonra da ayakkabı ve kısa kol bir bluz bulmak için Eva'nın gardırobunu yağma ediyorum.

Benim ayaklarım, onunkilerden daha büyük ve bulabildiğim tek ayakkabı, burada olduğum son yaz ona aldığım sandaletler. Bantlarında papatyalarla beyaz, süslü olanı. Onun bunlardan hoşlanacağını düşünmüştüm; çünkü çiçekler vardı üzerinde; ancak hâlâ orijinal kutularındaydı. Elbise çekmecelerinden birinde bulduğum tırnak törpüsüyle deri ayakkabıyı genişletiyorum; çünkü onlar merdivenleri inemeyeceğim kadar rahatsız.

Red'in Sandviç Dükkânı'na gidiyorum. Tıka basa dolu. Binadan aşağıda yarı yola kadar sıra var. İçeri giriyorum, tezgâha yakın bir yer boşalıyor ve kimse orayı istemiyor; dolayısıyla ben kapıyorum o yeri. On doları geçmemek kaydıyla (cebimde bu kadar var) sipariş edebileceğim her şeyi istiyorum.

"Kahve ister misiniz?"

"Çay."

"Sütlü?"

"Sade olsun."

Bir seferde İngiliz usulü muffinleri, patatesleri ve yumurtaları ızgarada pişiriyorlar. Bütün bu insanların nereden geldiklerini merak ediyorum ve sanki bu soruyu yüksek sesle sormuşum gibi garson cevap veriyor.

"Grup olarak buradalar" diyor.

Aşçı sızlanıyor.

"Saat on ikideki tur otobüsü" diye açıklıyor garson, troleybüs durağını göstererek.

Kalabalık hareketleniyor ve bir grup turist birlikte pencerelere yöneliyor. Dışarıda, genç bir kadın caddeden aşağıya koşuyor, kalabalıktan kurtulmaya çalışıyor. Kalabalık onu takip ediyor, sonunda yakalayıp, onu tutuyor, Püriten kıyafetler içinde bir adam, yüksek sesle suçlamalar listesini okuyarak onu azarlarken. Bridget Bishop'u tanıyorum ve saatimi kontrol ediyorum. Suçlanan cadıların ilkiydi o. Kasaba halkı, turistleri jüri koltuğunda oturtmak için toplayıp, yazın her birkaç saatte bir onu mahkemeye çıkarırdı. Zavallı Bridget, sık sık mahkûm edilir ve onun idamına karar verilirdi defalarca... Sık sık; ancak her zaman değil.

Bazı fısıltılar duyuyorum ve dönüyorum. İki kadın bir kabinde oturuyor, bir anne ve kızı. Onlara bakar bakmaz konuşmayı kesiyorlar. Kız, kahvesini alıp yudumluyor.

Kasaya borcumu ödüyorum ve kapının dışına kadar çıkmış olan kuyruğun içinden geçmek zorunda kalıyorum.

Ben dışarı çıkarken, Rafferty içeri giriyor. Sıraya bakıp, sessiz sessiz sövüyor ve kapıya yöneliyor; beni tanıdığında duruyor ve kapı tam bana çarpacakken son dakikada kapıyı tutuyor.

"Senin Kaliforniya'ya döndüğünü düşünmüştüm" diyor.

"Hayır."

"May bana öyle söylemişti."

"Belki de öyledir" diyorum, omzumu silkerek. "Tanrı da biliyor ki May Whitney, her zaman haklıdır."

Gülüyor. "Ona göre, her neyse."

Bir dahaki cümlesinin ne olacağını düşünmek için uğraş verdiğini görüyorum.

"Evi satıyorum" diyorum. "Annemin kastettiği muhtemelen buydu."

"Evi satıyor musun?" şaşırdığını fark ediyorum.

"Benim için çok fazla" diyorum açıklama gereği duyarak, kendimi aptal hissediyorum anlatırken.

"Büyük bir ev." Çabalıyor.

Kafamı sallıyorum.

"Bu, Kaliforniya'ya geri dönüyor olduğun anlamına mı geliyor?" diye soruyor.

"Kesinlikle" diyorum.

"Çok kötü."

Bir şey söylemek saçma görünüyor ve o da devam etmiyor zaten.

"Seni tanımak hoştu." Elini sıkmak için benimkini uzatıyorum. Bu, Eva'nın görgü kurallarından biri; ama benim karakterime uygun değil. Rafferty'nin bundan rahatsız olduğunu söyleyebilirim. Gülümsüyor. "Bugün gitmiyorsun, değil mi?"

"Hayır. Temizliği bitirmem lazım."

"Gitmeden önce seni göreceğim."

Ona anahtarı sormak aklıma gelene kadar bütün caddeyi tırmanmış oluyorum. Jay-Jay'in onlarda bir tane anahtar olduğunu söylediğini hatırlıyorum ve polislerin elinde olsa da, anahtarın etrafta gezindiği düşüncesinden hoşlanmıyorum; emlakçıya ona bir kopyasını yapacağımı söylemiştim. Bildiğim tek anahtarın polis gözetiminde olduğu aklıma geliyor. Caddeden aşağıya fırlıyorum.

"İyi misin?" diye soruyor, onu yakaladığımda. "Biraz solgun görünüyorsun."

"İyiyim" diyorum. "Ya sen?"

"Ben İrlandalıyım, her zaman biraz solgun görünürüm."

Sonra ona anahtarı soruyorum ve neyden bahsettiğimi açıkça bilmese de ya da onlarda bir anahtar olduğunu hatırlamasa da araştıracağını ve onu bana getireceğini söylüyor.

Eve dönüyorum, daha fazla paketleme yapmaya niyetlenerek. Ama aynada kendi görüntümü yakalıyorum ve fikrimi değiştiriyorum. Biraz solgun görünüyorum. Bu gerçekten hiç şaşırtıcı değil. Biraz keyifsiz hissediyorum kendimi ve yavaşlamaya karar veriyorum. İkinci kat hiçbir iş yapılamayacak kadar sıcak. Bunun yerine Ann'in dükkânına yürümeye karar veriyorum. Anya'nın masanın üzerinde bıraktığı dantel kutusunu alıp çıkıyorum.

Dükkân kalabalık ve Ann arkada birinin tepesinde fal bakıyor. Bir dakika beklemem için işaret ediyor bana.

Bu, hoş bir dükkân ve çok turistik değil. Ipswich danteli ve Sarı Köpek Adası'nın resimlerini fark ediyorum. Uzak bir köşede alışveriş sergisi var, gayet iyi, göz alıcı; sallanan sandalye, bir çıkrık ve örülmüş bir kilim ile. Yeni İngiltere kokuyor, tıpkı ev gibi. Yastık dantelleri sıraları, geçici bir süre oraya konulan şömine rafından sarkmakta, eski şömine makaralarla dolu. Bir dantel yastığı, sallanan sandalyede oturmakta, sanki birisi bir dakikalığına onu bırakmış ve hemen geri dönüp tekrar yerine oturacak gibi. Sandalyeyi adadan hatırlıyorum. Çalışma odamızda dururdu. Halka'nın yaptığı dantellerin sergisi bu. Şömine rafında, kadınların çerçeveli fotoğrafları, Halka'nın nasıl ve neden başladığının hikâyesini anlatan bir sürü broşür ve sipariş formları var. Önde bir yığın broşür ve el yazması bir tabela: "Bir Tane Alın."

Broşür, fotoğraflarla kaplı: Dantel yapan kadınlar, onların ayaklarında uzanan güzel bir Golden Retriever cinsi köpek, iplik eğirme odasından büyük bir kare, köpek tüyünden yapılmış, sarı yün ip çileleri ve her yerde dantel parçaları.

Broşürün ön tarafında bulunan asıl fotoğraf, eski Amerikan evlerinin tipik bir örneği. Orada yaşayanların hayatları hayal ettiğiniz gibi görünüyor, şayet onların gerçekten dayandıkları zorlukları bilmiyorsanız. Yine de fotoğraflarla ilgili yanlış bir şey var ve bunu bulmak kısa bir süremi alıyor. Onlara dikkatli baktığınızda, kadınların hiçbirinin yüzü olmadığını fark ediyorsunuz. Yüzleri kazındığından ya da silindiğinden ya da benzer bir şeyden değil; fotoğraflar öyle bir açıdan çekilmiş ki karede yüzlerin görülmesi imkânsız. İhtiyatlı olduğunu düşünüyorum; ancak yine de tuhaf bir şekilde rahatsız edici.

"Onların yün ipliklerinin sihirli güçleri olduğunu söylerler." Satış elemanı kız, benim tarafımda, bana baya yakın duruyor. Sanırım görevini yapıyor.

Ann'in müşterisi ile işi bitiyor ve acele ederek satış konuşmasının son kısmına yetişiyor.

"Bu, köpek tüyü" diyor Ann, kadına. "Altın post değil."

Satış elemanı kız omuz silkiyor. "Ben sadece onların söylediklerini aktarıyorum size" diyor bana ve bir hışımla gidiyor.

Ann'in iç çektiğini duyuyorum.

"Ona katlanamıyorum, kişisel olarak" diyor Ann. "Ancak o, elimdeki en iyi satış elemanı."

Taşıyor olduğum paketi Ann'e uzatıyorum. Kutuyu açıyor. İçinde yirmi ya da otuz tane dantel parçası var. "Bunu bana vermiyorsun" şüphe içinde söylüyor.

"Düğün hediyesi olarak Beezer ve Anya'ya vermeye çalıştım; ancak almadılar."

"Ben de almayacağım" diyor. "Bu, Eva'nın danteliydi. Senin saklamanı isterdi."

"Şayet almazsan, bunu Peabody Essex Müzesi'ne bağışlayacağım."

Paketi, masanın arkasına koyuyor.

"Bunu sana önceden verilmiş bir teşekkür hediyesi olarak kabul et."

Bana boş gözlerle bakıyor.

"Bahçe konusunda bana yardım ettiğin için."

Çok açık ki mutlu. Ama sonra hatırlıyor. "Ancak yarından sonraki gün gelebilirim" diyor. "Senin için uygun mu?"

Sanki geri alıyormuş gibi hediyeyi kapıyorum. Gülüyor.

"Teşekkür ederim" diyor. "Değerini bileceğim."

"Rica ederim."

Ann, fallar arasında benimle bir fincan çay içmek için mola veriyor. Tur otobüsü içeri girdiğinde ayağa kalkıyor, iç çekip arkaya gidiyor. "Perşembe görüşürüz" diyor. Kapının önünde duruyor. "Perşembeden önce onları sulaman gerekecek. Yoksa bütün bahçeyi budamak zorunda kalacağız."

"Sulayacağım" diyorum.

Ann içeri giderken fotoğrafını çekmek isteyenlere poz vermek için duruyor. Siyah cübbesini kabartıp gizemli bir gülüş atıyor kameraya.

Çayımın kalan kısmını alıp dışarı banka gidiyorum ve ilk Arkadaşlık gemisinin direği yükselirken seyrediyorum. Eski günlerde Salem'den yola çıkan bir geminin kopyası bu. Eva, kasabanın yarısının bu gemi üzerinde çalışıyor olduğunu söylemişti. Eva'nın kayıkhanesinin yukarısında, gönüllülerin tekrardan geçmişi yarattıkları yer olan teçhizat kulübesi var. Kocaman vinç, en üstteki üçüncü direği yerine indirirken onu seyretmek için bir kalabalık toplanmış. Eva'nın bahçelerini sulamak ve tepeyi çıkmak için kendimde o enerjiyi bulana kadar neredeyse bir saat seyrediyorum onları.

Eva'nın bir dönümden fazla bahçesi var, patika boyunca ev ile garaj arasındaki her alana yapılmış. Mevcut her yer, çiçeklerle ya da sebzelerle doldurulmuş, ayrı ayrı değiller; birlikte büyüyorlar –domates bağlarının bitişiğinde aslanağızları; hemen yanı başında zambaklar.

Yaz verandası, saksı kulübesine dönmüş. Daha küçük kutudaki bitkileri içeriye sürükleyip, ıslatmak için lavaboya koyuyorum. İçerisi sıcak ve kuru. Su gelmeden önce musluk hava püskürüyor ve gelen ilk su kullanılamayacak kadar sıcak ve pis. Burası, Eva'nın kurutma odası olacak o kadar. Lavanta ve kişniş kokusu eski ahşabın içine işliyor. Ahşaptan duvarları sıralayarak baş aşağı asılı duran çiçek ve otlar demetler halinde kurdelelerle bağlı. Uzaktaki duvarların birinde hâlâ boş yer var ki bu, Eva'nın mahzende lavanta buketlerini küflenmesi için asılı tutarak zarar verme riskine neden girdiğini merak etmeme yol açıyor. Belki de onları solmaması için güneş ışığından uzak tutmak istemiş olabileceğine karar veriyorum. Ayrıca orada bu kadar uzun süre kalacaklarını bilmiyordu, değil mi? O gün yüzmek için gittiğinde eminim ki hemen geri geleceğini düşünmüştü. Bunu birazcık bile düşünmek beni çılgına çeviriyor.

Çiçek kaplarının gücümün yettiği kadarını sürüklüyorum; ancak daha büyük olanları benim için çok ağır; bu yüzden hortumu almaya gidiyorum. Artık bir şey taşıyamam. Şimdi değil. İçimdeki dikişlerin gerildiğini hâlâ hissediyorum. Yürümeliyim, sanırım. Doktor yürümenin iyi olduğunu söylemişti. Ve yüzmek, yanılmıyorsam yüzebileceğimi de söylemişti. Şayet çoktan vaktini geçirmediysem randevumu kaçıracağım aklıma geliyor. Telefon etmem gerektiğini aklımda tutma gerekecek.

Saat altıya kadar bekliyorum ve sonra bahçeyi sulamaya başlıyorum. Bu, bir saatten fazla vaktimi alıyor ve bitirene kadar hem ıslanıyorum hem de kirleniyorum. Sandaletlerim kaygan ve aslında ıslaklar; dolayısıyla onları yolun ortasında bırakıyorum, ayak izi sanatı. Hortumu kalan son bölgeye uzatmak için karşıya geçiyorum, küpeçiçeklerinin olduğu yere, hepsi pembeler, morlar içinde ve saksıdaki begonvili istila eden tek bir çarkıfelek var. Hortum o kadar uzağa yetişmiyor. Yükselen çiçek yataklarından birine dolanıyor ve gidip onu çözmem gerektiğini biliyorum; ancak çok yorgunum. Bunun yerine karın kaslarımı kullanmadan bütün gücümle çekiyorum hortumu; kopma noktasına geldikten sonra hortum fırlıyor ve ben de onla gidiyorum, güveyotunun üzerine ve Eva'nın sırasıyla Tom ve Egg adını taktığı –sanki küçük birer insanmış ya da benzer şeylermiş gibi– yeni yetişmekte olan domates ve patlıcan bahçelerine tepetaklak dalıyorum. Etrafıma baktığımda küçük bitkilerin ilk iki sırasını mahvettiğimi fark ediyorum ve kendimi kötü ve sorumsuz hissediyorum. Ayağa kalkamayacak kadar yorgunum ve öylece oturuyorum.

Rafferty beni tam burada buluyor, katledilmiş sebzeler ve pislikle kaplı, sinekkuşlarının beslendiği yer olan küpeçiçeklerinin içine kadar kaymış bir vaziyette. Naneleri de mahvetmiş olmalıyım; çünkü kokusunu alıyorum üzerimde. Şayet bırakırsanız, naneler, çiçek bahçelerini sarmalar. Eva'nın bunu söylediğini hatırlıyorum. Naneye dikkat etmelisin. Onu kendi yerine hapsetmelisin.

Yeşil hortumun izini, ucunun bulunduğu, sandaletlerimin yayıldığı yere kadar izleyerek aşağıya bakıyor Rafferty. Duruyor ve beni süzüyor sonra da yukarıya sinekkuşlarına bakıyor.

"Sormayacağım bile" diyor, beni kaldırmak için eğiliyorken vızıldayan şeylerden birine arıymış gibi eliyle vuruyor.

Çizikleri kontrol ederek, üzerimi silkeliyorum. Elini cebine atıp, anahtarı çıkarıyor. Bir sürü şey düşüyor onunla birlikte, eski, paketi yıpranmış bir adet nikotin sakızı dahil olmak üzere. Anahtarı alıyor ve bana uzatıyor.

"Umarım bu, doğru anahtardır" diyor, çok ıslanmış olan ve kurutmak için havada salladığı iki kuponu yerden almak için eğiliyor. Onlara bakıyor. "Lanet olsun" diyor, "Bugün, günlerden ne?"

"Sanırım ayın üçü" diyorum.

"Tamam" diyor, kuponlara bakarak. "Bunları unutmuştum." Bana kuponları gösteriyor. İki kişilik bedava akşam yemeği. Restoranın adını tam anlayamıyorum.

"Yarın kuponların kullanma tarihi sona eriyor, Salem'in bir çeşit polislere rüşvet programının bir parçası. Gitmek ister misin?

"Yarın mı?"

"Tabii ki. Bu akşam, yarın fark etmez. Ben sadece bunların boşa gitmesini istemiyorum."

"Yarın muhtemelen daha iyi olur."

"Evet, büyük ihtimalle yarın havai fişek gösterileri de olacak" diyor.

"Tamam" diyorum.

"O zaman yarın." Toplanıyor ve geri kalan şeylerini cebine geri tıkıyor. "Yedide." Kapıya yöneliyor. "Şu anahtarları kontrol edersen iyi olacak. Bulabildiğim tek onlar; ancak etiketleri yoktu."

"Tamam" diyorum.

Uzaklaşmaya başlıyor. Geri dönüyor. "Bu arada ne yapıyordun? Katil sinekkuşlarının saldırısından önce?"

"Bitkileri suluyordum."

"İlginç bir teknik" diyor, tekrar yola çıkarak.

Tekrar döndüğümde anahtarı deniyorum. Kapı açılıyor. Emlakçı için bir kopyasını yaptırmalıyım. Kırık camı da tamir ettirmeliyim, sanırım; cama bakmak için dönüp, hasarı ölçüyorum. Ve küflenmiş çiçekleri kaldırmalıyım. Liste yapmak için kâğıt arıyorum, bir tane bile bulamıyorum.

Sanki sihirle, Rafferty'nin yüzü camın olması gereken yerde beliriveriyor. İrkilip, sıçrıyorum.

"Üzgünüm" diyor.

"Ne oldu?"

"Bu gece olmalı."

"Ne?"

"Tarihi yanlış söyledin. *Bugün* temmuzun dördü." Kestanefişekleri, arka fonda onu haklı çıkararak araya giriyor. "Yeterli ikaz olmasa anlayacağım."

"Tamam. Bana bir saat ver."

"Sana iki saat veriyorum" diyor.

Ona bir bakış atıyorum.

"Yani onu kastetmedim" diyor. "Demek istediğim şey ben işten yedide çıkıyorum. Sonra da botu almalıyım."

"Botu mu?"

"Restoranın Salem Limanı'nın ortasında olduğunu söylemeyi unuttum mu sana?" Sırıtıyor.

"Sanırım bunu hatırlardım."

"Üzgünüm... Restoran Salem Limanı'nın ortasında."

"Ona göre giyineceğim."

Şu an ne giydiğime bakıyor, bir kez daha yorum yapmamaya karar veriyor.

Kestanefişekleri patlıyor ve sönüyor. Herkes dışarıda. Parkın karşısında misyoner Kalvinistlerden biri evi izliyor. Belki de ben paranoyağım ve o sadece Rafferty'nin arabasını gördüğü için bu tarafa bakıyor ve herkes gibi Eva'nın evinde bu sefer neler olduğunu anlamaya çalışıyordur.

Tam zamanında hazırım. Rafferty geç kaldı. Özür diliyor, bunun patolojik olduğunu söylüyor. En azından rezervasyon yaptırmış; ancak şimdi yer ayırmamış olmalarından korkuyor. Limanın ortasına gittiğimizde rezervasyon olmadığı gibi restoran da yok ortada. Gitmiş. Rafferty telefonunu çıkarıyor, arayabilmek için bir dakika beklemek zorunda. Beklemeyi sevmediğini söyleyebilirim.

"Evet, ben Rafferty. Hiç kimse kayıp bir restoran ihbarında bulundu mu?"

Telefonun diğer tarafındaki kahkahayı duyabiliyorum.

"Ben ciddiyim, Rockmore Restoranı gitmiş..." Kahkahalar artıyor. "Pekâlâ, hangi cehenneme gitti bu restoran?"

"Hımmm... Tamamen mi yoksa sadece bu akşamlık mı?" Kafasını sallıyor. "Anlıyorum." Kapatıp, bana dönüyor.

"Bu gece için restoranı Marblehead'e taşımışlar."

Şimdi de ben şaşkınım.

"Limanın ışıklandırılmasıyla ilgili bir şey." Bunu düşünüyor. "Hâlâ gitmek istiyor musun?"

"Ya sen?"

"Tabii ki. Neden olmasın?" diyor. "Bedava yemek bedava yemektir, değil mi?"

"Bedava bir öğle yemeği gibisi yoktur" diyorum, Eva'dan alıntı yaparak. Ve ben de buna katılsam da bunu yüksek sesle söylememiş olmayı diliyorum.

"Oldukça doğru" diyor. "Ancak bu öğle yemeği değil; akşam yemeği."

"İyi bir nokta" diyorum.

"Sıkı tutun" diyor, söylediğini yapıyorum, o kalkarken küpeşteleri yakalıyorum, saatte beş mil hız sınırını umursamıyor.

Winter Adası'ndaki küçük feneri geçiyoruz. Sarı Köpek Adası'na yakınlaşarak Peaches Noktası'na doğru, sancak tarafına dönüyoruz. Hava kararıyor. May aşağıda, yanaşma rampasında, gece için onu sıkıca tutturuyor. Çam korusunun içinde, bir meditasyon dairesi var. Ya da Tai Chi. Birçok insanın cesaret edebileceğinden daha çok yaklaşıyoruz kayalıklara, benim yaklaşacağım kadar yakın, şayet botu süren ben olsaydım ki bu etkileyici; çünkü Rafferty'nin bu suları iyi bildiği anlamına geliyor. Dairedeki kadınlardan biri motoru duyuyor ve bize bakıyor, onu rahatsız ettiğimiz için kızgın. İlk olarak Rafferty'i tanıyor, sonra da beni.

"Bu, birkaç dedikoduya sebep olacak" diyor Rafferty, motora rağmen duyulabilecek kadar yüksek sesle.

Marblehead'e gitmek yarım saat sürüyor –uzak olduğundan değil, kalabalıktan dolayı. Biz yanaşana kadar, o kadar çok bot su üzerindeki restorana bağlanmış ki bir yer bulmak çok zor.

Salem polisi Rafferty için aramış olmalı; çünkü gelmemizi umuyormuş gibi görünüyorlar. Restoranın sahibi bekliyor ve botumuzu bağlamamız için bize yardım ediyor. "Taşındığımızdan haberdar olduğunuzu düşünmüştüm" restoranın sahibi özür diler şekilde Rafferty'e söylüyor. "Her yıl yaparız bunu."

İçeri girdiğimizde adam, oturmam için sandalyeyi tutuyor. İnsanların bize baktıklarını hissediyorum; bu hissi sevmiyorum. Mümkün olduğu kadar çabuk oturuyorum; ancak hâlâ insanların bakışlarını hissediyorum. Paranoya dalgası üzerime yayılıyor. Kimin baktığını görüp, aynı şekilde ona bakmak için dönüyorum; ancak ışık soluk ve görmek zor.

"Bir sorun mu var?" diye soruyor Rafferty.

"Hayır" diye cevaplıyorum etrafa bakarak. İzlendiğimi hissediyorum tekrar; ancak paranoyak görünmek istemiyorum.

"Bu tarafa oturmak ister misin?" diye soruyor Rafferty.

"Hayır, burası iyi" Yalan söylüyorum, kendime gelmeye çalışarak mönüyü alıyorum.

Rafferty beni izliyor. "Umarım kızartılmış şeyler seversin."

Ben balık tabağı ve soğan halkaları sipariş ediyorum. Ayrıca diyet kola istiyorum ki bu Rafferty'i güldürüyor.

Gözleri tekrar üzerimde hissediyorum ve birisinin düşüncelerinin duyuyorum: *Hey deli Sophya ne zaman kasabaya döndü?* Bakışlardan kurtulmak için sandalyemi kımıldatıyorum. Rafferty, arka tarafı görmemi engelleyecek şekilde sandalyesini yavaşça çeviriyor, bunu hiç planlamamış gibi yapıyor. İşe yarıyor da. Rahatlamaya başlıyorum.

"Sipariş vermeye hazır mısınız?" diye soruyor garson kız, kırmızı plastik sepetteki sandviç ekmeklerini önüme koyarak.

"Şu balık mezgit mi, morina mı?" diye soruyor Rafferty.

"Hiçbiri" diyor garson kız. "O, yavru morina balığı." Kadın omuz silkiyor, Rafferty'e sanki deliymiş gibi bakıyor. Onun zihnini okuyabiliyorum. Eve ne kadar çok gitmek istediğini düşünüyor.

"Ben kılıçbalığı alacağım" diyor Rafferty.

Garson kız, mutfağa doğru yöneliyor.

"Pekâlâ." Rafferty bana dönüyor, "Eva, senin yazar olduğunu söylemişti bana."

Programımızın muhabbet kısmı geliyor işte. Sorun yok, ben Eva tarafından eğitildim. Bununla başa çıkabilirim. "Hayır" diyorum. "Ben, yazar değilim. Ben bir okuyucuyum."

Anlamadığını söyleyebilirim.

"Geçinmek için okuyor musun?"

"Buna geçinmek dersen."

"Dantel mi?"

"Dantel değil, hayır." Geriye yaslanıyorum, bu düşünceden

uzaklaşarak. "Senaryolar." Ekmek sepetini uzatıyorum ona. Bir tane alıyor.

"Film senaryoları."

"Evet."

"Harika" diyor Rafferty. Bu, onun normalde kullandığı bir kelime değil. Şayet bunu bir senaryoda okusaydım, kanmazdım.

"Hollywood'da mı yaşıyorsun?" Etrafta yağ arıyor; ama bulamıyor.

"Bazen."

Bana tuhaf tuhaf bakıyor.

"Çok fazla yer değiştiriyorum..." Bu, biraz sertti. "Bir şey için sorguda mıyım?"

Yüksek sesle gülüyor.

"Ben New York'tan taşındım" diyor. Bu, Eva'nın taktiği. Sohbeti devam ettirmek için kendinle ilgili bir şeyler at ortaya. Bu, çorba değil; ancak iyi bir başlangıç.

"Harika" diyorum.

Gülümsüyor. "Flört eder misin çok?"

Şimdi de ben gülmek zorundayım. "Çok değil" diyorum, kesin olanı belirterek.

"Ben kendimi kastetmiştim; seni değil." Yüzü kızarıyor.

İkimiz de gülmeye başlıyoruz.

"Oh be" diyor. "En azından birimiz bunda iyi sayılırız."

Bunun bir randevu olduğu olduğu aklıma geliyor sonunda. Ne düşünmüş olduğumu bilmiyorum. Sonradan aklıma gelen bir çeşit düşünce, kibar bir hareket. Flört eder misin çok? Gerçek şu ki ben şimdiye kadar hiç flört etmedim.

"Üzgünüm" diyor. "Belki de bu o kadar da iyi bir fikir değildi."

Zihnim, söyleyecek bir şey bulmak için yarışıyor. *Hadi Eva. Yalvarıyorum, kullanabileceğim bir şey ver bana.*

"Ne zaman buraya taşındın?" diye soruyorum. Sesim güçsüz, sanki bana ait değil.

Denediğimi biliyor. Minnettar görünüyor.

"İki yıl önce" diyor.

"Neden?" diye soruyorum, kulağa nasıl geldiğini fark ediyorum hemen.

Tekrar gülüyoruz.

"Gemi ile yolculuk yapmayı seviyorum" diyor.

"Mantıklı" diyorum. İşe yarıyor. Rahatlamaya başlıyorum.

"Yelkenli kullanıyor musun?" diye soruyor.

"İyi değil" diye cevap veriyorum.

"Yalancı." Gülüyor.

Hakkımda düşündüğümden daha çok şey biliyor. Eva'nın ona anlatmış olduğunu fark ediyorum. Ona neredeyse Lyndley'in ailedeki iyi yelkenci olduğunu, benden çok daha iyi olduğunu söyleyecektim ki bir şey bunu söylememe engel oluyor. "Uzun zaman oldu" diyorum sonunda.

Rafferty, kafasını sallıyor ve öylece bana bakıyor. Onun zihnini okuyamadığımı fark ediyorum. Asla bunu denemeyeceğim için değil. Çoğu zamanımı insanların zihinlerini okumamak için harcıyorum; onların özel düşüncelerine saldırarak mahremiyetlerine girmekten kaçıyorum. Rafferty'nin zihni okunabilir; ancak kendi buna izin verdiğinde.

"Ne?" diyorum sonunda.

"Biraz Eva'ya benzediğini düşünüyordum."

"Gerçekten." Ona inanmadığımı söyleyebilir.

Kafasını sallıyor. "Bana göre öyle."

"Siz iyi arkadaştınız." Bir önceki geceden daha rahat olduğumu fark ediyorum bu fikirle.

Gülümsüyor. "Eva mazlumlara ve başıboşlara yardım etmeyi her zaman sevmiştir."

"Öyle."

"Bazen çok fazla belki de." Bir gölge düşüyor yüzüne.

"Bu ne demek?"

Rafferty, hemen kendine geliyor, zoraki bir gülümseme beliriyor suratında. "Şöyle ki ben kasabaya yeni geldiğimde Eva bana arkadaş oldu ve herhangi bir başıboş kimse gibi beni besledi ve sonra benden kurtulamadı."

"Soğanlı sandviçleri mi?"

"Kesinlikle." Gülüyor.

"Başıboş biri için iyi bir yemek."

Liman ışıklandırılması başladığında rahatlıyorum, mürettebat, limanın çevresinde ateşler yakıyor.

Yeteri kadar karanlık olur olmaz, havai fişek gösterileri başlıyor. Gayet iyi. Hatırladığımdan daha hoş. Havai fişeklerin her patlamasıyla kıyıdaki insanları görebiliyorsunuz: Boğazın uzanan ön taraflarında katlanır sandalyelerinde binlercesi var ya da kasaba iskelelerini veya yat kulüplerini veyahut Devereux Sahili'ni kaplıyorlar. Liman, botlarla o kadar dolu ki neredeyse zar zor yürüyebiliyorsunuz. Demir atma yerlerine iki üç kez bağlanmışlar, dolusuna bereket. Her ışık gösterisiyle, botların kornaları yükseliyor ve kıyıda insanlar alkış tutuyor, sesleri karşı kıyıya varıyor.

Bu sesler beni tedirgin ediyor. Birinin gözlerinin üzerimde olduğunu hissedebiliyorum. Tekrar izleniyorum.

Bahse girerim bu kız o adamı kandırıyordur.

"İyi misin?" diyor bana. Belli ki değilim. Ter, yüzümden aşağıya boşalıyor. Ellerim titriyor.

Polisi kandırıyordur.

"Deniz mi tuttu?" Bot, şüphesiz hareket ediyor.

"Hayır" diyorum. Beni şimdiye kadar deniz tutmadı hiç. Tırmanan bir panik hissi omurgam ve omuzlarımda geziniyor.

Rafferty, bunu fark ediyor. Etrafına bakınıyor. "İstiyorsan gidebiliriz."

"Hayır" diyorum. "İyiyim." Kendimi sakinleştirmeye çalışıyorum. Psikiyatristimin şimdiye kadar bana öğrettiği her hileyi kullanıyorum. Nefes al. Duyularını kullan. Kokla, dokun, burada kalmak için her şeyi yap.

Kavga patlak verdiğinde sakinleşmeye başladığımı hissediyorum.

Kavgayı görmeden önce duyuyorum. Ses, havai fişek sesleri arasında oluşmaya başlıyor; ancak belirgin ve farklı vuruşma sesi. Onlar Rafferty'i almaya gelene kadar ne olduğunu fark etmiyorum ve Rafferty kavgayı sonlandırmak için onlarla gidiyor. Salem'de olmadıklarını unuttukları için mi –ki burada çağrılacak mantıklı bir otorite olurdu– yoksa buradaki tek polis olduğu için mi onu almaya geldiklerini bilmiyorum. Marblehead polis botu limanın öteki tarafında. Bu kadar bot varken, onların buraya gelmesi on dakikayı alır ve o zamana kadar hasar büyük olur.

Kavganın zamanlaması süperdi, tam havai fişek finalinden önce patlak verdi. Genişletilmiş ışık gösterisinde Rafferty'nin kavga edenlerden birini tuttuğunu görüyorum, dev cüsseli bir adam; diğeri yat kulüplerine takılan tiplerden, ağzı kanıyor. Bu eski bir hikâye, zengin üniversite öğrencileriyle okullu olmayan gençler karşı karşıya, bu adamların bunun için çok yaşlı olmalarının dışında. Zengin olanı garip bir şekilde çok tanıdık geliyor, belki de kotilyon danslarından birinde tanıştığım biridir. Diğerinin yüzünü göremiyorum. Artık yumruk atmıyorlar; ancak kelimeler hâlâ uçuyor havada. Rafferty, bir sopa daha yemeye hazır olan okullu olmayan genci sıkı tutmak zorunda kalıyor. Sonunda onu serbest bırakana kadar bir süre onu zaptediyor Rafferty.

Zengin üniversiteli masasına tekrar oturuyor. Arkadaşlarından biri, bardağındaki buzu alıp kâğıt peçeteye sarıyor, ağzına koyması için ona veriyor; ancak kabul etmiyor o.

Bunun yerine bana doğru bakıyor. Hepsinin gözleri bende. "Sen kahrolası bir geri zekâlısın." Okullu olmayanın söylediğini duyuyorum, adama tekrar saldırıyor. Adama vuramadan önce Rafferty onun kolundan tutuyor.

Bu sesi tanıyorum ve çocukken erkek arkadaşım olan Jack masaya para atıp kalkarken onu izliyorum, botuna atlıyor tıpkı eski kovboy filmlerinde kovboyun hareket halindeki ata atladığı gibi.

Rafferty, moda biralarına geri dönen zengin üniversitelilere bir şey söylüyor.

Masaya döndüğünde bir kâğıt peçete alıp üstünü başını temizliyor.

"Kavga ne içindi?" diye soruyorum, sakin olmaya çalışarak; ancak biliyorum ki, paranoya ya da değil, bir şekilde ben bu kavganın bir parçasıydım. Benimle ilgiliydi. Psikiyatristim her şeyin benle alakalı olmadığını söylerdi. O hep Eva'nın kalıplaşmış sözleriyle doluydu. Genellikle de haklı çıkardı. Ama bu sefer değil.

"Bütün bunlar ne ile alakalıydı?" Kendine gelmeye çalışıyor. Pantolonu birayla ıslanmış ve burnundan soluyor, bezle kurularken pantolonunu. "Hadi çıkalım buradan" diyor.

Liman çevresinde alevler hâlâ kırmızı kırmızı parlıyor; ancak yavaşça sönmeye başlıyor ve kıyı çizgisi boyunca ateş aralıklı olarak yanıyor, aralarda büyük karanlık boşluklar bırakarak.

Kazandığımız rahatlık kayboldu. Rafferty, bütün hız sınırlarını aşıyor ki benim için sorun yok. İkimizin de tek istediği olabildiğince çabuk bu geceyi sonlandırmak.

Winter Adası'nı geçerken, dini müzik sesleri duyuyorum, kötü bir mikrofonun cızırtılarını. Rafferty, hızlanıyor.

Arabayla Eva'nın evinin önüne varana kadar konuşmuyoruz tekrar.

Polis arabasının motorunu durduruyor ve bana dönüyor.

"Seni oraya götürdüğüm için üzgünüm" diyor.

"Sorun değil" diyorum.

"Jack LaLibertie'nin senin arkadaşlarından biri olduğunu biliyorum."

"Öyleydi."

"İkinizin bir geçmişi olduğunu biliyorum" düzeltiyor söylediğini Rafferty.

Ne diyeceğim konusunda hiçbir fikrim yok; bu yüzden bir şey söylemiyorum. Şüphesiz rahat değilim.

Polis telsizi birden çalışıyor ve yankılanıyor.

"Hey Rafferty?" Telsizdeki ses söylüyor. "Restoranı buldun mu?"

"Beni yalnız bırak, Jay-Jay" diyor Rafferty. "Bu gece çalışmıyorum."

"Birinin kaybolduğu ihbar edildi."

"Yarın ilgilenirim." Cihaza uzanıyor.

"Kaybolan, Angela Rickey."

"Lanet olsun" diyor, detayları duyurmasın diye cihazı kapıyor. "Bir daha olmaz."

Ne olduğunu bilmiyorum; ancak önemli olduğunu söyleyebilirim. Kapının koluna uzanıyorum. Beni durdurmak için elini uzatıyor. "İzin belgesi hazırlayın" diyor mikrofona. "Uğrayıp alacağım." Bırakıyor mikrofonu.

"Bu gece, felaketti" diyor.

"İyiydi."

"Hadi bir şans daha ver."

Bu, beni şaşırtıyor.

"Yarın akşam" diyor. "Yelkenliyle açılacağız."

Telsiz hâlâ boru gibi ötüyor."Tamam, tamam" diyor Rafferty. "Yoldayım."

Tekrar sesini kısıyor telsizin."Derby İskelesi'nden alacağım seni. Yedide, kesin."

Ben hayır deme fırsatını yakalayamadan, telsize dönüyor. Bir kâğıt peçete alıp, pantolonunu siliyor. "Lanet olsun" diyor yine.

14

Danteli aydınlatmak için: Sevincin varlığı.
Dantel falına bakanı aydınlatmak için: Meditasyon ya da dua.
Fal baktıranı aydınlatmak için: Sadece soluk almak gerekli olan.

Dantel Falı Rehberi

Rafferty onu yakaladığında, bu gece Ann on beşinci falına bakıyordu. Saat neredeyse ondu. Ann, dükkânın arkasında, esansları harmanladığı yerde fala bakardı. Burada bir de kazan vardı; sadece bakmak içindi. Gelecek okuma kabinlerini ayıran kadife perdelerin arkası ölçeklerle, tüpler ve esansları ve sattığı diğer ilaçları demlemek için kullandığı Bunsen ocağı ile daha çok bir kimya laboratuvarına benziyordu.

Rafferty içeri giriyorken Ann onu fark etti. Fal için gelen anne ve kızıyla ilgilenirken beklemesi için işaret etti ona.

"Kişisel bir eşyanıza ihtiyacım olacak." Rafferty, Ann'in yaşlı kadına bunu söylediğini duydu. "Bir yüzük, bir anahtarlık ya da bunlara benzer bir şey."

"Ona yüzüğünü ver, anne" dedi genç kadın.

"Bana ne vereceğine karar vermesi gereken anneniz" dedi Ann. Yaşlı kadın bunu bir süre düşündü ve sonra el çantasına uzanıp bir fular çıkardı. Onu beceriksizce Ann'e uzattı.

"Teşekkür ederim" dedi Ann ve sonra gözlerini kapatıp, fuları tuttu, yavaşça nefes alıyor ve onu anlamaya çalışıyordu. Gözlerini tekrar açtığında, fuları geri verdi ve kadın da cüzdanına koydu onu.

"Ne oluyor şimdi?" diye sordu yaşlı kadın.

"Şimdi falına bakacağım" dedi Ann, ayağa kalkıp, kadının sandalyesinin arkasına geçti. Ellerini yumuşakça kadının kafasına koydu ve masaj yapmaya başladı.

Kadın iç çekti. "Bu, çok hoş" dedi ve sonunda gözlerini kapadı.

Rafferty, büyülenmiş gibi seyrediyordu.

Yaşlı kadının nefes alışı yavaşladığında Ann, farklı bir biçimde ellerini hareket ettirmeye başladı. Kadının kafasında geleceğini tahmin ettirecek yumru, çukur ve diğer kusurları elleriyle arar ken kadının yüzü tuhaf ifadelere bürünüyordu. Rafferty'nin gözüne duvardaki kafatası bilimi tablosu ilişti. Kafadaki yumru, uzun ömürlülüğe işaretti ve bu da artistik eğilimi gösteriyordu. Ann yorum yapmaya başlayınca, Rafferty onları gözlemeyi bıraktı. Kadının kızı notlar alsa da bu özel bir andı. Dinlemek yerine Rafferty dükkâna göz attı, küçük ot ve tılsım keseciklerine bakmak için durdu: Gül ve mineçiçeği uyumana yardım ediyor; civanperçemi ve zencefil kayıp aşkını bulmak için kullanılıyor. Zenginlik, korunmak, sağlık ve hatta seçimleri kazanmaya bile yarayan kesecikler vardı. Ann'in oldukça büyük bir tütsü bölümü mevcuttu. Koku bir hayli kuvvetliydi. Rafferty, hızla hareket edip daha büyük olan kişisel gelişim kitapları bölümüne geçti. Birkaç tane alıp sayfalarına göz attı. Daha sonra da kristallere yöneldi. Ellerini, bir kutu kızıl çakmaktaşında ve obsidiyen üzerinde gezdirdi.

Ann sonunda yanına geldiğinde, kolu dirseğine kadar ateş kırmızısı akik taşlarının içindeydi.

"Bunlar cinsel gücü arttırır" dedi Ann ve Rafferty çabucak kolunu çıkardı.

"Üzgünüm" dedi Ann. "Söylemeden edemedim."

Rafferty'i arka odaya götürdü bir ya da iki kediyi orada tuttuğu Japon şiltesine doğru kovalayarak. Bir ay takvimi duvarda asılıydı. Kırmız şapka sembolleri dışında Eva'nın evinde gördüğünün aynısıydı. Eva'nın kayıp olduğunu ihbar eden de Kırmızı Şapkalılar'dı. Onlar, Eva'nın müdavimleriydi. Planlandığı günde çay salonunu açmadığında, hemen karakola gidip onun kayıp olduğunu bildirmişlerdi.

"Herkes kayboldu" dedi Rafferty daha çok kendine. Bir ay içinde ikisi de; bu oldukça garipti; ancak bu iki kişinin birbiriyle bağlantılı olduğunu anlamak zor değildi. Eva, birçok kez Angela'ya yardım etmişti; ona yiyecek, bazense kalacak bir yer vermişti. Ve başı belaya girdiğinde Angela'nın gittiği kişi Eva'ydı. En azından en son yaptığı buydu. O zaman Eva onu bir sığınağa, May'e göndermişti. Ve Cal bu yüzden ondan nefret ediyordu. Aslında Cal birçok şeyden ötürü Eva'dan nefret ediyordu.

"Garip bir yıl" dedi Ann. "Kedilere alerjin yok, değil mi?"

"Sadece köpeklere" dedi Rafferty.

"Otur" sanki bir köpekle konuşuyormuş gibi emretti Ann.

Rafferty, gülmeden edemedi. Ann'den ve onun espri anlayışından hoşlanıyordu. Çoğu zaman kurnazcadır esprileri ve çoğunlukla insanlar anlamazlar. Rafferty, üçüncü kediyi de uzaklaştırdı ve oturdu.

"Bu dilekçeyi sen mi verdin?" Rafferty, dilekçeyi uzattı. Angela'nın kaybolduğuna dair dilekçe veren Ann'di, şayet buna kaybolmak derseniz. Bu daha çok, "son zamanlarda onu iskele etrafında görmedim" dilekçesiydi yani bu genel bir alarmdı. Angela daha önce de kaybolmuştu, yaklaşık altı ay önce Kalvinistler tarafından dövüldükten sonra. İsteyerek onlara dönmüştü, herkesin iyi niyetine rağmen.

Angela, sonunda bir tarikatta kendini bulan çocuk profiline uyuyordu. On altı yaşındaydı, okulu bırakmıştı ve bir kaçaktı. Boka batmıştı. Muhtemelen önceden istismara uğramış. Güven ve kurtuluş vadeden herhangi bir şey böyle bir çocuk için harika bir noktadır.

Rafferty'nin dikkatini, Angela'nın kayıp olduğunu ihbar eden kişiden çok, kimin ihbar etmediği çekmişti. Angela en son ortadan kaybolduğunda Kalvinistler bu olayın üzerinde durmuş, her gün karakolu arayarak ilk önce cadıları, sonra da Eva'yı onu kaçırmakla suçlamıştı. Winter Adası'ndaki Roberta Rafferty'e Angela'nın gitmeyi –belki de daha sıcak iklimlere– düşündüğünü söylemişti.

"Onun güneye gitmeyi tasarladığını duydum" dedi Rafferty.

"Güney mi? Evet, sanırım öyle. Şayet Eva'nın kayıkhanesini güney diye düşünürseniz." Ann, camı işaret etti. "Son birkaç haftadır orada kalıyordu. Aslında orada saklanıyordu diyebilirim. Sadece geceleri dışarı çıkıyordu. Duyduğum kadarıyla Victoria İstasyonu'nun arkasında çöpleri karıştırıyordu. Bunu sadece ben biliyordum; çünkü saksılarımdan domates alırken yakaladım onu."

"Aman Tanrım" dedi Rafferty.

"Onun için saksıda bir şeyler bırakmaya başladım. Hazır yiyecekler. Pişirmeye vakit bulduğumda daha sağlıklı şeyler bırakıyordum. Onun için üzgünüm. O, iyi bir çocuk."

"Neden bana gelmedi?"

Ann, ona sadece baktı. "Haklısın."

"Ya da en azından neden sığınma evine gitmedi?"

"Gördüğümde, gözü siyahtı. Yüzünün bir tarafında çürükler vardı. Onu gördüğümü kimseye söylememem konusunda söz verdirdi bana."

Rafferty, kafasını salladı. May haklıydı. O, adada kalmalıydı. Onun Cal ve grubuna dönmesine izin vereceğine, burada kaldığından emin olmalıydı Rafferty.

"Onu durduramazdın." Ann, Rafferty'nin ne düşündüğünü biliyordu. "O, Sarı Köpek Adası'ndan nefret ediyordu."

Rafferty, ürperdi birden.

"Ben orada sonsuza kadar yaşayamadım" dedi Ann. "Süt sağmak, keten yetiştirmek. Onlar kadar doğal yaşıyordum; ama yapamadım."

"En son ne zaman gördün onu?"

"Üç gün önce. O gece iskeledeydi ve dükkânım geç saate kadar açıktı. Onun Shetland Parkı'na doğru yürüdüğünü gördüm, bazen orada kayalıklarda otururdu. Ama Kalvinistler de iskeledeydi o akşam. Dini propagandalarını yapıyorlardı. Turistler arasında gezinerek yeni üye arıyorlardı."

"Kalvinistlerin onu tekrar kendilerine mi çektiğini düşünüyorsun?"

"Ne düşündüğümü bilmiyorum. O, kayıkhanede değil. Belki de onu tekrar aralarına almayı başardılar. Ya da sadece korkuttular. Bilmiyorum. Kalvinistler onu ilk dövdüğünde neden Angela'nın suçlamada bulunmadığını da bilmiyorum. Şüphesiz onlardı."

"Yiyecek, sığınak, kalacak yer..." Rafferty'nin listeyi karayolu tabelası gibiydi.

"Ne?"

"Eski hikâye" dedi Rafferty. "Güç, bağımlılık. Ruhunu kurtarmayı da eklersek, liste tamamlanmış oluyor." Gerçekten kendini kötü hissediyordu Rafferty. Ancak paylaşmak istemediği bir şeydi. "Eva, onun kayıkhanede kaldığını biliyor muydu?"

"Eva ona anahtarı vermişti... Angela son kez dayak yedikten sonra." Son kısmı söylemeden önce tereddüt etti. Bu, onun için hassas bir konuydu ve herkes bunu biliyordu.

Rafferty, torpido gözünden el fenerini aldı. Polis arabasını, Ann'in dükkânı önünde park edilmiş bıraktı ve Derby Rıhtımı'nın karşısından kayıkhaneye doğru yürüdü.

Şayet Angela aceleyle ayrıldıysa giderken kilitlemiştir. Rafferty, pencerelere doğru el fenerini tuttu; ancak onlar içeriden tahta ile kaplıydı. Kayıkhanenin limana baktığı yer olan iskele tarafından işe koyuldu Rafferty. Deniz kabarmıştı. Kaygan direğe tırmandı; ancak ilk katın girişi kapalıydı, tahtayla kaplıydı. Tilkikuyruğu testere olmadan içeri girilebilecek tek yer, ikinci katın tavan arasına açılan ahşap girişti. Birkaç kez lanet okudu. Sonra da halat almak için arabaya döndü.

Rafferty, halatla tırmanırken bazı bot sahipleri onu seyrediyordu. Tepeye çıktığında alkış koptu, sonra sallanıp tavan arasının kapısını kırdığında alkışlar yükseldi.

Kayıkhanenin yukarısındaki küçük oda karanlıktı. Rafferty, el fenerini dört köşede gezdirdi. Birisi burada kalıyordu. Her yer pislik içindeydi. Hazır yiyecek kapları ve eski fare dışkıları ile dolu. Bu, büyük bir sürpriz değildi zaten. Rıhtımdaki su fareleri kedi kadar büyüktü. Çeşitli bir nüfus mevcuttu: Hintli, Çinli, Karayipli fareler; nesilleri Salem'in dünyanın dört bir yanından mal ithal ettiği zamana, en az üç yüz yıl öncesine dayanıyordu. Her yaz restoran sahipleri, birkaç kez bu fareler hakkında şikâyette bulunurdu; ancak çok güçlü bir gruptu onlar.

Rafferty her şeye dikkat ederek odaya göz attı: eski bir şarap şişesi, mumla birlikte. Tozlu. Mum bitmiş. Köşeye tıkıştırılmış eski bir sigara paketi. Köşede portatif bir karyola, düzeltilmemiş, ortasında yanarak delik oluşmuş, solmuş Hintli bir yatak örtüsü.

Merdivenlerin aşağısından bir ses yankılandı. Rafferty, döndü. El fenerini yaktı. "Angela" dedi. "Benim, John Rafferty." Cevap yok. El fenerini merdivenlerden aşağıya doğru tuttu. Çarpan dalgaların sesini duydu. Merdivenlerden aşağıya, karanlığa doğru inmeye başladı, el feneri deniz feneri ışığı gibi etrafı tarıyor, eski bir yelkenliyi, bir ıskarmozu, gövdesinde delikle Bostonlu antika bir Whaler'ı aydınlatıyordu. Bir örümcek ağını aşağı indirdi, ağzında kalan bir kısmını tükürdü, sonra tekrar tükürdü.

En alttaki basamak çürüktü ve Rafferty'nin ağırlığıyla çöktü, onu yere savurup, el fenerini elinden fırlatarak. Fener, suyun kenarına doğru yuvarlanırken onu seyretti Rafferty. Küfretmeye başladı.

Fener, gevşemiş bir tahta çivisine takıldı ve yuvarlanmayı bıraktı. Rafferty, ayağa kalktı, elinin kanadığını fark etti. Tekrar küfretti.

Bir şey tuzla buz oldu. Gürültü, Rafferty'i susturdu. El fenerini kaptı, etrafta döndü ve sese doğru feneri tuttu. Ses sudan ya da aşağıda kayıkhane katından geliyordu, hangisi olduğunu söyleyemedi. Kayıkhanenin uzaktaki duvarı boyunca suyun içine doğru ışığı doğrulttu, hemen su hattının yukarısında küçük yarımay şeklinde çukuru fark etti. Muhtemelen medcezirden dolayı oluşan bir aşınma; ancak sonra fareyi gördü, küçük bir araba boyunda olduğunu düşündü, tamam belki araba boyutunda olmayabilir; ancak kocamandı. Fare arkaya baktı ve fenerin ışığı onun kırmızı gözlerini yakaladı, sonra fare, aslında medcezir aşınması değil de kocaman bir fare deliği olan çukura girdi. Kuyruğu bir saniye dışarıda sarktı, sonra yılan gibi sürünerek deliğe girdi ve yok oldu. "Yeter" dedi Rafferty, tekrar merdivenlere yönelerek. Sarı

Köpek Adası'nın bundan daha kötü olabileceğine inanmak zordu. Tavan arası penceresinin tepesinde durdu Rafferty, dışarıya, limana doğru bakıyordu. Jack'in botu tekrar yerindeydi, kabinde ışıkların açık olduğunu görebiliyordu. Ranzada yüzükoyun yatıyordu Jack. Rafferty, kendinden geçmiş olduğunu düşündü, mutfak masasının yanındaki boş şişeyi fark ederek. Sonra bir nedenden ötürü adaya doğru baktı ve iki ışığı gördü, May'in sinyali. May, birini taşıdığını düşünebilir; ancak Rafferty, daha fazlasını biliyordu.

İçeri girdiği şekilde dışarı çıktı. Bu sefer halatla değil, pencereden atlamadan önce haladı düğümleyip, iskeleye fırlattı. Deniz kabarmış, diye düşündü minnettar olarak, soğuk siyah sulara atlarken şükür ki kayalıklara çarpıp, parçalara ayrılmayacaktı.

Rafferty, kıyafetlerini değiştirdi, arama iznini almak için karakola uğradı ve Kalvinistleri görmek için sonunda yola koyuldu.

Winter Adası, Salem Limanı'nın ağzındaydı. Onun ötesindeki tek şey, Rafferty'nin yaşadığı yer olan Salem Söğütleri'ydi. Burası, Salem'in farklı bir yeriydi, liman şehrinden çok ada yaşamı gibiydi, koca bir yığın kömür ve bu kömürü limana getiren yük gemileriyle elektrik santralini çevreleyen ince bir yol ile ayrılan Victorya dönemine ait bir yerleşim bölgesi.

Winter Adası, limana ve Derby Rıhtımı'na ve bir taraftan şehir merkezine, diğer taraftan ise açık okyanusa bakıyordu. Karaya, küçük bir geçitle bağlıydı. Okyanus tarafında, Erkekler için Mor Çatı yer almaktaydı. Gösterişli, Viktorya dönemi tarzında, eski bir otel gibi görünüyordu. Rafferty'nin güvercinlerinden biri orada büyümüştü. Bu programda yeni gelenleri böyle çağırıyorlardı, güvercin. Çünkü onlara yardım etmeye çalıştığında, hepsi istisnasız her tarafa kaka yapıp sonra da kaçıp gidiyordu. Güvercinlerin mizah anlayışı. Yine de Rafferty'nin son güvercini iyi bir çocuktu ve Rafferty onu kanatlarının altına almıştı, bunda hiçbir ima yok; çünkü çocuk, bunun için ona yalvarmıştı ve başınıza ne kadar bela açacağını bilseniz de böyle bir çocuğa hayır diyemezdiniz.

Mor Çatı, okyanusa bakan kasabadaki en iyi yer olmakla birlikte eski bir konaktı; bu yüzden herhangi birinin standartlarına göre korkunç değildi; ancak yine de burası istenmeyen çocukların toplandığı bir yerdi. Hem Jay-Jay, hem de Jack LaLibertie, an-

neleri ölüp, babaları Kanada'da çalışmak için pılını pırtını topla-
yıp ayrıldığında ve bir yıl boyunca geri dönme tenezzülünde bu-
lunmayınca Mor Çatı'da bir süre kaldı. Bu çocuklar iyiydi. En
azından Jay-Jay. Sinir bozucuydu çok; ancak iyi bir çocuktu.
Jack'inki ayrı bir hikâyeydi. Babası gibi ayyaş olan Jack, birçok
kez programı denedi; ancak bir türlü ona sadık kalamadı.
   Jack LaLibertie'nin içmek dışında diğer problemleri vardı, en
önemsizi Towner Whitney'le olan değildi. Tıpkı birçok alkolik gi-
bi kurban rolünü oynuyordu. Eski yara hiç iyileşmemişti ve Jack,
bu yaranın kabuğunu koparmaya devam etti, kanatıp mikrop
kapmasını sağlayarak ta ki yeterince kötüleşinceye kadar. Böyle-
ce Jack körkütük sarhoş olarak bir toplantıda ortaya çıkacak ve
sanki her şey neredeyse on beş yıl önce değil de sadece geçen
hafta olmuş gibi Towner ve onun kendisine yaptıkları hakkında
ateş püskürecekti. Kesinlikle bu gece, işte o gecelerden biriydi.
   Ancak Rafferty, bu gece hakkında düşünmek istemedi. Jack
LaLibertie ya da Towner'la olan başarısız randevusunu aklına ge-
tirmek istemedi, şayet buna randevu diyebilirseniz. Berbat bir gö-
rüşmeydi. Saat ondan önce evdeydi. Çok dokunaklı olmasaydı,
bir kahkaha patlatırdı.
   Rafferty'nin aklı Angela'ya takıldı tekrar. Bu, başlı başına kötü
bir durumdu. Bir şey olması an meselesiydi. Bunu bekliyor oldu-
ğunu fark etmişti şimdi. Rafferty, şayet Angela Sarı Köpek Ada-
sı'nda May'in yerinde kalsaydı olayların onun için farklı olup ol-
mayacağını merak etmeden yapamıyordu. Ya da buraya ilk geldi-
ğinde, bir durak önce durabilseydi, Mor Çatı sadece erkek çocuk-
ları için değil de bütün istenmeyen çocuklar için bir ev olsaydı.
Belki de orada hoş karşılansaydı, şimdi burada olurdu Angela, bir
adım daha ileri, Cal ve delilerinin onun ruhunu kurtarmak için
beklediği yere, Winter Adası'na gitmezdi.
   Rafferty'nin Angela hakkında kötü hisleri vardı. Ve belli ki
Eva'nın da. Angela Kalvinister ile ilk defa arkadaş olduğunda da
Rafferty'i arayan Eva olmuştu. "Bunun için bir şey yapamaz mı-
sın?" diye sormuştu. Rafferty, onun Cal Boynton'la olan geçmişi-
ni biliyordu. Eva, Cal'ın kayınvalidesiydi. Onu, kızı Emma'yı istis-
mar ettiği için defalarca şikâyet etmişti. Eva ile Cal arasında yitik
bir sevgi yoktu.
   Bu gece Rafferty, Angela için çok üzgündü. Bir şeylerin gerçek-
ten yolunda gitmediğine dair duygularından kurtulamıyordu. Po-
lis içgüdüleri her zaman haklıydı, flört içgüdülerinin tersine.
   Rafferty, Winter Adası Parkı'na girdiğinde, dini uyanış toplan-

tısı tam temposundaydı. Saatini ikinci kez kontrol etti: 22:47. On üç dakika daha ve sonra onları huzuru bozdukları için susturabilirdi. Bunu daha önce yapmıştı. Birkaç kez. Hava şayet güzelse, bunu adet edinmişti geçen yaz. Polis arabasını Willow'a götürüp etrafta gezinir, şehir merkezinde birkaç el langırt oynamak ya da kıymalı soğanlı sandviçten bir tane almak için mola verirdi. Sonra Winter Adası'na dönüp, saat on birde aniden o yere baskın yapardı. Bu, bir süre işe yaradı, ta ki Cal durumun farkına varıp kendine iyi bir Rolex saat alana kadar.

Rafferty, güvenlik kulübesinde durdu ve camını indirdi.

Roberta, okuduğu *Cosmopolitan* dergisinden başını kaldırmayarak sürgüsünü açtı. "Günlüğü yirmi beş dolar" dedi, hâlâ ona bakmıyordu. "Ve evet, tatil de dahil." "Onun Tatilini Unutulmaz Yapın" başlıklı bir makale okuyordu.

"Sadece nakit" dedi, istemeyerek dergisini kapatarak.

"Hesabıma yaz" dedi Rafferty.

Kapağı görmesin diye dergiyi ters çevirirken onu izledi Rafferty.

"Çok geç." Gülüyordu. "Yakalandın."

Roberta, bunun komik olduğunu düşünmüyordu. "Randevun olduğunu sanıyordum" dedi, iğneleyici tavrını saklamaya çalışmıyordu bile.

"Aman Tanrım" dedi Rafferty, kuşkulu. "Akşam yemeği için ne sipariş ettiğimi de söyleyecek misin?"

Cevap vermedi.

Roberta yeni park üniformasını giyiyordu; beyaz, jarse üst tarafını bilerek bir beden küçük almıştı. Rengini açtırdığı sarı saçları jöle ile kabartılmıştı, birkaç ay önce bir gece, dayanamayıp tekrar alkol almaya başlayınca, kendisine yapmaya çalıştığı kesikten yine de uzuyordu saçları.

Onu programdan tanıyordu. Kasabaya geldiğinde tanıştığı ilk kişilerden biriydi, onun ilk arkadaşı, Eva dışında. Kahve makinesinin yanında duruyorlarken, Rafferty'e aklını polislerle bozduğunu söylemişti. Rafferty, kendisine çok az kahve doldurmuştu, uzun süredir orada duran siyah, yapışkan şeyden. Fincanı ağzına getirdiğinde, suni köpükten gelen statik elektrikle dişleri kamaşmıştı. Yüzünü buruşturup, bütün hepsini çöpe dökmüş ve salonun gerisinde kendi başına oturmuştu, daha kaç tane potansiyel yeni arkadaşını kırmış olduğunu merak ederek.

Diğer buluşmada, Roberta ona Dunkin' Donuts kahvesinden getirmişti. Rafferty, kahveyi kendisine uzatırken bile Roberta'nın güveninin kaybolduğunu görebilmişti. "Elime yüzüme mi bulaştırdım? Starbucks düşkünü züppelerden değilsin, dimi?"

"Hayır" demişti Rafferty, gülerek. Starbucks züppelerinden daha beterdi; ancak ona bunu söylemedi. Starbucks kahvesinden bile içmezdi. Öyle alışmıştı. Geçen yıl kızı, harçlığını biriktirip ona filtre kahve yapma aparatı almıştı ve şimdi Rafferty, kahvesini başka hiçbir şekilde içmiyordu.

Yine de Rafferty jestini takdir etmişti. Fincanı alıp, ona teşekkür etmiş ve yönünü değiştirip onun yanına oturmuştu. Bütün toplantı boyunca kahvesini yudumlarmış gibi görünüp, ayrılırken olduğu gibi duran kahveyi yanında götürmüştü.

Sadece birkaç kez dışarı çıkmışlardı. Çoğu kez de Roberta teklif etmişti. Rafferty hâlâ kasabada yeniydi ve yalnızdı. Bunun arkadaşlığa dönüşmesi için elinden geleni yaptı Rafferty. İyi ki onunla hiç gecelemedi, yatağı kolaylıkla uğrayabileceği bir yer olsa da.

"Tatilin nasıldı?" diye sordu Rafferty.

"Oldukça berbat" dedi Roberta. "Annem, çocuğa bakmaktan vazgeçti ve kız kardeşim onu getirmek zorunda kaldı."

Rafferty başını salladı. Şimdiye kadar hiç onun kız kardeşi ve çocuğuyla karşılaşmamıştı; ancak hikâyelerini duymuştu. Buluşmalarda Roberta kız kardeşi hakkında konuşurdu. İyi şekilde değil. Roberta ne zaman dayanamayıp alkole tekrar başlasa, bu kız kardeşiyle vakit geçirdikten sonra olurdu.

"Pekâlâ, burada ne yapıyorsun?" diye sordu Roberta, biraz meraklı biraz da kızgın. "Siz ikiniz anlaşamadınız mı?"

"Angela Rickey'nin kayıp olduğu ihbar edildi."

"Ne? Yine mi?"

"Onu gördün mü?"

"Düşünülenin aksine onun bakıcısı değilim."

"Onu tekrar almanı istemedim, görüp görmediğini sordum."

"Olumsuz cevap" dedi Roberta, bunu düşünerek. "Bir süredir görmedim."

Roberta, Angela'nın onunla kaldığı birkaç hafta hakkında çok az şey anlatmıştı Rafferty'e. Sadece Kalvinistlere geri döndüğünü. Ve onu böylece başından atmıştı.

"Kavga eden birini görmedin mi? Ya da o ayrılmadan önce olağandışı bir şey duymadın mı?"

"Olağandışını tanımla" dedi Roberta.

Sanki başlama işaretiymiş gibi rüzgâr doğudan hücum etti ve çığlıklar, Cal'ın vaaz verdiği, terk edilmiş kıyı güvenlik hangarından yankılandı. İnsan ıstırabının sesi, serinlemiş havayı dondurdu. Hangi geceydi bu? Perşembe mi? Perşembe, gençlerden şeytan çıkarma günüydü. Bu, bir aile buluşmasıydı, Rhode Adası kadar uzağa kalabalığı bırakarak. Bu, Cal'ın en popüler aile vakalarından biriydi.

Ve en gürültülü olanlarından biri. Belli ki şeytanlar genç ev sahiplerinden iyi bir uğraş vermeden ayrılmamıştı, otoparkın karşısında ve suyun üzerinde öyle yankılanmıştı ki sesleri, yuva yapan martılar korkup hemen kaçmıştı. Rüzgâr bile bu sesi reddetmişti, yönünü tekrar değiştirmeye çalışıp, çabayla kendisini daireler içine atarak, vahşice etrafındakileri devirmişti: Eski bir metal levhayı, ölmekte olan bir ağacın en büyük dalını. Sonunda büyük çadırdan yükselen, pirinçten yapılmış büyük bant müziğini tutan meltemi yakaladı ve kavradı, sanki John Philip Sousa, şeytanları kurbanlarından kovacak ve onları denize savuracak bir beste yapmış gibi görünene kadar iki sesi harmanladı.

Rafferty, arkada, karakoldan gelen sesleri, çağrıları duyabiliyordu. Ses, suyun ötesine taşınmıştı, bu geceki gibi rüzgârlı bir gecede bile. Kasabalılar şimdiye kadar buna alışmıştı. Telefonların çoğu, yazın buraya gelen insanlardan geliyordu. Genellikle bunun geç saate kadar açık olan acayip bir tur olduğunu düşünüyorlardı. Ya da perili köşklerden biri olduğunu. Rafferty, işbaşında olan görevliye şunu söylemesini bildirmişti," İcabına bakacağız" ya da "Bunu araştıracağız". Deneyimlerinden şunu keşfetmişti ki arayan kişiye çığlıkların asıl kaynağını söylemek, onların halihazırda yıpranmış sinirlerini sakinleştirmekte etkili olmuyordu.

"Bu, çok mantıksız" bilhassa endişeli olan kadınlardan biri bu şekilde şikâyet etmişti. "Siz hiçbir şey yapamaz mısınız?"

Gerçek şuydu ki yapamazlardı. Ayinler, belirlenmiş desibel seviyesini geçmedikçe ve akşam saat ondan sonra devam etmedikçe Kalvinistler haklıydı. Rafferty bunu bir kez denediğinde, Cal kilisesinin üyelerine karakolu altı kez aratarak, Winter Adası'nın Waikiki Sahili'nde gecenin geç saatinde halk şarkıları söyleyen, Bob Dylan'ın "My Back Pages" şarkısını öğrenmeye çalışan ve sonra başarısız olup "Kumbaya" şarkısının canlı nakarat bölümüne geçen bir seyyahtan rahatsız olduklarını ihbar ederek karşılık vermişti.

Yapılacak çok şey yoktu. Winter Adası'ndaki kamp alanı halka açık bir yerdi. Kalvinistler, önden ücretlerini ödemişti. Ve bütün bir sezon için ödemelerini yapmışlardı. Columbus Günü'ne[9] kadar hiçbir yere gitmiyorlardı, park kış ayı boyunca kapanıyordu. Ancak o zamana kadar yaz için gelen insanlar gitmiş olacak ve pencereler ürpertici sonbahar havasına karşı kapatılacaktı ve geride kalan insanlar ise çığlıkların şenliklere karışacağı Cadılar Bayramı'nı iple çekecekti.

Bir şey, Rafferty'nin yandan görüşüne takıldı ve polis gözleri tepe boyunca garip bir şekilde ilerleyen adam figürünü takip etti. Odaklandığında, geçici olarak konan, çamaşır iplerinde asılı olan Kalvinistlerin cüppelerine bakmakta olduğunu fark etti. Rüzgârda kıvrılıyorlardı. İplerine bağlı, havayla dolup insan şeklini alıyor ve dönüyorlardı. Hayalet dansçılar. Hipnotize edici. Rafferty'e öyle geliyordu ki her an özgür kalıp, tepeden aşağıya, okyanusun içine doğru dans edip, sonsuza kadar aşağıdaki karanlıkta kaybolabilirlerdi. Sonra ortaya çıktıkları gibi aniden, rüzgâr tekrar değişti ve yaşam güçleri akıp gitti ve daha önce ne iseler tekrar o oldular. Dansçı değil, hayalet değil sadece birinin çamaşırları.

Rafferty, çok uzun süredir Salem'de olduğunu düşündü.

Birkaç çığlık daha duyuldu. Sonra Cal'in sesi diğerlerinin üzerinde yükseliyordu. "Adını zikret, şeytan!" diye bağırdı.

Rafferty, bunu en az yüz kez görmüştü. Şayet şeytan ayrılmazsa ve genellikle öyle olurdu, en azından ilk denemede, Cal çocuğu tutup ya çocuk çığlık atmayı bırakana ya da kendinden geçene kadar onu sallardı, artık hangisi ilk önce olursa.

Rafferty, herhangi birinin bu saçmalığa aldanmasına inanamıyordu. İnsanlar her şeye inanabilirdi. Yeniden dünyaya gelenleri duyuran Kutsal Kitap bunlardan biri. En azından onlar kitabı okuyordu. Ama bu, çok saçmaydı. Cal'in vaazları, Cotton Matter'den,[10] eski filmlerden ve gecenin geç saatlerinde televizyon yoluyla misyonerlik yapan kişilerden çalıntıydı. Cal, en sevdiği bölümleri seçerdi, çoğunlukla da cehennem ve lanetlenme ile ilgili kısımları. Bu sanki bir Çin mönüsünden yemek seçmek gibiydi. A sütunundan cehennem ateşi, B sütunundan ebedi kurtuluş. En iyileri, Katolik Kilisesi'nden aldıklarıydı, bütün kiliseler birleşmeden önceki yıllardı. Ama şüphesiz perşembe gecesi şeytan çıkarma törenleri, onun ekmek teknesiydi. Hey, hangi aile genç çocuklarının sahipsiz olduğunu düşünüyor? Rafferty, kızı, Leah'ı

---

9. Amerika Kıtası'nın keşfinin yıldönümü.

10. "Cadı avcısı" lakaplı eski Boston valisi.

hizaya gelmezse onu Cal'a getireceğiyle korkutarak yeterli zaman geçirmişti geçen yaz. "Hey, ben New York'ta yaşıyorum" demişti kız babasına. "Beni korkutamazsın."

Açık ki taklit edilmek, başlarında yeterince bela olan Katolikler tarafından övgü olarak kabul edilmiyordu ve düşünmeden söyledikleri eski lafların hatırlatılmasını istemiyorlardı. St. James Kilisesi'ndeki Papaz Molloy'du Kalvinistler konusunda neler yapılabileceğini tartışmak için kiliseleri toplanmaya çağıran. "Katran ve tüy cezasına ne oldu?" Papaz şaka yapıyordu, yerel kiliseler, Cal Boynton meselesi çözülene kadar, her ay toplanacak bir konsey oluşturulmasına oybirliği ile karar verdiğinde. "Yani, onu en azından katran ve tüye bulayıp demiryolunda cezalandıramaz mıyız?" Papaz Malloy sadece biraz şakacıydı. Piskopoz, bu hareketi destekledi ve Üniteryen Kilisesi'nden Dr. Ward, oylama çağrısında bulundu.

"Cidden" dedi Metodist Kilise temsilcilerinden biri, nihayet kahkahalar son bulduğunda. "Yapabileceğimiz hiçbir şey yok mu?"

"Korkarım ki çok şey yok." Rafferty onları bilgilendirdi. Yapabileceği her şeyi aylar önce yapmıştı. Dolandırıcılık birimini üstlerine salmak gibi. Sorun şuydu ki anne babalar neredeyse bu durumdan hoşnuttu. Ve çocuklar bu konuda konuşmak istemiyordu.

Roberta, pencereden aşağıya doğru kan izi bulaştırarak bir sivrisineği ezdi. Yüzünü buruşturdu, ellerini şortuna sürdü.

"O da diğerleri gibi deli" dedi Roberta. Bunu söylemeyecekti ama çıktı bir kere ağzından.

"Angela mı?" diye sordu Raffertty.

"Towner Whitney."

Rafferty, bir cevap bulmak için zihnini yokladı; ancak işe yaramadı. Roberta'ya bir şekilde asla teslim olmayacağı izlenimini vermek için, bu geceki randevu konusunda üzgün olduğunu söylemek istiyordu.

"Eminim hikâyeyi duymuşsundur." Roberta, kendisine hâkim olamıyordu. "Sophya veya Towner ya da bugünlerde kendini her ne şekilde çağırıyorsa." Çok kızgındı. "O, tescilli bir kaçık."

Rafferty, hiçbir şey söylemedi.

"Sana, sadece olaylar olduğunda burada bulunmadığın için söylüyorum. Hikâyeleri duyduğundan emin değilim."

"Duydum."

"Hiç işlenmemiş bir suçu itiraf etmişti o. Bütün kasabaya dışarıda bir ceset arattı." Dini toplantının yapıldığı çadıra baktı Roberta. "Üç farklı arama grubu. Halbuki ölü değildi."

"Kesinlikle" dedi Rafferty, tepeden aşağıya bakarak.

"Towner, ona hiç dokunmamıştı. O vakitte bu kahrolası eyalette bile değildi adam."

Üç tane arama grubu kurulmamıştı. İki görevli ve bir köpek vardı. Towner Whitney ile ilgili hikâyeleri dinlemek, eski çocuk oyunları gibiydi. Kulaktan kulağa oyunu ya da buna benzer bir şey. Hikâye, bir kişiden diğerine aktarılırken değişiyordu. Herkesin hikâyesi biraz daha değişikti. Aslında öyle değişikti ki Rafferty, doğrunun ne olduğu konusunda bir fikir edinmek için polis kayıtlarını almıştı. O gece olup bitenle ilgili kendi fikirleri vardı, Roberta ile tartışmayacağı düşünceler.

"Hadi elimizdeki konuya dönelim" dedi Rafferty.

"Her neyse" dedi Roberta.

Kansas plakalı bir Mini-Wini model araba, Rafferty'nin arkasında durdu. "Aşağıya inip, etrafa bakacağım." İleri vitese taktı, daha fazla sohbet etme olasılığını da sona erdirerek.

Rafferty, otoparka girdi ve motoru durdurdu.

Winter Adası, ulusal kamp alanına dönmüş, eski bir sahil güvenlik merkeziydi; kendi küçücük deniz feneriyle birlikte, endüstriyel bileşim ve güzel kıyı sığınağının ilginç bir buluşması. Bu iki bölüm, asfalt otopark ve yanaşma rampası ile birbirinden ayrılmış. Kocaman ıssız uçak hangarı, uzun süredir terk edilmiş olan barakalar ve askeri bir kantin ile otoparka hücum etmişti; Vietnam sonrası savunma darbelerinin bir felaketi işte. Cal, stratejik olarak dini toplantının yapıldığı çadırı, hangarın sonuna koymuştu ki bu hangar gösteri grubu şehirden ayrılmadan önce, patronunu soyup soğana çeviren, Cal'ın karnavalda çalışan serseri bir heriften takas ettiği karnaval ışıklarıyla aydınlanıyordu. Işıklar, çadır ve beceriksiz birinin parası Cal'ın adamın ruhu için kopardığı bedeldi. Şüphesiz şeytanlar ayrılmadı adamdan; ancak adamın kendisi terk etti orayı, arkasında kötü yolla elde ettiği kazançları bırakarak; Cal, bunu Tanrı'dan nihai bir hediye olarak kabul etti, Cal'ın hangarın içinde kötü yolda olanlar için ürkütücü bir his yaratmak amacıyla kurduğu sis makinesi ve ışıklarla dolu, seyyar bir kilise. Bizzat kendisi şovmen olarak Cal, günahkârların adımları, baykuşların ve yüksekteki kirişlerde yuva yapan diğer gece yaratıklarının çığlıklarıyla yankılanarak terk edilmiş mağara boyunca kurtuluşa doğru uzun bir yol alsın diye çadırı hangara bakan bir girişle kaplamıştı; böylece tövbekârlar Cal'ın dini uyanış toplantısının ışığına telaşla yol alıyordu. Toplantı bittiğinde ancak çadırın diğer taraftaki kanadını açıyor ve daha yeni kurtulmuş ruhları serbest bırakıyordu.

Cal, bu gece her zamanki gibi değildi.

Rafferty arabasının tepesinde oturup sonraki üç şeytan çıkarma ayinini de dinledi. Şeytanların bazılarının derin sesleri vardı, birkaçı acı acı feryat ediyor, biri de bozuk bir Latince ile konuşuyordu. Sonuncu ayinin bitiminde Cal, tövbekârlarından ruhlarını ve ceplerini eşmelerini ve kiliseye yardımda bulunmalarını istedi. Her şeyin kabul edilebileceğini söyledi; ancak kurtuluşa erişmek için gerekli özel dualar, en azından yüz yirmi beş dolar veren kişiler için yüksek sesle okunabilirdi.

Para toplama, yirmi dakikadan fazla sürdü; sonra da Cal'ın bağışlanmış cadıları, "Bringing in the Sheaves" adlı ilahinin nakarat kısmını söyledi, buluşmaya gelenler tek sıra halinde ayrılmaya başlamışken.

Ayin sona erdiğinde, Rafferty kendini elindeki izin belgesi ile serinletiyordu. Tökezlemiş, serseme dönmüş insanlar otoparka gidiyordu. Bozuk Latince ile konuşan genç çocuk, babasının desteği ile yürüyordu. Hâlâ ağlayan annesi, birkaç adım arkadan geliyordu. "Tekrar aramıza dönmene sevindik." Rafferty, adamın oğluna bunu söylediğini duydu. Rafferty, çocuğun geri döndüğünden emin değildi; daha çok şoktaydı çocuk.

Kalabalık azalıyorken, Rafferty onları seyrediyordu. Tersaneden tanıdığı bir adam kafasıyla ona selam verdi; ancak burada yakalanmaktan dolayı utanmış görünüyordu, Rafferty'nin gözlerine bakamadı.

Kalabalıktan rahatsız olan bir rıhtım faresi, saklandığı yerden fırladı. Yüksekteki kirişe tünemiş olan peçeli bir baykuş, tövbekârların başları üzerinde uçarak fareye saldırdı ve böylece kadınlardan birinin kendinden geçip, dizlerinin üstüne döküp hıçkıra hıçkıra ağlayarak Kutsal Ruh'u gördüğüne yemin etmesine neden oldu bu olay.

Önce bir tıkırtı sesi, ardından bir cızıltı ve sonra çadır karardı. Rafferty, bir an Cal'ı kaçırmış olduğunu düşündü; ancak sonradan vaaz veren adam hangar tarafında beliriverdi, her zamanki Armani takım elbisesinin içindeydi hava çok sıcak olsa da. Buna rağmen Cal, seyircisini tanıdı. Belli ki şeytanın kutsal toprak muslininden çok İtalyan ipeğine sarılması daha olasıydı.

Cal çıkıyorken cüppeli iki müridi ayakta onu izliyordu. Rafferty, onların Cal'ın korumaları olduğunu fark etti. Biri, önceden programa katılan eski bir bahriyeliydi ve diğeri ise Yahya Peygamber diye çağırdıkları adamdı. Cal, onsuz gitmelerini işaret etti adamlara. Kadın bir tövbekârın yüzüğünü öpmesine izin vermek için açıkça durdu. Kadına, her zamanki gibi iyi dualarını sunduktan sonra Rafferty'nin arabasına doğru yürüdü.

"İyi akşamlar, Dedektif." Son kelimenin her bir hecesini, sessiz harfleri vurgulayarak çıkardı. "Sanırım buraya hovarda kızımız hakkında bilgi edinmek için geldiniz."

Rafferty, Angela'yı tanımlamak için farklı bir kıssa seçebilirdi. Anca söz konusu Cal'dı işte. Her şeye kendi ağını atan.

"Arama iznim var" dedi Rafferty, arama iznini uzattı.

"Bu, gerekli olmayacak" dedi Cal. "Saklayacak hiçbir şeyimiz yok."

Mini-Wini model arabadaki turistler, hatmileri, propan gazlı bir ızgarada pişiriyordu. Kadın, kızartılmış hatmi sandviçinden, hafif bir merakla, kafasını kaldırıp bakıyordu iki adam geçiyorken.

"Hangisi Angela'nın karavanı?" Her zaman cevabını bildiğin bir soruyla başla.

"Hangisiydi?" diye düzeltti Cal. "Angela nerdeyse bir ay önce bizden ayrıldı."

"Nereye gittiği hakkında herhangi bir fikrin var mı?" diye sordu Rafferty, cevap için Cal'ın suratına bakıyordu.

"O, eve gitti" dedi Cal. "En azından orası bizim Angela'nın gitmesi gerektiğini düşündüğümüz yer. Kaçak gençleri aileleriyle tekrar bileşmeleri noktasında cesaretlendirmeye çalışırız. Bu, Tanrı'nın yolu. Ve tabii ki ailesine öncekinden daha çok ihtiyacı var. Hamileliği ve diğer şeyler yüzünden."

Öyle değil aksi şeytan, diye düşündü Rafferty. Angela'nın ailesini daha yeni aramıştı. Şayet başka seçeneği yoksa onun gideceği yer değildi orası.

"Etrafa bakmamın bir sakıncası var mı?"

Cal, Rafferty'e, eski hava akımının yolunu gösterdi; Angela'nın son kayboluşundan sonra, tekrar Kalvinistelere döndüğü zamandan bu yana, ona mekânı gibi hizmet eden yeri.

"Takoza dikkat et" dedi Cal, çıkıntıyı göstererek. Takoz. Bu kelime, Armani takım elbise giyen bir adamdan gelmekteydi. Ancak daha çok, eski Andy Hardy filmlerinden çıkan bir şey gibiydi. Bu, Cal tarafından zararsız görünmek için bilinçli olarak tahsis edilmiş bir kelimeydi.

Hava akımı eski ve küçüktü; ancak Angela'nın buraya dokuşunu fark edebilmişti. Her tarafta mumlar. Ve melekler, savaşçı melekler; Mikail ve Cebrail. Odanın etrafında, mevcut her köşeye sıkıştırılmış milagroslar vardı, parçalarından ayrılmış alametler, bir kafa, bir kol, bir kalp. Ailesi, Maine eyaleti yerlileri ve Kanada Fransızı karışımı olsa da, Angela'nın İspanyol sanat eserlerine karşı düşkünlüğü vardı ki sık sık Point'teki dükkânlardan alırdı onlardan. Köşede, siyah renkte dantel bir şal asılıydı. Kibar ve yaşlı kadınlar, şapka takmaları gerektiğinde, bu şalları sırtlarına alırdı ayine giderken. Bu seferki, bir bakirenin resminin önünde asılı duruyordu, şapkadan çok duvak gibiydi. Bir an, Rafferty, dantel yorumlamayı öğrenmiş olmayı diledi.

Karavan, Ann'in dükkânı gibi kokuyordu. Çeşir çeşit esanslar. Sandal ağacı, belki de silhat.

Cal, koku yüzünden suratını astı. Yüz ifadesi değiştiği için kafatası gerginleşti, grileşen saç köklerini ortaya çıkararak. Raffetty'nin gözü ufacık beyaz lavaboya takıldı. Lekeliydi, koyu kahverenginde. Rafferty, parmağını leke etrafında gezdirerek, soğuk porselene dokundu. Pas lekesi için yanlış yerdeydi. Kan olamayacak kadar da koyuydu rengi lekenin. Rafferty, lekenin tam Cal'ın saçının renginde olduğunu fark etti. Onun saçını boyayan kişi Angela'ydı. Bazı nedenlerden ötürü Rafferty'e öyle geldi. Bebeğin Cal'dan olduğunu düşünüyordu. Ve bu, onu rahatsız etti tabii ki. Ancak bu, daha da kötüydü. Rafferty, Angela'nın babasının, Angela'nın liseden ayrıldıktan sonra birkaç ay boyunca güzellik okuluna gittiğini söylediğini hatırladı. Evet, Cal'ın saçını boyayan Angela'ydı, solmakta olan tenine göre oldukça koyu bir ton. Öyle ya da böyle yaşlı değildi; ancak saçı yanlış tondaydı. Tıpkı Cal'la ilgili her şey gibi. Bazı gözlere harika görünebilir, belki. Ancak yakından baktığında, hiçbir şey gerçek değildi.

"Bunu almam sorun olur mu?" Rafferty, Angela'nın diş fırçasını aldı.

Cal, tedirgin oldu. Kesinlikle çekinmişti. Ancak dediği şey, "Nasıl istersen" oldu.

Rafferty kapatıp, etiketleyerek, dikkatlice küçük çantanın içine koydu diş fırçasını.

Bir liste yaparak daha fazla eşya için etrafına bakındı Rafferty. Yatağın altında Angela'nın sırt çantasını buldu. Daha önce onu bu çantayla görmüştü. Adadan almıştı bu çantayı Angela. Sahip olduğu tek bagajdı. Büyük ve hantaldı ve Roberta, Angela'nın onunla kaldığı kısa süre boyunca bu bavuldan şikâyet edip durmuştu.

"O, kesinlikle aceleyle ayrıldı" sırt çantasını göstererek, yorumunu yaptı Rafferty.

"Sana, bunun planlı olduğunu söylemiştim" dedi Cal. Şüphesiz yalan söylüyordu. Rafferty, Cal'ın yalan söylemede gayet başarılı olduğunu düşündü. Psikopatlar genellikle böyledir.

Rafferty, bu konuda Eva ile tartışmıştı. Eva, Cal'ın sosyopat[11] olduğunu düşünüyordu. Onun dini tutuculuğu Eva'ya acayip görünüyordu. Bu yüzden, "kibar sosyete sınırının ötesinde" şeklinde açıklamıştı bu durumu. Bir açıdan baktığımızda Eva haklıydı. Ancak diğer taraftan, sınırın ötesinde olan Eva idi. Rafferty, uzun süredir polisti; farklı iki çift gözle bir şeye bakan iki kişinin nadiren aynı şeyi görebileceğini bilecek kadar uzun süredir.

Rafferty, Cal'ın yandaşlarını düşündü, onun "kurtarmış" olduğu kişileri. Kötü yola sapmış insanlardan çeşitli bir gruptu, ağırbaşlılığı ile ona güvenen eski bahriyeli, Yahya Peygamber diye çağırdıkları adam, Cal'ın ilaçlarını yok ettiği bir şizofren. On kişi, Cal hakkında on farklı hikâye anlatabilirdi size. Ve hepsi haklıydı... Aynı zamanda yanılıyordu da.

Rafferty, karavanın sonuna yürüdü ve kazandığı bu yeni bakış açısından geriye baktı. Bir bakımdan bu karavan, bir tövbekârın odasıydı. Diğer taraftan ise kadife perdeli yatağı ve mumları ile tamamen farklı bir şeydi. Meryem Ana ve fahişe. Klasikler. Kurtulmuş olanlarla günahkârlar. Her şey ve zıttı. Hiç şüphe yok ki Angela'ydı bakirenin yüzüne duvağı örten. Meryem Ana'nın burada olan günahları görmesini istemiyordu.

Böyle olduğu halde, kendi rızasıyla, Angela "kurtarılmış"tı. Rafferty, Sarı Köpek Adası'na onu almak için ilk kez geldiğinde Angela'nın May'e söyleyip durduğu şey buydu işte. Cal'a dönmek zorundaydı, May iskelede bir aşağı bir yukarı yürürken, Angela sürekli ağlıyordu. Buraya gelmekle çok korkunç bir hata yaptığını söylüyordu. Cal'ın onu hiç dövmediği konusunda ısrar ediyordu. Diğerleriydi, özellikle de kadınlardı, ondan nefret eden ve onu cadılığa geri dönmekle suçlayan.

"Ama sen hiçbir zaman cadı olmadın ki" demişti Rafferty.

"Bilmiyorum" Angela'nın kafası karışık gibiydi. "Aziz Cal öyle olduğumu söylüyor." Elbisesinin kolunu yukarı çekti ve büyük bir doğum izi ortaya çıktı. "Bende şeytanın izleri var" dedi. "Burada" bluzunun fermuarını açmaya başladı. "Ve burada."

"Dur" dedi May. "Şayet gitmek istiyorsa, bırak gitsin."

---

11. Toplumun temel kuralları ile uyuşmazlık ve bunları şiddet yoluyla çözme şeklinde kendisini gösteren kişilik bozukluğu.

"Şükürler olsun" dedi Angela.

Rafferty, May'den daha fazlasını beklemişti.

"Yardımımı isteyen kişilerle başım yeterince belaya girdi" dedi May.

Döndü ve iskele boyunca yürüdü.

Rafferty ne yapacağını bilmiyordu. Kız, gerçekten saplantılıydı.

"Ben, kurtuldum" dedi Angela.

Kurtulmak mı? Rafferty, alay etti. Reşit olmayan bir kızla cinsel ilişkide bulunmak mı? Yoksa o çocuk istismarı mıydı? Kurtulmakmış? Sonra birdenbire Rafferty olup bitenin farkına vardı. Cazip gelenin ne olduğunu anladı. Bütün hatalı Katolik günahıyla Rafferty'di. Ve yapmaya çalıştığı bir sürü telafiydi. Eski karısı için. Kızı için. "Kurtulma"nın çekiciliğini anladı o dakikada. Neden insanların tekrar doğmak istediklerini. İsa'yı kabul et ve cennete bedava bilet kazan. Geçmişte her ne yaptıysan ya da gelecekte her ne yapacaksan. Bir kez kurtulmanız yeterliydi. Hiçbir kefaret yok. Ancak Tanrı'nın yardımı ile sayı olabilecek atışlar yok, maneviyat yok, dokuzuncu aşamadaki telafiler yok. Kalvinistler, ateşi ve kükürtü öğütledi; ama sadece kurtarılmamış olanlara: Katolik'lere, Yahudi'lere ve cadılara. Cemiyetin üyesi olanlar korunmuştu. Birkaç günah çıkarma ve kiliseye vergi vermek size sigorta poliçenizi kazandırıyordu.

Kim böyle bir dine katılmayı istemez ki?

15

Yuvarlak bir dantel parçasında, sabit nokta tam merkezde bulunur. Bütün desenler buradan ortaya çıkar. Ipswich dantellerinde, sabit noktayı bulmak o kadar da kolay değildir. Fal bakan kişi, sezgilerine güvenmek zorundadır. Sabit noktada geçmiş, şu an ve gelecek aynı anda var olur ve zaman, bildiğimiz gibi, tamamen yok olur. İşte bu sabit noktadan başlanmalı fala.

Dantel Falı Rehberi

Rafferty ona diş fırçasını uzattığında, Ann bir kahkaha attı. "Bana bir şey anlatmaya mı çalışıyorsun, Rafferty?"

"Bu, Angela'nın."

"Ve?"

"Ve senin o kadına kişisel bir eşyasına ihtiyacın olduğunu söylediğini duydum. Falına bakmak için. Bir diş fırçasının oldukça kişisel olduğunu düşündüm." Rafferty gülümsedi.

"Sende başka bir şey var" dedi Ann.

Perdeyi çekti ve Rafferty'nin karşısına oturdu. Masanın altında yerde bir dimmer vardı. Ann, ayağıyla onu itti ve böylece ışıklar, bitkin bir ateşe döndü.

"Çok etkileyici" dedi Rafferty.

"Kapa çeneni" dedi Ann. Diş fırçasını aldı, birkaç dakika elinde tuttu. Büktü. Fırçanın kıllarını hissetti. Gözlerini kapadı. Sonra, birdenbire masaya bıraktı onu ve Rafferty'e kızgın kızgın baktı.

"Ne?" dedi Rafferty.

Ann, niyetini anlamaya çalışarak, Rafferty'e gözlerini dikti.

"Fal bakmadan önce o kadına neden kişisel bir eşyasını sorduğumu biliyor musun?"

"Bir çeşit enerjisinin olduğunu düşünmüştüm."

"Her şeyin bir çeşit enerjisi vardır" dedi Ann. "Mesele o değil. Ondan bana bir şey vermesini rica ettiğimde, asıl istediğim şey falına bakmak için izin vermesiydi."

"Anlamadım. Sana fal için para vermedi mi?"

"Parayı ödeyen kişi kızıydı."

"Yani?" Rafferty'nin kafası karışmıştı.

"Yani kızının görüşülecek konuları olduğunu düşündüm."

Rafferty, diş fırçasına baktı.

"Bu, bir hile mi?" diye sordu Ann.

"Ne?"

"Biliyorsun ki bu Angela'nın diş fırçası değil." Ann, suratını astı. "Bu, Cal Boynton'unki."

"Şüphelerim vardı. İspatlamam gerekiyordu."

"Ve medyumların, aldatıcı olduğunu düşünüyorlar." Ann izin istedi ve lavaboya giti. Sıcak suyu açtı ve ellerini bileklerine kadar yıkadı. Sonra onları kuruladı ve koruma için yaprak yağı sürdü ellerine.

Döndü ve tekrar oturdu Ann. "Şimdi kendi kanıtını yok etmedin mi?"

"Bu, bir diş fırçası; cinayet silahı değil. Ben sadece aralarındaki ilişkiyi bulmaya çalışıyordum."

"Kesin olarak belirtmese de Angela'nın en son ortaya çıkışı senin ispatın olabilir" dedi Ann.

"Daha fazlasına ihtiyacım var" dedi Rafferty. Ann'i daha fazla usandırmak istemeyerek devam etti. "Ben aslında Angela'nın falına bakmanı istiyorum. Yani şayet yapabilirsen."

"Başka kişisel eşyalar getirdin mi... Diş ipi ya da başka bir şey?"

"Hayır" dedi Rafferty. "Başka bir şey yok."

Ann, tekrar ona baktı. Rafferty, doğruyu söylüyordu.

"Fal bakmayacağım" dedi Ann. "Ama senin bakmana yardım edeceğim."

"Tamam" dedi Rafferty.

"Ben ciddiyim" dedi Ann. "Şayet yardımımı istiyorsan, biraz çalışmak zorunda kalacaksın."

"Bilmiyorum" dedi Rafferty. Böyle bir şey için yeteneği yoktu hiç.

"Yönlendirilmiş bir meditasyon" dedi Ann. "Sana yol göstereceğim"

"Bilmiyorum" dedi Rafferty tekrar.

"Ya kabul et ya da git" dedi Ann. "Bugün çok meşgulüm."

"Tamam" dedi Rafferty. "Ne yapmalıyım?"

"Nefes alarak başlayabilirsin" dedi Ann.

"Evet, normalde de bunu yapıyorum."

"Yavaş yavaş."

Rafferty, ona baktı.

"Ya buna inanırsın ya da inanmazsın."

Rafferty, nefes alışını yavaşlatmaya çalıştı. Bunun gülünç olduğunu hissetti.

"Herkes fal bakmayı öğrenebilir" dedi Ann. "Eva, sana bunu söylemiş olmalı."

Aslında Eva, bazı kişilerin doğal bir fal bakma yeteneği olduğunu da söylemişti Rafferty'e. Ann gibi. Towner gibi.

"Peki, bana biraz yardım et" dedi Rafferty. Hızlı ve derin nefes almaya başlıyordu.

"Derin bir nefes al ve tut" dedi Ann.

Rafferty'nin ilk derin nefesi onu öksürttü. Gülme isteğiyle savaşıyordu. Bir nefes daha aldı ve onu uzun bir süre tuttu.

"Tamam" dedi Ann. "Şimdi nefes ver."

Rafferty, nefes alıp vermeye devam etti ta ki kendini rahatlamış hissedene kadar. Bir an sandalyeden kaydığını hissetti. Kontrol etmek için gözlerini açması gerektiği aklına geldi; ancak bunu yapmadı.

"Şimdi meditasyon yapacağız biraz." Ann'in sesi uzakta gibiydi.

Rafferty, başını salladı.

"Kendini bir evde düşle. Herhangi bir ev olabilir. Aşina olduğun ya da hayal ettiğin bir şey."

Rafferty büyüdüğü evi düşledi; boyaya ihtiyacı olan, geniş bir alana yayılan savaş sonrası bir çiftlik.

"Kapıyı aç" dedi Ann. "Hadi içeri girelim."

Rafferty, söylenildiği gibi yaptı. Gözlerini kapadı. Derin derin nefes aldı.

"Bir kat merdiven çıkacağız" dedi Ann. "Yedi basamak."

Rafferty nefes aldı. Büyüdüğü evde hiç merdiven yoktu. İkinci kat da yoktu. Bunu umursamadı.

"Yavaş ve sakin."

Rafferty, başka bir ev düşlemeye çalıştı. Olmadı.

"Merdivenlerin yukarısında, birkaç kapısı olan bir koridor var."

Rafferty gerçekten uğraşıyordu.

"Kapılardan birini seç. Aç onu."

Hiçbir şey gelmiyordu gözünün önüne. Bu evde hiç merdiven yoktu. Tamam, merdivenler ve bir kapı vardı; ama merdivenler bodrum katına gidiyordu. Başka ne yapacağını bilmeden, kendini bu merdivenlerden aşağıya inerken hayal etti. Kapıya doğru yürüdü. Nefesini Ann'inkiyle bir tutmaya çalışıyordu, ona yetişmeye.

"Kapıdan içeri gir... Bir süre orada kal... Etrafına bak. Her şeyi fark et ve hatırlamaya çalış. Yargılama, sadece gözlemle ve anımsamak için uğraş."

Ann, bir süre sessizdi. Tekrar konuştuğunda, Rafferty bir an uyuyup uyumadığını merak etti. Sakin ve rahatlamış hissediyordu kendini. Ve tamamen boş.

"Tamam, şimdi yavaş yavaş merdivenlerden in. Giderken parmaklıkları tut. Son basamağa geldiğinde dışarı, ışığa doğru adım at. Güneşin sıcaklığını hisset."

Rafferty, kendini tersini yapıyorken düşlüyordu. Merdivenlerden çıkmak ve dışarı, ışığa doğru hareket etmek.

"Hazır olduğunda gözlerini aç."

Rafferty gözlerini açtı.

Kendini mahçup ve beceriksiz hissetti. Tamamen başarısız olmuştu.

"Ne gördüğünü tarif et" dedi Ann.

Rafferty konuşmadı.

"Hadi" dedi Ann. "Yanlış yapamazsın"

"Pekâlâ, ilk olarak ben yukarı çıkmadım, aşağı indim."

"Tamam, belki de *sen* yanlış yapabilirsin."

"O, bir çiftlik eviydi" dedi Rafferty, anlatmaya çalışarak. Ann'in bu egzersizi burada sonlandırmasını umdu. Ya da onun için zamanını boşa harcamayı kesmesini. Bunun yerine, Ann nefes aldı ve devam etti.

"Merdivenlerden aşağı indiğinde ne gördün?"

"Hiçbir şey görmedim" dedi Rafferty. "Hem de hiçbir şey."

"Bu hiçbir şey neye benziyordu?"

"Ne biçim soru bu böyle?"

"Bana ayak uydur" dedi Ann.

"Siyahtı. Hayır, siyah değil; ama boştu. Evet. Koyu ve boş" dedi Rafferty.

"Ne duydun?"

"Ne demek istiyorsun? Ne mi duydum?"

"Hiç ses var mıydı? Ya da herhangi bir koku?"

"Hayır... Ses yoktu. Koku da."

Rafferty, Ann'in gözlerini üzerinde hissedebiliyordu.

"Hiçbir şey görmedim. Hiçbir şey duymadım. Merdivenlerden yukarı çıkmaya çalışıp durdum. Medyumlukta sınıfta kaldım" dedi Rafferty.

"Belki öyledir" dedi Ann. "Belki de değildir."

"Bu da ne demek?"

"Seninle o odaya girdim" dedi Ann. "En azından öyle yaptığımı düşündüm."

"Ve ne gördün?"

"Hiçbir şey. Çok karanlıktı."

"Sana söylemiştim" dedi Rafferty.

"Ben yine de bir şey duydum... Bir kelime."

"Hangi kelime?"

"Yeraltı."

"Saklanıyorkenki yeraltı mı? Yoksa öldüğün zamanki mi?"

Ann, cevap vermedi. Hiçbir fikri yoktu.

Polis raporu
21 ağustos, 1980

Akşamleyin aşağı yukarı saat 21:55'te genç bir kız karakola girdi. İşbaşındaki görevli, Darby Cohen'di. Ayrıca memur Margaret Kowalski de oradaydı. Yaklaşık olarak on yedi yaşında olan kız kendini "Towner Whitney" olarak tanıttı. Çılgına dönmüştü, görünüşü darmadağınık ve elbisesi (geceliğe benziyordu) ıslaktı. Ayakkabı giymiyordu ve sağ ayağının ilk iki parmağı arasında derin bir yara vardı. Memur Kowalski, kızın Sarı Köpek Adası sakinlerinden biri olduğunun farkına vardı. Kendisinden adını tekrar söylemesi istendiğinde önceki ifadesini tekrarladı, "kayıtlarda" ilk adının gerçekte "Sophya" olduğunu belirterek.

Kız, çok tedirgindi. Bacaklarında çizikler ve kafasında bir kesik vardı, hiçbiri çok yeni görünmese de. Daha sonra bu yaralar hakkında sorgulandığında, "kız kardeşi Lyndley'i boğulmaktan kurtarmaya" çalışırken, yaklaşık bir hafta önce bu yaraları aldığını belirtti.

Ziyaretinin sebebi sorulduğunda, "teslim olmaya" geldiğini bildirdi kız. "Cal Boynton'u öldürdüğünü" söyledi. Bay Boynton'u nerde ve nasıl öldürdüğü konusunda daha fazla sorgulandığında, onun Sarı Köpek Adası'nda "köpekler tarafından paramparça edildiğini" anlattı.

Polis botu, yaklaşık olarak akşam 22:16'da Sarı Köpek Adası'na yollandı. Memur Kowalski'nin isteği üzerine, kızı incelemesi için Salemli yardımcı hekimler çağrıldı. Aşağı yukarı 23:00'da Sophya'nın yaralarının sarıldığı ve sağlıklı olduğu bildirildi. Kız hem dikiş atılmasını, hem de tetanoz aşısı olmayı reddetti ki her ikisi de öneriliyordu. Kızın elbisesi değiştirildi (Tyvek elbisesi) ve kendisine battaniye ve kafeinsiz sıcak çay verildi. Belirleyici testler yapılmasa da, kızın alkol ya da diğer yasadışı maddelerden almadığı fikrindeydi yardımcı hekimler. Beyin travması belirtisi yoktu ve yukarıda belirtilen yaraları dışında fiziksel olarak zarar görmemişti kız. Polis botu, aşağı yukarı 23:32'de Sarı Köpek Adası'na vardı. Sorumlu, liman amiri olan Memur Paul Crowley'di. Memur Crowley, adaya vardığında yanaşma rampasının indirilmiş olduğunu bildirdi. Boynton evinin tahta çakılarak kapatılmış olduğunu, Whitney evinde lambanın yandığını; ancak birisi içeride varmış gibi görünmediğini söyledi. Açık bir pencere dışında, bütün girişler sımsıkı kapatılmıştı.

Memur Kowalski, Sophya ile kaldı. Olaylar hakkında daha fazla sorgulandığında, Cal Boynton'un bir Boston Whaler botu ile Back Sahili'ne geldiğini ve "evine doğru tepelerden yukarıya" doğru yol aldığını bildirdi. Bay Boynton'un "kızını aradığını" belirtti. Kız, buna çok şaşırdığını kabul etti; çünkü son iki yıldır kapalı olan Cal'ın evinde kimse yoktu. Kız kardeşi "Lyndley"in yaklaşık olarak bir hafta önce bir "boğulma kazası"nda öldüğünü söyledi. Ayrıca Cal Boynton'un kızının ölümüyle ilgili çoktan bilgilendirildiğini de belirtti kız. Cal'ın bu gerçeği reddettiğini düşünmüştü kız ve belki de bu yüzden Kaliforniya'dan buraya onca yolu katetmişti Cal; kızını aramak için.

Daha sonra şahit kız, Cal Boynton'u gördüğünde "hayatının tehlikede olduğunu" hissettiğini bildirdi ve kendisinden daha ayrıntılı konuşması istendiğinde iddia edilen kurbanın karısı, Emma Boynton'un kocasından yediği dayaktan sonra San Diego'da hastanede yatmış olduğunu söylerek devam etti. Bu hikâye, sonradan doğrulandı. Sophya memura, "büyükteyzesi Eva Whitney"in bir gün önce Kaliforniya'ya uçtuğunu ve "annesi May Whitney"in ise adada Emma'nın durumuyla ilgili haber beklediğini anlattı. Sonra da gözyaşlarına boğuldu.

Kız, Cal Boynton'un Sarı Köpek Adası'nda ortaya çıkmasından dolayı "çok korktuğunu" ve onun "tedirgin" olduğunu söyledi. Cal demişti ki: "Kızım için buradayım." Kızdan daha ayrıntılı anlatması istendiğinde yapamadı; sadece adamın niyetini "uğursuz" olarak tanımladı.

Kız, köpeklerin "ortaya çıkmaya başladığını" belirtti. Memura, "köpeklerin neler olduğunu görmek için geldiğini" söyledi. Kızın ilk raporuna göre, "onlardan yüzlerce vardı; tepelerde, sahilde ve her yerde" ancak Bay Boynton'a kaç tane köpeğin saldırdığı kendisine sorulduğunda, şöyle cevap verdi: "On ya da on iki tane, sanırım."

Sophya, köpeklerin "hiçbir zaman Cal'ı sevmediğini", Cal'ın onları "dövdüğünü" ve birkaç yaz önce onlardan birini beysbol sopasıyla "öldürdüğünü" anlatarak devam etti, her ne kadar bu sonuncu söylediği asla ispatlanmasa da. "Bu gece her şey çabucak oldu" dedi kız. "Köpekler ona saldırdı." Daha fazla bilgi vermesi istendiğinde, "köpeklerden Cal'ın peşinden gitmesini isteyenin" kendisi olduğunu söyledi.

Saldırı sona erdiğinde, kız "Cal Boynton'un yerde hareketsiz yattığını" bildirdi. "Ölmüştü." Onun öldüğünden emin olup olmadığı sorulduğunda ise emin olduğunu söyledi, "hiçbir şekilde ona yaklaşmak istemediği" için cesedi incelemediğini belirtse de. Ona neden May Whitney'e yardım istemek için gitmediği sorulduğunda, "aklına gelmediği" için ona gitmediğini söyledi. Daha fazla sorgulandığında, hikâyesini değiştirdi: May Whitney'in yardım etmeyeceğini bildiği için ona gitmediğini belirtti.

Memur Crowley, kızı için "oldukça endişeli" olan May Whitney'i uyandırdı. May Whitney memura Cal Boynton'un bu gece adada olmasının "imkânsız değilse de muhtemel olmadığını" söyledi. Polise, Cal Boynton'un Kaliforniya'da Baja eyaletinin batı kıyısında bir yerde kaybolduğunu belirtti. Eşini fena şekilde dövdükten sonra, Bay Boynton anlatılanlara göre "San Diego Yat Kulübü'nden (daha yeni kovulduğu yer) bir bot çalmıştı" ve botu "Baja eyaletinde Rosarito Sahili'nden aşağıya gitmişti." Hem San Diego polisinin hem de Meksikalı yetkililerin botu aradığını ve "Cal'ı buldukları zaman" onun Yeni İngiltere'ye geri dönemeyeceğini, tutuklanıp, San Diego'da bot hırsızlığı ve karısını fena halde dövmekten mahkemeye çıkarılacağını, karısı Emma Boynton'un San Diego'da hastanede yattığını ve durumunun "kritik olduğunu" anlattı May. Yapılan daha fazla araştırma üzerine, May Whitney'in hikâyesi doğrulandı. San Diego polisi, Cal'ın iki saat önce Baja eyaleti kıyısında bulunduğunu bildirdi. Çılgına dönmüş gibiydi ve şiddetli bir şekilde susuzdu; ancak kendine gelmesi umuluyordu.

Sophya Whitney, San Diego polisinin ve May'in "yalancı" olduğu konusunda ısrar etti ve Cal Boynton'un "köpekler tarafından paramparça edildiğini" üsteledi bir kez daha. Kız, hikâyeyi anlattığında daha tedirgin oldu ve ne polis, ne de May Whitney onu sakinleştirebildi tekrar.

Ek, 22 ağustos 1980. 11:45.

Sophya Whitney gözlem için Salem Hastanesi'ne kabul edildi. Ailesinin ricası üzerine, o gün sonradan Mclean Ruh Hastalıkları Hastanesi'ne transfer edildi ve bu özel hastaneye girişi saat 16:32'de yapıldı.

16

Fal bakıyorken, fala bakan kişi iki şeyden birini aramalıdır: Ya deseni genişleten şeyi... Ya da onu kıranı.

Dantel Falı Rehberi

Rafferty, fotokopi makinesinden çıktıkça kâğıtları aldı. Raporun son sayfasına siyah bir çizgi bulaşmıştı, üç memurun imzasını anlaşılmaz hale getirerek.

Angela hakkında çok olmasa da bulabildiği her şeyi okumuştu. Ve şimdi eski raporları araştırmaya başlamıştı: Whitney ailesiyle, özellikle de Eva ve onun damadı Cal'la olan sorunlarıyla alakalı her şeye bakıyordu.

Kıyının yukarısında ve aşağısındaki her hastane ve morgu kontrol etmişti Rafferty. Angela'nın ailesini aramıştı ki onlar da Angela'dan haber alamadıkları konusunda ısrar etmişti. Sonra beş tane yerel barınağı yokladı. Hatta istismara uğramış kadın ve çocuklara yardım eden yerel bir grubu bile aradı. Hiçbiri Angela'nın tarifine uyan birini görmemişti.

Angela Rickey ortadan kaybolmuştu. Yine.

Rafferty ofisine gitti ve kapıyı kapadı. Kendisine daha fazla kahve koydu ve bir kez daha bütün raporları okumak için oturdu. Kaçırmış olabileceği bir şeyi, herhangi bir şeyi arıyordu. Zihni bulanıktı. Bütün gece yatmamıştı. Ve yakın bir zamanda da yatabilecek gibi görünmüyordu.

Towner'ın raporunu ve aileyle ilgi bulabildiği her şeyi tekrar okudu. İki tane yasaklama emri vardı Cal'a karşı: Biri Sarı Köpek Adası'na gitmesini yasaklayan, diğeri ise onu Eva'dan uzak tutan. Geçmişe ait iki tane dayak raporu da mevcuttu: Eva tarafından verilen dilekçe ve diğeri ise Cal'ın Emma Boynton'un çenesini kırdığı gece May ve Eva tarafından verilen dilekçe. Diğer dayak raporları da vardı tabii ki, Emma'yı kör eden, Cal'ın denizde ortadan kaybolduğu gece San Diego'da meydana gelen.

Eva ona hikâyenin geri kalan kısmını anlatmıştı. Meksikalı balıkçıların, Cal'ı nasıl Rosarito Sahili'nin kıyısında bulduğunu. Ufuk çizgisinin yakınında bir aşağı bir yukarı çıkan turuncu can yeleğini ve onu yakından takip eden martı sırasını işaret ederek, balıkçılar araştırmaya gitmişti. Eva Rafferty'e, balıkçılar Cal'ı denizden çıkardığında, onun neredeyse ölü olduğunu söylemişti.

Cal, hastaneden ayrılacak kadar iyi olduğunda, San Diego Hapishanesi'ne atıldı. Botu çaldığı için. Ve Emma Boynton'u kör eden dayak yüzünden.

Eva'nın hikâyesine göre Cal, San Diego takımından kovulmuştu, Amerika Kupası'nı kazanma umudu sona ermişti. Denize yakın bir bara gitmiş ve bütün öğleden sonrasını içkiye harcamıştı. Sonra da her zaman yaptığı gibi eve gidip bütün olan bitenin acısını Emma'dan çıkarmıştı.

Her zaman attığı dayakların şiddeti, yaşamı boyunca hayalini kurduğu şeyin yıkıldığını gören Cal'ı tatmin edecek kadar yeterli değildi. Emma'ya daha sert vurdu. Yüzünü cam aynaya çarptı. Ona bakmayı kesmemişti, sonradan hâkime bu şekilde anlattı Cal. Mahkeme salonuna hikâyeyi anlatırken ağladı. Cal, Emma'nın yaralarının şiddetini görünce kaçmıştı. Akşam karanlığı çökene kadar dışarıda saklanmış, kulübe gizlice girerek kendisi için yapılan botu çalmıştı. Onun botuydu. Şehrin güneyinde bir yerde denizin dibini boylamıştı.

Emma, yanında olan annesi Eva ile birlikte sağ kalma uğraşı veriyorken, Cal kendi hayatı için savaşıyordu. Cankurtaran salını çözmeyi başaramayarak, sadece bir yelek kaptı Cal. Kırk sekiz saat geçene kadar bulunamadı.

Kendine geldiğinde Cal, değişmiş bir adam gibi görünüyordu. Tanrı'yı gördüğünü iddia etti. Dışarıda, okyanusta, hayatta kalma umudu olmadan Cal İsa'nın yüzünü görmüştü. O, artık günahlarından arınmıştı.

Sonunda kurtulduğunda, Cal hayatını Kutsal Kitap'ı yaymak yolunda adamaya karar verdi.

Dinleyen herkese hikâyesini anlattı Cal. Kendi ölümünü görmüştü. Onlara vücudunun paramparça edildiğini söyledi. Cehennem alevlerini hissetmişti.

Tanrı'nın gücüyle, Cal hiç zorlanmadan içkiyi bıraktı. Cal'ı gören herkes onun değişmiş bir adam olduğunu kabul etmek zorundaydı.

Cal'ın alkolikleri yeniden kazanma ile ilgili çalışmaları, Emma

Boynton'u dövmekten aldığı hapis cezasını azalttı. Yaralarının ciddiyetinden ötürü Emma, Yeni İngiltere'ye götürülmüştü; bir şahit olarak ne işe yarardı, ne de güvenilir biriydi ve Cal'ın cezası, hapiste geçirdiği günler oranında azaltılmış, ayrıca kendisine altı ay kamu hizmeti ve iki yıl şartlı tahliye verilmişti.

San Diego'dayken, Cal kendi kilisesini kurdu ve yandaşlarını topladı. Kalvinistler olarak bilinen üyeleri, ciddi olarak haklarından mahrum edilmiş kişilerle daha önceden aile içi istismara uğrayan kişileri kapsamaktaydı. Cal'ın inancını değiştirdiği kişilerden bazıları, caddelerde yaşayan yerli kişilerdi, Cal tarafından vaiz edilen dini mesaja cevap veren ve onlardan biriymiş gibi Cal'a güvenen şizofrenler ve alkolik evsizler dahil olmak üzere. Bugüne kadar San Diego şehri, Cal Boynton'dan başarılı bir rehabilitasyon, "önceden suçlu olan kişilerin, diğerlerinin hayatlarında bir değişiklik yapmak için kendi geçmişlerinden istifade ettikleri" yer, örneği olarak bahsetmiştir. Yeniden seçilme kampanyasında, San Diego'nun belediye başkanı, bu grubun başarısını, kendisi görev başındayken yaptığı icraatlerden biri olarak methetmişti.

Cal evine, Yeni İngiltere'ye dönene kadar cüppeli müritlerinden edinmedi.

Emma ile barışmak için eve dönmüştü ya da o öyle iddia ediyordu. Eva, Cal için bir yasaklama emri çıkarttığında Cal çok öfkeliydi. Onu evinden ve ailesinden uzak tutmaya nasıl cesaret ederdi? Eline geçen tüm parayı, Sarı Köpek Adası'nın kendisine ait olan yarısını almak için, bir grup avukat tutmaya harcadı. Evliliğinden dolayı hâlâ kendisine ait olduğunu düşündüğü mülkte bir kilise inşa etmek istiyordu. Ancak Eva ve May, Cal'ın önündeydiler. Ada çoktan güvence altına alınmıştı, Cal Emma'ya ilk kez el kaldırdığı zaman. Bu evliliğin kötü biteceğini bilmek için bir falcıya gerek yoktu.

"Nasıl cesaret edersin?" diye bağırdı Cal Eva'ya evinin önünden. Aralık ayı ortası, karlı bir geceydi. Eline bir taş aldı ve ikinci katın penceresine attı; ancak dengesini kaybetti ve buzlu kaldırımda kaydı. Bacağını iki yerden kırmıştı.

Yerel gazeteler için, olayın nasıl olduğu konusunda yorum yapılması istendiğinde, Eva omzunu silkti ve dedi ki, "Sanırım Tanrı, benim dualarımı onunkine tercih ediyor".

İlk defa Cal kendinden geçmiş bir şekilde koşuyordu. Ateş püskürmesi birkaç saat sürdü, ta ki doktorlar ona kuvvetli bir sakinleştirici verene kadar. Anlatılana göre Cal günlerce uyumuştu. Uyandığında Eva'ya karşı ilk kez resmi suçlamada bulundu. Evinin önündeki kaygan kaldırım yüzünden değil; cadı olduğu için.

Rafferty, Eva'nın bütün dosyalarını inceledi. Cal onun hakkında birkaç kez şikâyette bulunmuştu. Büyücülük, cadılık, adam kaçırma. Sonuncunun üzeri çizilmişti ve üzerinde el yazısıyla şu kelimeler yazılmıştı: *Bir kızın ortadan kaybolmasını sağlamak.* Sanki Vegas sihir gösterisinde görmek için para verdiğin türden bir şeydi bu. *Yok etme numarası.* İlk kez okuduğunda kaçırmış olabileceği bir şey arayarak şikâyeti bir kez daha okudu. Bağlantı ortadaydı. Eva/Angela. Angela/Eva. Bir an ikinci bir ceset aramak için Children Adası kıyısını yoklamayı düşündü. Ama Eva'nın ölümü şüphesiz kaza eseriydi. Cinayet belirtisi hiç ortada yoktu. Ve o arıyordu. Cal'ı Eva'yı öldürmekten tutuklamak dışında hiçbir şey yapmayı istemiyordu Rafferty. Ancak bunu kanıtlayacak bir şey yoktu ortada. Eva'nın cesedinin çok uzakta bulunmasının dışında. Bu, herkesin dikkatini çeken bir noktaydı. Eva, yüzmeyi bırakmamıştı, Beezer'a bununla ilgili yalan söylemişti. Ancak son birkaç yıldır, daima limanda yüzmüştü. Eva, kendi sınırlarını bilen bir kadındı.

Tanrım, Rafferty onu özlemişti. Bazen Eva'yı onun kendi ailesinden daha çok özleyip özlemediğini düşünüyordu. Eva, Rafferty için bir aile gibiydi. Aslında daha da fazlası. Onun arkadaşıydı. Hâlâ Eva'nın ölmüş olduğuna inanamıyordu.

Gerçekler, doğruların düşmanıdır, Eva *Don Kişot'*tan alıntı yapmıştı.

"Şayet yirmi yaş küçük olsaydın, seninle evlenirdim" demişti Rafferty Eva'ya, o bu satırları alıntılarken.

"Şayet ben yirmiş yaş küçük olsaydım, sana bakmazdım bile" demişti Eva.

Rafferty bütün gün buna gülmüştü.

İşte o zaman Eva, Towner hakkında konuşmaya başlamıştı. Belki de Rafferty'nin zihni ona oyun oynuyordu. Ancak arkadaşlıklarının bir noktasında Eva, Towner'dan ve onun atlattığı ameliyattan, neredeyse kan kaybından öleceğinden bahsetmeye başlamıştı. Towner'ın tümörleri olduğunu anlatmıştı Rafferty'e. İyi huylu, evet; ama yine de tehlikeliydi. Bir kadının ihmal edemeyeceği türden bir şeydi.

"Kendini öldürmenin birçok yolu vardır" demişti Eva.

Rafferty, katıldığını göstererek başını sallamıştı. Bir alkolik olarak, en azından bir tanesini bizzat kendisi denemişti.

Bu, Angela'nın ikinci kez ortadan kayboluşuydu. Şayet evinden kaçtığı ilk seferi de sayarsanız, bu üçüncüsüydü. Ancak sadece ikincisinde biri onu aramıştı. Angela, Kalvinist kampında ilk kez ortadan kaybolması hamile kalmadan önceydi. Rafferty, Cal tarafından Eva'nın evini araştırması için çağrılmıştı.

Rafferty, Angela'yı tanıyordu zaten. Kasabadaki herkes onun hakkında konuşuyordu. O, Kalvinist kampındaki birkaç muhteşem kadından biriydi ki orada zaten çok az kadın vardı. Herkesin bildiği üzere Kalvinistler, kadın karşıtı bir takımdı. Sadece büyülenmekten değil; aynı zamanda bu tarz bir güzelliğin teslimiyeti için yalvarıyor hale gelmekten ciddi bir şekilde korkuyorlardı. Ve Angela, güzel bir kızdı. En azından buraya ilk geldiğinde öyleydi.

Angela, ayrıca bir kaçaktı. 1. Yol'dan aşağıya, Maine'den Salem'e kadar otostop çekerek gelmişti; pagan festivallerinden birine rastlamıştı gelişi. Bu, hoş bir tesadüftü, kendisi bir cadı değildi; ancak burası eğlenceli bir yerdi ve dolayısıyla Angela burada kaldı.

Common Parkı'nda birkaç gün konakladı, park banklarında uyuyarak ve tur otobüslerinin yanında dilenerek. Angela, pagancların verdikleriyle idare etti ve Eva, birçok kez ona yemek getirdi ya da bahçesinde, hava kötüyse, taraçasında kalmasına izin verdi onun. Yazın sonuna doğru Eva, Angela için ufak tefek ayak işleri bulmaya başladı: Silinecek birkaç pencere, bir çocuğun doğum günü partisi için bayan bir garsona ihtiyacı vardı. Yolda bir yerde, Angela, Winter Adası'ndaki dini uyanış toplantılarından birine rastladı. Cal, onu seçti ki bunu anlamak çok da zor değildi. O, düşkünlük ve umutsuzluk denizindeki tek muhteşem yüzdü. Cal, hemen oracıkta onu cadılıkla suçladı. Angela'daki şeytanların defolup gitmesi için dua etti. Şeytan çıkarma ayini bitmeden Cal, Angela'yı ve cemaatini Angela'nın özel şeytanlarının çoğundan daha güçlü olduğu ve onları kovmak için kişisel bir uğraş ve farklı bir yöntemin gerektiği konusunda inandırmıştı.

Angela dışında kimse bu farklı yöntemin ne olduğunu asla bilemezdi. Gerçek inançlı Kalvinistlerden başka, Salem'deki hiç kimse, Cal'ın kurtarmaya ilgi duyduğu şeyin Angela'nın ölümsüz ruhu olduğunu bir an bile düşünmemişti.

Angela'yı, günahkâr doğası olduğuna inandırmak zor olmadı. Belki de bu rahatlıktı. Hava soğumaya başlamıştı ve Angela'nın uyku tulumunu sermek için, park bankları ya da Eva'nın bahçesinden daha iyi bir yere ihtiyacı vardı. Ya da onun içinde olan bir şeydi. Bir çeşit istismardan kaçıyordu Angela, bundan emindi Rafferty. Kurbanı, bunun onun suçu olduğu, doğasında, istismar eden kişide en kötüsünü ortaya çıkaran günahkâr bir şey olduğu konusunda bir şekilde ikna etmek asla zor olmamıştır. Cal, bu çeşit bir ikna yönteminde ustaydı. Yıllarca Emma Boynton'u kesinlikle bu şekilde kandırmıştı ve muhtemelen kızını da. Armani takım elbisesinin içinde ve elinde Kutsal Kitap'la, Angela'yı onu kurtaracak tek kişinin kendisi olduğuna inandırmak için yeterince ikna ediciydi.

Cal, o gece Angela'yı cadılıkla suçladığında, Angela dizleri üzerine çökmüş ve hemen oracıkta kabullenmişti bunu.

Angela, cadı olduğunu kabul ettikten sonra, Kalvinistler, onu bütün kasabada gezdirdiler. Salem'in eski halinde bile bir cadının itirafı, halk kutlamasını gerektiriyordu. 1600'lü yıllarda, sadece bunu itiraf etmeyenler asıldı.

Kalvinister Angela'nın kurtuluşunu kutluyorken, cadılar öfkeleniyordu. Angela daha önce onları kızdırmıştı, dükkânları önünde dilenerek ya da siyahlar giyinerek ve de turistlerle poz vererek. O, cadı olduğunu asla söylememişti; ancak öyleymiş gibi davranıyordu. Angela, bir fırsatçıydı. Cadılar, bu duruma katlandı. Onlar girişimci bir takımdı ve bu yüzden Angela'nın iş zekâsı onlara bir şey kaybettirmiyordu. Hatta ona ara sıra, birkaç büyü, bir paket tütsü ve bedava yemek veriyorlardı. Ann, pencere önündeki çiçeklikten ot toplamasına izin veriyordu Angela'nın. Onunla huzurlu bir şekilde bir aradaydılar, hatta bazıları onun için üzülüyordu; ancak onlardan biri değildi o. Wicca, diğerleri gibi bir dindi ve kendine has bir eğitim yolu ve adetleri vardı; kendinizi bu dinin bir üyesi olarak çağırmadan önce bunları bilmeliydiniz. Angela dükkânların etrafında boş boş gezinirken, bu dine olan merakını ifade etmedi hiç.

Çoğu insan gibi, Angela'daki cadı imgesi, Hollywood filmlerinden çıkmaydı ya da daha da kötüsü o histeri döneminden gelmekteydi. Gerçek şu ki Salem'in eski devirlerinde hiç cadı yoktu; ancak şimdi ciddi oranda artmışlardı. İşte bu, en büyük ironiydi ve cadılardan tekini bile atlamamıştı. Şu bir gerçek ki onlar bugünkü başarılarını, geçmişteki en korkunç dini işkencelerden birine borçluydu. Bu, tedirgin edici bir mirastı. Bu yüzden, Angela herkesin önünde cadılığı kabul ettiğinde, endişeli bir ürperti saplandı topluluğa.

"Bununla ilgili ne yapmamı istiyorsun?" diye sormuştu Rafferty, Ann ve diğer cadıların bazıları ona bu durumu şikâyet ettiklerinde.

"Bilmiyorum... Bir şey olmalı" demişti Ann.

"Yasanın birinci değişiklik maddesindeki hakları" demişti Rafferty. "Angela şayet istiyorsa İsa olduğunu iddia ederek etrafta gezinebilir."

"Korkarım ki bu rol çoktan kapıldı" demişti Ann.

"Ve Tanrı bizim tarafımızda olsa da Aziz Cal'ı durmayı başaramadık, değil mi?" Rafferty, son iki yıldır Cal'ı kasabadan atmak için bir yol bulmaya çalışan kiliselerin niyetinden bahsediyordu. "Kalvinistler, Salem'i cadılardan kurtarmayı kendilerine bir amaç ediniyorlar"demişti Rafferty.

"Bunu anlamıyorum" demişti Ann. "Şayet birkaç cadıdan korkuyorlarsa, ne çeşit bir Tanrı'ya tapıyorlar, bu kadar zayıf ve ödlek?"

"Bu günlerde sınırı aşacaklar ve biz de onları enseleyeceğiz" demişti Rafferty.

"Güvende olmak içimi ısıtıyor" demişti Ann.

Ancak Cal sınırı geçmeyecek kadar açıkgözdü. Yamacına kadar gelmiş; ama geçmemek için oldukça dikkatliydi.

Kalvinistler, cadının kurtulmuş olduğunu duyurarak Angela'yı bütün kasabada gezdirdi. Onu, Pioneer köyüne götürdüler ve kazıklarla yapılmış bir setin içine koydular. Cal, *Salem News* ve *Boston Globe* gazetelerine fotoğrafları gönderdi. Şeytan çıkarma ayinleri için grup ücretlerini listeleyen broşürler bastı. Kalvinistler, bunları sokak başlarına dağıttı.

Kalvinistler, halkın arasındaki diğer cadıların kimliklerini de saptamaya başlayınca, kiliseler danışmanı acil bir toplantı talep etti.

"Tekrar 1962'ye döndük" dedi Ann.

"Tanrım, beni yandaşlarından koru" dedi Dr. Ward.

Bir ay sonra, birisi cadı evlerinden birini ateşe verdi. Kimse kanıtlayamasa da herkes bunu yapanın Kalvinisterden biri olduğunu düşündü. Sigorta şirketi yangını kirli bir baca deliğine bağladı ve hasarı ödedi.

Kalvinistler, kış bitmek üzereyken Florida'da bir yerde kıyıda bir kamp alanına taşındılar. Döndüklerinde gruplarına yeni bir karavan dolusu kadın eklemişlerdi. Onlar, ürkütücü görünen bir gruptu. Ayyaşlar. Madde bağımlıları. Esrar ve eroin bağımlısı fahişeler. Hepsi cadı olduğunu kabul etmişti. Hepsi sözde kurtarılmıştı.

Angela'nın raporuna göre, Eva'ya ilk kez yardım istemek için gittiğinde ve bir şekilde Sarı Köpek Adası'nda ortaya çıktığında, onu bu kadar kötü bir şekilde döven Cal değil, bu düzelmiş cadılardı.

"Taşlandı." Eva raporu düzeltti. "Onlar Angela'yı dövmedi, onu taşladılar."

"Bunu Angela mı söyledi?" Sesindeki dehşeti saklamaya çalışıyordu Rafferty.

"Hayır" dedi Eva. "Dantelde gördüm bunu."

"O zaman Cal yapmadı" dedi Rafferty. Yüzündeki hayal kırıklığını saklayamadı.

"Bu, seni yanıltmasın" dedi Eva. "Bu, Cal'ın işiydi."

"Onlara bunu yapmasını söyleyenin Cal mı olduğunu düşünüyorsun?"

"Bence, bunu yapmaları konusunda onlara *ilham verdi*. Ve bu daha da kötü... En azından eskiden kendisi yapardı ne yapacaksa. Önceden kötü adamların kimler olduğunu söyleyebiliyordun."

Rafferty öylece durdu ve Eva'ya baktı. Acısını görebiliyordu. Bir dakikalığına da olsa, kendisi falcıydı. Eva, onun kendisini görmesine izin veriyordu.

"O, aileni mahvetti."

"Evet" dedi Eva.

"Kızın Emma" dedi Rafferty. "Ve diğerleri."

"Hepimiz bir yara aldık." Eva, Rafferty'e baktı.

Raffetty, gözlerini ona dikmişti. Eva'nın ses tonundaki bir şey onu susturmuştu. Konuşmaya cesaret edemiyordu Rafferty.

"Günahların affolunmasına inanıyor musun, Dedektif Rafferty?"

Cevap veremedi Rafferty. Gerçek şu ki neye inandığını bilmiyordu artık.

"Buna karar vermen gerekecek" dedi Eva. "Ve çabucak."

Dayak olayı meydana geldiğinde orada olmadığına yemin etti Cal. Daha sonra Angela da aynı şey için yemin etti. Kadınların ona zarar verdiğini söyledi; çünkü onlar, Angela'nın cadılardan almış olduğu biblolardan birkaçını bulmuştu. Ve bir dantel parçasını. Bu, Eva'nın Angela'ya aylar önce verdiği bir parçaydı. Ada kızlarının yaptığı türden bir danteldi. Eva'nın fal bakarken kullandığı bir danteldi.

Angela, kampa geri dönmediğinde Cal polise gitmişti. Müritlerinden bazıları, Eva'nın evine kadar Angela'yı takip etmişti.

"Onu kovaladıklarını kastetmiyorsun değil mi?" dedi Rafferty. Kalvinistler hakkında çoktan telefonlar almaya başlamıştı. Cal karakola gelmeden Rafferty yola çıkmıştı. Parkta ve Eva'nın evinin önünde toplanan bir kalabalık vardı.

"Evi aramanı istiyorum" dedi Cal.

"Böyle bir niyetim yok." Cal arkasında, Rafferty en üst basamakta duruyordu. "Şayet Eva, Angela'nın burada olmadığını söylüyorsa, öyledir."

"O, yalan söylüyor."

"Saklayacak hiçbir şeyim yok" dedi Eva. "Şayet istiyorsanız evi aramakta özgürsünüz Dedektif Rafferty. Şayet siz de ona eşlik ederseniz, Bay Boynton da gelebilir."

"Yanılmıyorsam, bu yasal bir davet" dedi Cal, eşikten geçiyorken.

Eva geri çekilip Cal'ın geçmesine izin verirken, Rafferty buna itiraz etmeye başlamıştı.

Eva, Rafferty için kapıyı tuttu. "Ben ne yaptığımı biliyorum, Dedektif" dedi Eva. Gözleri bir an penceredeki dantele ilişti. "İçeri girin."

Rafferty, içeriye adımını attı.

Evi aradılar. Cal, Emma ile evli olduğu günlerde bu evin her bir noktasını öğrenmişti. Hatta Cal'ın kat planına bu kadar aşina olması Eva'yı şaşırttı. Cal, aramayı yönetti, onları bir odadan diğerine götürerek, bazen bir odayı birkaç kez kontrol ederek. Cal çok öfkeliydi. Rafferty en sonunda aramayı durdurduğunda Cal, bodrumu iki kez aramış ve üçüncü kez terasa doğru yönelmişti.

"Yeterli" dedi Rafferty. "O, burada değil."

"Hayır" dedi Eva. "Üzgünüm ki burada değil."

"O, bu eve geldi" dedi Cal.

"Evet... Geldi."

"Onun buradan ayrılmadığını söyleyen şahitlerimiz var."

"Şahitleriniz gözlerini bir muayene ettirse iyi olur" dedi Eva.

Büyücülük söylentisi çabucak yayıldı. Eva, Angela'yı ortadan kaybetmişti. Kalvinistler, Eva'nın sihirli güçleri olduğu konusunda ikna olmuştu. Cadılar bile bundan etkilenmişe benziyordu.

"Angela, eve girdi; ancak hiç dışarı çıkmadı." Ann, Rafferty'e böyle demişti. "Bunun doğru olduğunu biliyorum. Nasıl yaptığını kestiremiyorum; ama yapmış olduğuna inanıyorum."

Ertesi gün, Cal ve onun yandaşlarından oluşan bir grup Eva'yı resmi olarak cadılıkla suçlamak için karakolda beliriverdi. Oldukça doğru bir teşebbüstü; dilekçe, eski albeyle, "s" ve "f" harflerinin yer değiştirdiği ortaçağ İngilizcesi ile elle yazılmıştı. 1600'lü yıllardan beri, Salem'de dosyalanan cadılık üzerine yapılan ilk resmi şikâyetti.

Kalvinistler bu şikâyetin bir kopyasını da *Salem News* gazetesine gönderdiler; onlar da nasıl davranacaklarını bilemeyerek yazıyı başmakale bölümünde yayınladı.

Bu açık bilgi hırsızlığına işaret eden Dr. Ward oldu. "Kendiniz için görün" dedi papaz. "Bunlar, açıkça Cotton Mather'den aşırma cümleler, 'Yeni İngiltere'de şeytanı yok etme planına kadar'. Şayet bana inanmıyorsanız araştırabilirsiniz. Bütün cadı davaları raporları, Peabody Essex Müzesi'nde gösteriliyor."

"Hangi yıldayız biz? Hangi asırdayız?" diye sordu Ann Chase.

"Hâlâ neden onun dilekçesini aldığımızı bile anlamıyorum." Polis şefi, Rafferty'e bunu söyledi. "Cadılık, bir suç değil. Bu kasabada, çıkar merkezi hatta."

"Kanıtları bir araya getirmeye çalışıyorum" dedi Rafferty. "Gelecekte başvurmak için."

"Eva'ya karşı değil, dimi?" Şef çok şaşırmıştı.

"Lütfen" dedi Rafferty.

Angela'nın nerede olduğu öğrenilene kadar neredeyse üç hafta geçmişti.

Angela, Sarı Köpek Adası'ndan telsizle Rafferty'e ulaştı. "Buraya gelip, beni almalısın." Angela'nın sesinden durumun acil olduğu belli oluyordu. "Korkunç bir hata yaptım ben."

Mesaj geldiğinde şef, Rafferty'nin başında dikiliyordu.

"Onun orada olduğunu bilmiyordum" dedi Rafferty. Şefin ona inanmadığını söyleyebilirdi.

İki adam birbirine baktı.

"Ne yapmamı istiyorsun?" diye sordu Rafferty.

"Git ve onu al" dedi şef.

Raffetty, polis botunu aldı ve adaya doğru yola çıktı. May, Angela ile birlikte iskelede bekliyordu. Sırt çantası yanaşma rampasına dayanıyordu.

"Onun burada olduğunu bana söyleyebilirdin" dedi Rafferty, May'e.

"Tarzım değil" dedi May.

"O zaman Eva sana yardım etti" dedi Rafferty.

"Eva, Angela'ya seçeneklerini saydı. Angela, buraya kendi başına geldi."

"Ve şimdi, kendi başıma dönmek istiyorum." Angela'nın ses tonu, kinayeliydi.

"Peki" dedi Rafferty. "Şayet bana Cal Boynton'a döneceğini söylersen, seni burada bırakacağım."

"Ona gidecek" dedi May.

"Aziz Cal asla beni incitmedi." Angela, May'e döndü. "Sana ne olduğunu anlattım, kadınlar bana taş attı."

"Seni taşladılar mı?" Rafferty, Eva'nın doğru çıkan falıyla şaşkına dönmüştü.

"Aziz Cal bana asla dokunmadı" dedi Angela.

"Pekâlâ, sana en azından bir kez dokunmuş olmalı" dedi May.

Angela'nın yüzü kıpkırmızı oldu.

"O, hamile" dedi May.

"Bu doğru mu?" Rafferty, Angela'ya baktı. Hamile olduğu belli olmuyordu. Henüz değil.

Angela ağlamaya başladı. "İşte bu yüzden ayrılıyorum" dedi. "Bunu sana sır olarak söylemiştim. Anlatmaman gerekiyordu."

"Seni tehlikeye sokacak sırları saklamam ben."

"Sana söyledim, bana zarar veren o değildi."

"Fiziksel istismardan bahsetmiyorum ben. Kastettiğim şey cinsel istismar."

Angela, dehşete düşmüştü. "O, beni istismar etmedi."

"Doğru."

Angela, açıklama yaparak devam etti. Cal, ona iyilikten başka hiçbir şey yapmamıştı. Angela hiç susmuyordu. Cadılık suçlamasından ve şeytan olduğunu gösteren işaretlerden bahsediyordu. Ve Cal Boynton'un onu nasıl cehennem ateşinden kurtardığından. Seçilmiş olduğu için şanslıydı. Kurtulmuş olduğu için de.

Rafferty, May'in Angela'dan ümidini kesişini seyretti.

"Çok erken geldi" dedi May, Rafferty'e sonra. Bunu daha önce de görmüştü. "Hazır olmadan buraya gelirlerse asla başaramıyorlar."

Bunun May'de yarattığı hasarı görebiliyordu Rafferty. May, geri dönen kızlara alışkındı. Ancak kızlarından birini kaybetmekten hoşlanmıyordu. Özellikle de onları her şeyi başlatan, ailesine zarar veren bir adama kaptırmaktan.

Rafferty, Angela'yı kasabaya götürdü; ancak aynen söylediği gibi onu Kalvinistlere bırakmayı reddetti. "Orada kalmamalısın" dedi Rafferty. "Bir yerde arkadaşların yok mu?" Ailesinden bahsetmekten iyiydi.

Rafferty, ona suçlamada bulunması gerektiğini söyledi. Cal'a karşı olmasa da en azından onu döven kadınlara karşı. Angela bunu düşüneceğini söyledi.

Rafferty, Angela için bir oda bulmaya çalışarak etrafı aradı. Ancak ekim ayının sonuydu ve hiçbir yerde oda yoktu.

Roberta'yı aradı ve durumu ona anlattı. Angela'nın hamile olduğunu söyledi. Onun kirayı paylaşacak bir oda arkadaşı aradığından haberdar olduğunu söyledi Rafferty. Angela çalışacak bir iş arıyorken, ilk ayın kirasını kendisinin vereceğini de belirtti Rafferty.

"Neden bunu yapıyorsun?" Roberta, çoktan kuşkulanmıştı. "Bu senin bebeğin değil, dimi?"

"Çok komik" dedi Rafferty.

Bir ay bile sürmedi. İlk hafta sona ermeden, Angela, Kalvinistlere geri dönmüştü. Bu sefer kadınların çadırında değildi; Cal'ın karavanının bitişiğine uygun bir şekilde park edilmiş küçük bir hava akımındaydı.

Rafferty, Angela'nın hamileliğinin ortaya çıkmasının an meselesi olduğunun farkındaydı. Cal'ın Angela'nın hamile olduğunu bilip bilmediğinden emin değildi. Şayet bunun bakireden doğma olduğunu iddia etmezlerse, Angela bütün Kalvinisler için büyük bir sıkıntı olacaktı. Ve özellikle de kendi emirlerini –ki ikincisi dini sebeplerden ötürü cinsel ilişkiden uzak durmak– vaiz etmekten küçük bir servet yapan liderleri için.

17

Dantel falına bakan iki kişi, asla dantelde aynı imgeleri göremez.
Görülen şey, tamamen bakış açısıyla belirlenmektedir.

Dantel Falı Rehberi

Rafferty'nin gözleri yanmaya başlıyordu. Geri kalan dosyaları da karıştırmıştı. Cal'ın dosyası, Eva'nınkinden daha kalın ve eskiydi. 1970'li yıllara gidiyordu; Emma Boynton'un şikâyet edilmiş her dayağını belgeleyerek. Çoğu ya ispatlanmamış ya da Emma tarafından da inkâr edilmişti ta ki çenesi kırılana kadar. Hastanede sorgulandığında, Emma kocası hakkında hiçbir şey söylememişti, sadece merdivenlerden düşmüştü. May'in ısrarı üzerine, acil odası doktoru polisi çağırmıştı. Bugünlerde bu gayet doğal olabilir. İstismara uğramış kadın ve çocuklara yardım eden yerel bir grubun posterleri her yerdeydi ve devlet de bunu yapmıştı. İstismardan şüphelenmemek olağandışıydı. Şeytantırnağınız battığında bile sizi bir istismar danışmanı ile birlikte bir odaya alıyorlardı bugün. Onun iş arkadaşlarının çoğu bunun aşırı olduğunu düşünüyordu. Rafferty, onlardan değildi. Eski günleri hatırlıyordu; ta ki biri ölene kadar herkesin görmezlikten geldiği zamanları.

Kendi açısından, Rafferty'nin düşünceleri May'inkinden o kadar da farklı değildi, May buna hiç inanmasa da. May'e göre Rafferty bir düşmandı. Aslında onlar genellike yasanın karşı taraflarında buluyorlardı kendilerini.

Rafferty, telsizle Sarı Köpek Adası'na geldiğini haber verdi May'e ve neden geldiğini de söyledi. Deniz yolculuğuna çıkarken kullandığı eski bir çantaya dosyaları, ceketini ve termos kahvesinin geri kalanını tıktı. Arka kapıdan dışarı çıktı ve merdivenleri indi, polis otosunu olduğu yerde bıraktı. Yılın bu zamanlarında limanın yakınındaki park yerlerine girmek zordu, bir polis için bile.

Yürümeye karar verdi. Hava almaya ihtiyacı vardı. Gerçek şu ki onun için her türlü avantaj gerekliydi. Özellikle de May Whitney ile akıl yarıştıracaksa.

May, onu iskelede bekliyordu. Meraklı olmaktan çok öfkeliydi. Ziyaret için uygun bir gün değildi, bunu ikinci kez Rafferty'e söyledi.

"Bu, çok kötü" dedi Rafferty.

Belli ki çok öfkeliydi, May döndü ve iskeleden yukarı çıkmaya başladı.

"İşbirliği yapabilirsin" dedi Rafferty. "Ya da izin belgesi alabilirim."

May durdu. Ona bakmak için döndü. "Sana söyledim, Angela Rickey burada değil."

"En son ne zaman gördün onu?"

"Bilmen gerekiyor. Buradaydın."

"Ve seninle iletişime geçmeye çalışmadı."

"Hayır."

"Şayet öyle bir şey yapsaydı, bana söylerdin."

"Evet" dedi May.

"En son yaptığın gibi."

"Yorum yok."

"Etrafa bakmamın bir sakıncası var mı?"

"Sana bugünün kötü bir gün olduğunu söyledim." May sabrını kaybediyordu.

"Etrafa bakmam gerekiyor."

"Şayet Angela Rickey'i bu adada saklamaya çalışsaydım onu bulamazdın."

"Ve onu bir yere göndermedin" diye ileri sürdü Rafferty.

"Ne?"

"Dün gece birini göndermeye çalışıyordun. Sinyalini gördüm."

"Neden bahsediyorsun sen?" Sesi mecburi bir öfke taşıyordu; ancak biraz alçalmıştı.

"Denizin yanında her şey çift görünür" dedi Rafferty. "Işıklarını gördüm."

"Anlamıyorum."

"Bütün dünyanın senin burada ne yaptığını bilmesini istemiyorsan, daha iyi bir sinyal seçmelisin. Zaman ve yüksek bir yer verildiğinde, her okul çocuğu bunu anlayabilir."

"Neden bahsettiğini bilmiyorum, Dedektif Rafferty."

"O, Angela Rickey miydi?"

"Ne hakkında konuştuğunu anlamıyorum; ancak sana garanti verebilirim ki kimseyi bir yere *göndermedik*."

"Göndermediğinizi biliyorum. Çünkü sürücün Derby Rıhtımı'nda botunda kendinden geçmişti."

May, gözlerini ona dikti. "Bence onu kaybediyorsun."

"Towner için sarf edilen aşağılayıcı bir laf üzerine bir sarhoş kavgasına girişti."

Bu, May'i durdurdu. "Towner iyi mi?" May bunu kastediyordu.

"O, iyi" dedi Rafferty. "Ancak Jack LaLibertie serseri bir mayın. Aptalca bir şey yapması an meselesi ve öyle bir şey yaptığında herkes senin burada ne yaptığını öğrenecek."

May, Rafferty'e bakakaldı.

"Bu yüzden sana bir kez daha soracağım. Dün gece bir yere göndermeye çalıştığınız Angela Rickey miydi?"

"Hayır" dedi May.

"Sözüne inanmazsam beni affet."

İskelenin tepesinde, üzgün görünen birkaç kadın toplanmaya başladı.

"Her şey yolunda mı?" İçlerinden biri aşağıya doğru bağırdı.

May, evet anlamında işaret etti. "Sorun yok" diye bağırdı.

Polis botunu izleyerek, ikna olmamış bir şekilde duruyorlardı.

"Benimle gel" dedi May.

İskeleden çıkıp adaya doğru yol aldı. Rafferty, onu takip ediyordu. Rıhtımın tepesinde, adanın uzaktaki ucuna doğru sola döndü, şimdi tamamen tahtalarla çakılı olan Boynton evini geçti. Beysbol sahasını arkada bırakıp, sessizlik içinde taştan yapılmış viraneye doğru yürüdüler.

"Tavşan yuvalarına dikkat et, Dedektif" dedi May, eski binaya yaklaşıyorlarken. "Kolaylıkla bacağını kırabilirsin."

Patikadan aşağıya yürürken, Rafferty daha çok dikkat ediyordu. Teyzesi Eva gibi, May'in de normalin ötesinde güçleri vardı, her ne kadar bunu kabul etmek istemese de. Tavşan yuvalarına dikkat et, kürklü yaratıklar ve burkulmuş bilekler için bir uyarı olarak gelebilir. Ancak Eva hayatta olsaydı, bunu daha güzel ifade ederdi. May sadece, bir atasözü mermisini ateşlemişti arkasından.

Rafferty, detayları anlamaya çalışıyordu: Mavi kapısıyla taştan yapılmış bir virane, iki çocuğun oturduğu bir piknik masası. Üzgün görünen bir kadın, muhtemelen anneleri, seyrediyordu onları.

"Seni bir arkadaş olarak tanıtacağım" dedi May. "Polis olarak değil. Bunu becerebilir misin?"

"Elimden geleni yapacağım."

"Başar" dedi May. "Şu ana kadar yeteri kadar dayandı."

Rafferty, bunu görebiliyordu.

"Bu, benim arkadaşım John Rafferty" dedi May kadına. "John, bu Mary Segee."

Rafferty bekledi. Kadın başını salladı ona; ancak elini uzatmadı. Kadının kolundaki yaraları görebiliyordu. Sigara yanığı izleri. Eğik ve kırılmış bir burun. Kadın Rafferty'nin baktığını gördü. Rafferty, bakışlarını başka yöne çevirdi. Toplanmış çantalar. Köşede eski bir bavul. Dikkatini iki çocuğa çevirdi.

"Ve sen kim olabilirsin acaba?" Rafferty elini kıza uzattı.

"Ben, Rebecca olabilirim" dedi kız.

"Olabilir; ancak değil" dedi May. "Onun adı, Susan." Küçük kız, kim olduğunu hatırladı ve bir an ürkmüş göründü. "Bir oyun oynuyorduk" dedi. "Bu, benim erkek kardeşim, Timothy." Küçük çocuk, bakmadı.

"İkinizle de tanıştığıma memnun oldum" dedi Rafferty. Çocuk ona baktı, sonra da annesine bir bakış attı, sonra tekrar aşağı baktı.

"Yolculuğa çıkıyorsunuz, değil mi?" dedi Rafferty.

"Kanada'ya gidiyoruz" dedi küçük kız, annesi onu durduramadan.

"Kanada, yılın bu vaktinde güzel olur" dedi Rafferty.

"Kendi bisikletim olacak" dedi çocuklardan erkek olanı.

"Bu, harika" dedi Rafferty. "Müthiş."

"Bay Rafferty, şimdi gitmek zorunda" dedi May. "Size sadece merhaba demek istemişti."

"Kanada'ya gitmiyorsun, değil mi?" Kız, bota doğru bakarak söyledi bunu.

"Korkarım, sadece kasabaya gidiyorum" dedi Rafferty ve elini salladı tekrar. "Orada iyi vakit geçirin, tamam mı?"

"Tamam" dedi kız.

Rafferty, May'in arkasından iskeleye doğru yürüdü. Yoldaki tekerlek izlerini görmekten memnundu. Sessizlikten de hoşnuttu. Arapsaçı şeklinde keçeleşmiş çimenler. Yukarıda uçuşan martılar. Beysbol sahasında, birkaç çocuk beysbola benzer bir oyun oynamaya başlamıştı. Diğerleri bahçede çalışıyordu. Bir inek, tarlanın ucunda otluyordu. Bir çift inek. Ve birkaç tane koyun. Ve köpekler. Her yerde köpekler var. Rafferty, bir tanesinin gizlice yaklaşıp, tavşanı nasıl öldürdüğünü seyrediyordu. Çok vahşiydi; ancak Sarı Köpek Adası'nın insan sakinlerine uygulanan şiddet gibi kişisel değildi.

İskelenin tepesinde durdular. "Tatmin oldun mu?" diye sordu May.

"Evet."

"Buraya geri geleceğini gerçekten düşünmedin, değil mi?"

"Hayır" dedi Rafferty.

"Cal'ın onu öldürdüğünü mü düşünüyorsun?"

"Ne düşündüğümü bilmiyorum."

"Eva'yı öldürdüğünü mü düşünüyorsun?"

Rafferty, cevap vermedi.

"Herkes öyle düşünüyor."

"Bu, iyi" dedi Rafferty.

18

Fala bakan kişi soruları sorarken, fal baktıranın cevapları duymaya hazır olduğundan emin olmalı.

Dantel Falı Rehberi

Rafferty, bütün öğleden sonra bir baş ağrısıyla savaşıp durdu. Aşağıda, iskelede Çinli bir akupunturcuya uğrayıp birkaç iğne taktırdı kendine; ancak sonra telefonu çaldı ve seansı kısa kesmek zorunda kaldı. Botu getirene kadar bunun migren olduğunu anlamadı.

Geç kalmıştı. Yeni olan neydi ki?

Towner onu rıhtımda bekliyordu. Güneş, gümrük dairesinin arkasında daha yeni batmıştı, Towner'ın arkasında bütün renk tonlarıyla gökyüzünü aydınlatıp, şehre çöken atmosferi yoğunlaştırıyor ve bütün bu havayı limanın ötesine açık okyanusa taşıyordu ta ki gökyüzü ve deniz ayırt edilemez olup, Towner ve etrafındaki ışık halkası tarafından dikey olarak kesilene kadar.

Onun bir hayal olduğunu söylemek doğru olurdu; ancak normal anlamda değil. Ruhani bir ışıldama evet, bu günbatımından ve onun beyin hücrelerine kısa devre yaptıran migren atmosferinden geliyordu.

Bot Towner'ı geçip, iskeleye doğru yakınlaşırken ışıltı arkada hareket etti. Şimdi Rafferty, onu görmeye odaklanmak zorundaydı ve yarı ışıkta polis beyni gördüğü imgeleri kaydetti. Kesilmiş bir pantolon, yalınayak. Red's denilen yerde onu gördüğü zamanki tişört. Omuzlarına dökülen ve ihtiyar kadın zinciri ile tutturulmuş, Eva'nın eski kazaklarından bir diğeri.

"Beni ektiğini düşünmeye başlıyordum" dedi Towner.

"Üzgünüm." Rafferty, motoru durdurdu.

Migren başlangıçları Rafferty için acayipti. Yankılanan sesler. Pamuk tişörtü, zımpara kâğıdı gibi teninin kazıyordu. Aynı anda hem hiçbir şey göremiyormuş, hem de her şeyi görebiliyormuş gibi hissediyordu. Towner'ın yüzüne odaklanamıyordu; ancak bugün bahçede meydana gelen güneş yanığının izlerini ve bahçedeki pisliği tamamen temizleyemediği tırnaklarının altındaki gölgeyi görebiliyordu.

Bir şey Rafferty'e eve gitmesini söylüyordu. Buluşmayı iptal etmesini. Onunla konuşabilirdi; ne de olsa bu randevu, Towner'ın istediği bir şey değildi.

Rafferty, bunu söyleyemeden, Towner bota binmişti. Rafferty iskeleden hâlâ birkaç fit uzaklıktaydı. Harika bir yanaşma planlıyor ancak çok azını gösterebiliyordu belki de. Rafferty, Towner'ın botun kenarına tutunmasını bekledi, bunun yerine Towner bota atladı. Rafferty elini uzattı ve Towner, dengesini kurmak için onu yakaladı; ancak isabetli bir atlayıştı ve buna ihtiyaç duymadı Towner. Denizde gayet rahat olan bir kadındı o. Belki de sadece denizde böyle olduğunu düşündü Rafferty. Pekâlâ, doğal olarak o bundan geldi, değil mi? Bu düşünce aklına gelir gelmez, onu silmeye çalıştı. Bu gece düşünmek istediği son şey Towner'ın ailesiydi.

"110" dedi Towner, bota hayran kalarak. Eski ve ahşap. Kahverengiye boyanmış. Sivrileşen uçlarıyla çikolata sigaralarına benziyordu. "Benim ilk botum da 110'du."

"Benimle dalga geçiyor olmalısın" dedi Rafferty.

Kasabanın ışıklarından uzakta, çoktan açık okyanusa doğru yol aldığını fark etti. Daha yeni olmuştu. Geri dönme ile ilgili her soru yok olmuştu böylece.

"Onunla yarışa girdin mi?" Rafferty, bunun zaten cevabını bildiği bir soru olduğunun farkına vardı. Towner'ın Marblehead'de Pleon Yat Kulübü'nde yarışırkenki fotoğrafını görmüştü. Fotoğraf, Eva'nın duvarındaydı.

Cevap vermeden önce uzun bir süre düşündü. "Hayır" dedi sonunda. "Hiç yarışmadım ben."

Bu, Rafferty'i durdurdu.

"Boşluklar" Eva bu şekilde tanımlamıştı. Towner'ın hafızasında boşluklar vardı. Rafferty, bu gerçekle pek sarsılmamıştı. Kimin hafızasında boşluklar yoktu ki? Programda, bunları şuur kaybı olarak çağırıyorlardı. Rafferty, Eva'nın lafını daha çok beğenmişti.

Bu gece, Rafferty'nin görüşünde boşluklar vardı, fark etti, genişleyen boş alanlar ve delikler. Işıldama yok olmuştu; ancak gökyüzü açık bir şekilde bölünmüştü. Çok keskin. Ağzı kafasına saplanmadan önce, kusursuz bir şekilde ikiye ayırarak görüşünü kesen, adeta küçük bir bıçaktı. Bu sefer baş ağrısından kaçamayacaktı. Bunu birkaç kez başarabilmişti. Ama ağrı geliyordu. Iskota halatını sıkı bir şekilde çekti ve mide bulantısını önlemek için botu hızlı hareket ettirmek zorundaydı.

"Birkaç dakika konuşmamamızın bir mahsuru var mı?" diye sordu Rafferty.

Sohbet etmek zorunda kalmadığı için rahatlamış göründü Towner. Bunun yerine, yan taraflardan tutunarak geminin baş tarafında oturdu. Ona arkasını dönmüştü, ileri, kuzeye doğru siyah sulara bakıyordu, asla daha önce bulundukları yere, arkaya bakmıyordu.

Bu durum, başka bir kadını sinirlendirebilirdi. Konuşmuyor olmak. Ancak Towner, rahat görünüyordu.

Ritme kapıldılar. Rüzgâr. Dalgalar. Hipnotize edici bir şey vardı; hareketli havada, nefes almalarını kolaylaştıran bir şey.

Rafferty, Towner'ın da bunu hissettiğini biliyordu. Bu buluşma, dün gecekinden daha iyiydi. Konuşmaya çalışmadıklarında daha rahattılar.

Manchester'ı geçtikten sonra bir yerde, Rafferty, artık hiç göremiyordu. Biraz da karanlıktandı bu. İlk başta rota dışı olduklarını düşündü, denize çok daha uzak olduklarını sandı. Ancak sonradan martıları duydu ve karaya yakın olduklarını anladı. Daha önce tamamen görüşünü kaybetmemişti hiç. Genellikle ya bir tarafı ya da ötekinde olurdu ve direkt bakarak hiçbir şeyi göremezdin, önünde ne olduğunu görmek için yanından geçerek bakmak zorunda kalırdın.

Karanlıktan mı yoksa migrenden mi olduğunu bilmiyordu. Tek bildiği şey göremiyordu. Safha sonrası diye düşündü Rafferty. Genellikle görseller ilk önce çıkıyordu ortaya. Bu durumda ilk önce onlar gelmişti. Daha sonra baş ağrısı geldikçe onlar uzaklaştılar. Ancak sonradan görseller geri döndü. Bu, şimdiye kadar yaşadığı en kötü migren nöbetiydi.

"İyi misin?" Rafferty, Towner'ın sesini duydu.

"Migren" dedi Rafferty. "Göremiyorum. Dümeni devralmak zorunda kalacaksın."

Yerlerini değiştiriyorken, Rafferty aşağıda kaldı. Başı dönüyordu.

"Geri dönmek ister misin?" diye sordu Towner.

"Evet" dedi Rafferty.

Yirmi dakika, diye düşündü Rafferty. Yirmi dakikadan yarım saate kadar. Görseller bu kadar sürüyordu. Zamanlayabiliyordu. Şayet daha fazla sürerse, bunun daha kötü bir şey olduğunu düşünecekti, felç belki de.

Rafferty, Towner'ın karşısına oturdu, sırtı geminin baş tarafına yaslıydı.

"Migrenin çok tutar mı?" diye sordu Towner.

"Evet" dedi Rafferty.

Botu kolaylıkla kullanıyordu. Rüzgâr onlara karşı esiyordu; ancak Towner ustaydı. Geldikleri kadar hızlı hareket etmiyorlardı; ancak Towner iyi bir tempoyu muhafaza ediyordu.

"Migren için bir şey alıyor musun?" diye sordu Towner.

"Bazen" dedi Rafferty.

Rafferty, kendini sayı sayıyorken buldu. Bunun aptalca olduğunu fark etti. Beverly boyunca, ellerini aşağıda tuttu. Görmeye başlıyordu. Kıyı boyunca ışıkları görebiliyordu –aralıklı ve halkalı; ama oradaydı. Bir nefes aldı.

"Dün pek uyumadım" dedi Rafferty, tekrar konuşabildiğinde. "Ve çok fazla kahve içtim." Hem Towner, hem de kendisi için bunu yüksek sesle söylemişti. Sesi, aptalca çıkmıştı. Keşke hiçbir şey söylememiş olsaydı.

Salem'e varana kadar Rafferty görmeye başlamıştı yine. Ağrı çoğunlukla sağ taraftaydı.

"Daha iyisin" dedi Towner.

Bunu nasıl bildiğinden emin değildi Rafferty. Pek hareket etmedi.

"Evet" dedi. Boynunu sürterek öne doğru eğildi.

"Dümene geçmeyi istiyor musun?"

"Hayır" dedi Rafferty, işaret ederek. "Shetland Parkı'na götür onu. Demir atma yeri orada, arkada."

Towner, başını salladı.

Rafferty, geminin arka tarafında oturdu ve Towner'ın botu sürmesini seyretti. Liman doluydu, botların slalom rotasıydı. Towner aralarında kaçakçı gibi hareket ediyordu, yakından geçecek kadar kendinden emindi.

"Kaliforniya'da denize açılıyor musun?"diye sordu Rafferty.

"Bir kere bile açılmadım" diye kabul etti Towner.

Rafferty, bunun Towner'ı şaşırttığını görebiliyordu. Halbuki ne kadar aşinaydı ve kolayca yapıyordu bunu.

"Bisiklet sürmek gibi" dedi Rafferty ve Towner gülümsedi.

Gözlerini Towner'la aynı seviyede tutuyordu Rafferty. Şayet Rafferty'nin görebileceğini düşünseydi, utanırdı; ancak bunu bilmiyordu Towner. Onun kıvrılmasını seyrediyordu Rafferty. Kolundaki kasları izliyordu.

Duyularının hiç bu kadar keskin olmadığı Rafferty'nin aklına geldi. Havayı koklayabiliyordu. Towner'daki limon kokusunu. Eva'nın kazağından. Saçları meltemle özgürce hareket ediyordu. Bazı şeyler vardı saçlarında. Şekiller: Bir deniz kabuğu, bir deniz-atı. Migren imgeleri. Yakamoz, botun arkasına düşüyordu, rota-yı belirterek.

"Hangisi senin demir atma yerin?" diye sordu Towner, yakınla-şıyorken.

"Orada" dedi Rafferty. Ayağa kalkıyordu. Bunun, hileli bir soru olduğunu fark etti. Onun kendisini seyrettiğini biliyordu Towner. Muhtemelen başından beri bunu biliyordu.

Tek geçişte demir atma yerini yakaladı Towner.

Bir an sessizce oturdular. "Bu deniz yolculuğu için teşekkür-ler" dedi Rafferty sonunda.

"Önemli değil" dedi Towner.

Rafferty'nin, başka ne diyebileceği konusunda hiçbir fikri yok-tu. Uzandı ve kornayı kaptı. İşkampavyeyi çağırmak için üç kez kornaya baştı.

Bir dakika daha oturdular, hiçbiri konuşmuyordu. Sonra iş-kampavyenin yaklaşırken sesini duydu Rafferty.

"Başın nasıl?" diye sordu Towner.

"Aşağılık bir herif gibi canımı yakıyor" Rafferty gülmeye çalıştı.

"Zavallı bebek" dedi Towner.

Gerçekten bunu mu kastettiğini yoksa onunla alay mı ettiğini bilmiyordu Rafferty.

"Arabayı sürebilecek misin?" diye sordu Towner, Rafferty yolcu kapısını tutarken.

"İyiyim" dedi Rafferty.

Rafferty, Towner'ı eve götürdü. Ona kapıya kadar eşlik etti.

"Seni içeriye davet ederdim, ama..."

Rafferty, elini kaldırdı. "Eve gitmem lazım" dedi, elini başına koyarak. Hayal kırıklığına uğramıştı Rafferty; ancak yapacak hiç-bir şeyi yoktu.

Towner, başını salladı. "Umarım daha iyi olursun" dedi.

"Yirmi dört saat" dedi Rafferty. "Ya da iyi bir gece uykusu. Han-gisi önce gelirse artık."

Merdivenlerden aşağıya inmeye başladı Rafferty. Yarıya kadar inmişti ki geri döndü. Ve yürüdü.

"Kapını kilitlemen gerektiğini söylemeliyim" dedi Rafferty.

"Ne?"

Rafferty, Towner'ın çok yakınında duruyordu. Bu kadar yakından ona bakmaya çalışmak Rafferty'nin başını döndürdü. Ve bu, Towner'ı da biraz korkuttu, öyle olduğunu söyleyebilirdi Rafferty. Bir basamak aşağıya indi. "Cal, seni görmeye çalışacak. Bir gün. Seni korkutmaya uğraşmıyorum. Sadece kapını kilitli tutman gerektiğini söylüyorum."

"Tamam" dedi Towner. Bunu söylerken, Towner'ın sesi hafifçe çatladı.

"Seni korkutmaya çalışmıyorum" dedi Rafferty tekrar.

"Tamam" diye tekrar etti Towner.

Towner içeri girene ve kilit sesini duyana kadar Rafferty basamakta bekledi.

Imitrex ilacından kalıp kalmadığını merak etti Rafferty. Ağrı kötüleşecekti.

Dantelin doğru sorusunu sormak önemlidir. Bu belki de, dantel falına bakanın en büyük sorumluluğudur.

Dantel Falı Rehberi

Dengemi sağlamak için kapıya yaslanıyorum, yukarı çıkan adrenalimin dinmesini bekliyorum. Rafferty, beni korkutmaya çalışmıyordu; ama korkuttu. Onun haklı olduğunu biliyorum. Cal beni görmeye çalışacak. Milyonlarca kez bunu rüyalarımda gördüm. Kâbuslarım. Nasıl olacağını biliyorum. Bu sahne o kadar çok oynandı ki bende, neredeyse prova edildi.

Bu beni artık o kadar da çılgına çevirmiyor, gündelik bir konu da değil zaten; ancak gitmek için kötü bir yer benim açımdan.

Gecemizin erken bitmesi beni hayal kırıklığına uğratmıyor. Rafferty'nin baş ağrısı için kötü hissetsem de gerçek şu ki kendimi iyi hissetmiyorum. Bunun fiziksel mi, yoksa psikolojik mi olduğunu söyleyemem; ancak Los Angeles'taki cerrahımı arayıp, Boston'da ameliyat sonrası takip için birini ayarlamasını söylemeyi aklımda tutmalıyım.

Eva'nın kazağını Rafferty'nin arabasından unuttuğumu fark etmem bir dakikamı alıyor. Merdivenlerden aşağıya doğru koşarken, motorun çalışma sesini duyuyorum. Tuğladan yapılma yola varana kadar, polis otosu köşeyi dönüyor.

Ön basamakları tekrar çıkıyorum ve ön kapının kolunu çeviriyorum. Dönüyor; ancak açılmıyor. Kapı kilitli. Düşürdüğüm yerde, öndeki masada anahtarı görebiliyorum.

Kilidi açabilirdim. Bu, kolay bir kapıydı. Tek ihtiyacım olan şey bir firkete ya da tel gibi bir şey. Girişe bakınıyorum bir şey bulmak için. Ama çok karanlık, aysız bir gece ve giriş, bitki kafesi gibi ve sarmaşıkla kaplı. Bakmak için uzun zaman harcayamayacak kadar yorgunum. İçeriye tekrar zorla girmem gerekecekse eğer arkaya, zaten kırmış olduğum pencereye gitmem gerektiğini düşünüyorum. Emlakçının listesine neden tamir edilecek bir pencere daha ekleyeyim?

Bahçenin demir kapısı, çatırdayarak açılıyor. Arkamdan kapıyı kapatıp muntazam bahçelere dalıyorum. Adımlarım, bezelye çekirdeklerini eziyor ve arka kapıya kadar yoldaki bütün deniz kabuklarını parçalıyorum.

Onun burada olduğunu hissettiğimde, bahçenin yarısına kadar gelmiştim. Ana kucağına zıplayan bir kedi gibi üzerime atlıyor. Kalın ve ağır, nefesimi kesiyor.

Etrafta dolanıyorum.

Bir adam figürü, bankta hareketsiz oturuyor. Üstüne abanmış. Demir parmaklıklı çitin arasından yansıyan sokak ışıklarıyla aydınlatılmış. Sadece gözleri hareket ediyor. Yürüyorken onları üzerimde hissediyorum.

Bacaklarım çok ağır. Kımıldayamıyorum.

Rafferty'nin uyarısı geliyor tekrar aklıma. "Cal seni görmeye çalışacak."

Nefes alışını duyabiliyorum.

Hareket edemiyorum.

Gözlerimi kapatıyorum ve köpekleri çağırmaya çalışıyorum. Kâbuslarımda ya da doktorlarımın halüsinasyon diye çağırmakta ısrar ettiği şeylerde köpekler vardı. Ama kâbusum Sarı Köpek Adası'nda geçiyor; burada, Eva'nın bahçesinde değil. Bana yardım edecek hiç köpek yok burada.

Hayatımda ilk kez, halüsinasyon görüyor olmayı umuyorum. Gözlerimi kapatıyorum. Açtığımda, orada olmayacak o.

Yavaş yavaş gözlerimi açıyorum. Hâlâ orada. Bu gerçek.

"Ne istiyorsun?" Sözcükleri hırıltıyla çıkarmaya çalışıyorum.

Bakışları alev alev. Daha önce burada bulundum ben.

"Git buradan" diyorum. Ancak hırıltı sona erdi. Sesim kalın ve teneke gibi çıkıyor. Kendimi çoktan kaybettim.

Dünya duruyor. Burada asılı kaldık. Sonunda sesini duyduğumda, dehşete kapılıyorum.

"Sophya" diyor bir fısıltı.

Suyun yüzeyine doğru çıkıyorum. Karanlık olan bir şeyden çıkarılıyorum. Nefes alabiliyorum.

"Jack" diyorum.

Gözlerim berraklaşıyor ya da karanlığa uyum sağlıyor ve ilk defa onu görüyorum. Çocukluk aşkım. İçeride, birkaç dakika sonra parlak elektrik lambasının altında yılların izini görüyorum onda. Öfke. İhanet. Ama burada, ay ve yıldızlarla aydınlatılarak, tekrar on sekiz yaşında.

20

Dantel falına bakan kişi başlangıçta, görülen imgeleri yorumlama istediğine karşı koymalıdır. Bu imgeler, tamamen fal baktırana aittir.

Dantel Falı Rehberi

Bir yelkenli geminin içinde uyanıyorum. Açık okyanusta süzülüyoruz, görünürde hiç kara yok. Tenim güneşten çatlamış. Dilim susuzluktan kaskatı kesilmiş. Ölüyorum.

Zihnimi aydınlığa kavuşturmaya çalışıyorum. Daha önce burada bulundum, en azından rüyamda.

Dik oturmak için kendimi zorluyorum.

Gerçek olan ne?

İradenin gücü zihnimi aydınlatıyor.

Gerçek olan ne?

Bir odadayım. Eva'nın odası. Karyola sayvanının danteline bakakalmışım. Başımı hızla başka yere çeviriyorum ve gördüğüm şey, yok olurken duvarlarda iz bırakarak soluyor.

Gerçek olan ne?

Eva'nın yatağı hareketsiz öylece odanın ortasında duruyor, açık okyanusla çevrilmiş bir yelkenli gemi. Oymalı dört ıskarmozu, minyatür bir katedralin çan kuleleri gibi yükseliyor. Maun ağacı, Madagaskar seferine çıkan Whitney gemilerinden birinde gemi yükü olarak taşındı. Sonra da gemi inşaatçısından daha istekli ve direk ustası olan biri tarafından oyuldu. Karyola başlığı kabaca yapılmıştı; ancak direkleri tırmandıkça simetrik bir mükemmellik içinde bükülüp, dönüyor, dalgalanan karyola sayvanını yükseltiyordu; bu, sonradan çılgın bir örtüyü yamayan, Eva'nın yıllarca yaptığı yastık danteli parçalarından biçimlenmiş bir karyola sayvanıydı. Yatak, benzerlik açısından katedral ile yelkenli geminin arasında bir yerde duruyor; ancak daha çok ikincisine yakın; çünkü ona doğru belirli bir hareket var: Karyola sayvanı, yelkenlisinden olduğu kadar dört ana direğinden de.

Karyola sayvanına bakakaldığımı fark ediyorum. Gördüğüm resimler, dantelde.

Başım ağrıyor. Sadece başım değil. Vücudumdaki her adale ağrıyor.

Şayet bu, içki sersemliği ise en kötülerinden biri. Ben, içkici biri değilim. En azından dün geceye kadar değildim.

Buraya ne anlatmaya geldiğini söyleme cesareti bulana kadar bir şişeyi bitirmiştik ve Eva'nın mahzeninden diğerini aldık.

"Ben ölü biriyim" dedi Jack.

"Hayır" dedim, öfkesini üzüntüsüne vererek.

"Öldürdüğün Cal değildi" dedi, gözleri ateş gibiydi. "O, bendim."

McLean Ruh Hastalıkları Hastanesi'ne gitmiştim; çünkü Cal'ı öldürdüğümü düşünüyordum. Bu, bir halüsinasyondu. Doktorlar, bunu bir arzu giderme fantezisi olarak adlandırdı. Cal Boynton'un köpekler tarafından parçalandığını görmek. Ama Cal hâlâ hayattaydı. Cal'ı öldürmek istemiş olabilirim kız kardeşime, teyzeme yaptıkları için; ancak ıskalamıştım. Vurduğum kişi Jack'ti.

McLean'deyken, Jack neredeyse her gün beni görmeye geldi. Arkada ıstakoz tuzaklarıyla, babasının kamyonunu sürdü. Meraklı arabalardan uzağa, arkaya arabasını park etti.

Doktorlar şok tedavisine başlayınca, ben de hafızamı kaybetmeye başladım.

"O, seni tanımayabilir." Doktorlar Jack'e böyle dediler. "Bazen kısa süreli bellek bir süre kaybolur."

Jack onu sormamı bekledi. Havalar soğudu. Jack beklemeye devam etti.

Rüzgâra karşı yürüdü, yakası yukarıda, başı aşağıda, mantosuna sıkıca sarılarak. Ağaçların arasından geliyorken onu seyrediyordum.

İlk kar yağana kadar her gün geldi Jack, ta ki babasının içip, kamyonu birkaç siyah buzun üzerinde parçaladığı geceye kadar.

"Jack, geri gelmeyecek" dedi Eva. Duvara doğru kafamı çevirdim ve gözlerimi ağaçlara diktim. Haftalarca baktım yaprakları sonunda dökülüp, altındaki dantelsi siyah dallarını gösterene kadar. Dantel ağında, Jack'i aradım. Orada değildi. Lyndley'i de aradım; ama o da hiçbir yerde yoktu. Ağaçta tek bir yaprak kalmıştı, bir dalın en ucunda hâlâ sallanmakta olan tek bir yaprak ve bu yaprağı da izledim ta ki bir sabah uyanıp onun da tutunduğu yeri bıraktığını görene kadar. Pencereye doğru yürüdüm ve yığın içerisindeki yaprağı tanıyacağımı düşünerek aşağıya baktım, bir yerde onu ayırt edebilmek için çok uzun süre baktım yaprağa. Ancak şimdi diğer yapraklar gibiydi. Kararan ve ölen. Yakında insanlar gelecek ve diğerleriyle birlikte onu yakacaktı.

Bundan sonra Jack'i sadece bir kez daha gördüm. Neredeyse bir yıl sonra. Kaliforniya Üniversitesi için ayrıldığım gündü. Sadece bir planım olduğu için beni McLean'den salmışlardı. Hikâyelerimi Kaliforniya Üniversitesi'ne göndermiş ve onların yazma programına kabul edilmiştim. Herkes bunun yapılacak iyi bir şey olduğu konusunda hemfikirdi. Eva dışında herkes.

Beezer, botu açılmak için hazırlarken ben Whaler'da oturdum. Biz ayrılırken, Jack'in botu yanaşıyordu, birbirimizin yanından geçerken ikimiz de ayaktaydık. Yüz ifademi çözmeye çalışıyordu, onu tanıdığımı gösteren işaretleri arayarak. Bomboş görünmeye çalışarak, ben de ona baktım. Nefesimi tuttum.

Aslında onu aptal yerine koyduğumu düşünüyordum. Dün geceye kadar.

Başım ağrıyor. Karyola sayvanı hareket edip, dönüyor. Yatakta yuvarlanarak ondan uzaklaşıyorum. Bu hareket midemi bulandırıyor. Hasta olacağım.

Karyola direğinden tutunarak, kendimi yukarı çekiyorum. Yavaş yavaş hareket ediyorum, dengemi sağlamak için eşyaları yakalayarak odanın köşesindeki mermerden eski lavaboya varana kadar kendimi sürüklüyorum. Musluğu çeviriyorum ve su soğuyana kadar bekliyorum. Yüzüme su serpiyorum, sonra da bir bardağı doldurup, hepsini içiyorum. Kusuyorum sonra.

Terden sırılsıklamım.

Havaya ihtiyacım var.

Pencerelerden birine doğru yürüyorum ve onu açmak için kaldırıyorum; ancak çok ağır, pencerenin makara teli kırık ve sallanıp duruyor. Onu tutturmak için bir şey arıyorum, eski bir cetvel buluyorum. Bu pencerenin karşısındakini açmak için odanın diğer tarafına geçiyorum. Pencere bir süre açık kalıyor, ardından parmaklarımı son anda kaçırarak hızla aşağı iniyor. İki pencere camını neredeyse simetrik olarak ikiye ayırarak sert bir şekilde kapanıyor. Bu, beni sarsarak uyandırıyor.

Bir pencereden diğerine dikkatlice geçiyorum, hepsini açıyorum.

Sıcak meltem, odayı dolduruyor, cadde gürültüsünü de taşıyarak. Perdeler dalgalanıyor ve eski bir yelkenli gibi sesler çıkarıyor. Dantel karyola sayvanı hava ile dolarak toplanıyor, sesi ile dikkatimi çekiyor. Tuzlu hava içeriye hücum etmiş durumda ve böylece oda yelkenli gemilerle dolu. Sanki Salem'in Çin'le ticaret yaptığı çağa geri döndüm. Kocaman gemiler, limanda birbirinin yanında yavaşça hareket ediyor. Caddelerdeki tüccarlar, yöredeki kadınlara baharat satıyor; bu kadınlar da onları evlerine götürüp süslü kutularda saklayıp kimseye sunmayacakları azıcık biber için küçük bir servet ödeyip, onlar için kavga ediyorlar.

Yatağın kenarına doğru yolumu değiştiriyorum. Aşağıda sallanan karyola sayvanının kenarına uzanıp, çekiyorum. Yatağın içine tıkışıyorum. Başım fırıl fırıl dönüyor. Yan tarafa dönüp, odayı durdurmak için elimi karyola başlığına karşı koyuyorum. Uyumak için bekliyorum.

Tekrar uyandığımda, öğle vaktiydi. Midemde bir ağrı hissediyorum.

En son ne zaman yemek yedin? Eva'nın bunu sorduğunu hayal ediyorum. Haklıydı. Bu ağrı, açlıktı.

Kalkıyorum. Yanmış tost ve çay için aşağı inmeyi denemem gerektiğini düşünüyorum. Eva'nın her şey için tedavisi.

Bir ses duyuyorum. Bir ses.

İlk başta, tekrar Eva'nın sesini duyduğumu düşünüyorum ve sonra emlakçının genzinden konuşmasını tanıyorum.

Evi göstereceğini bana söylemişti; ama ben bunu tamamen unutmuşum. Evi gösterirken burada olmamam gerektiğini söylememişti. Böyle bir protokolden haberdar olduğumu zannetmişti herhalde.

Merdivenlerden yukarı çıkıyorlar. Emlakçının, çifte asılı duran merdivenden, kirişlerin, duvarın içine nasıl konulduğundan ve böylece merdivenlerin görünürde hiç desteğinin olmadığından bahsettiğini duyuyorum. Benim evde olduğumu bilmediğini söyleyebilirim; çünkü ona anlattığımdan beri hikâye bayağı değişmiş. Aşağıdaki bahçelere dikkat çekmek için sahanlık penceresinde duruyor, Eva'nın koleksiyonuna yeni melez çiçekler ekliyor, sadece Eva'nın adını alan yeni bir gülü değil, benim şimdiye kadar hiç duymadığım iki ya da üç çiçeği daha ekliyor ve görünen o ki şu an uyduruyor bunları. Üçüncü kattaki Fransız kapıları hakkında da bir şeyler katıyor, tamamen yalan olan şeyler; ancak bu kadar abartma olmasaydı, bunun bir satış noktası olabileceğini düşünüyorum. Yine de buradan bile insanların evle ilgilenmediğini söyleyebilirim ve dolayısıyla onun bütün bu performansı zaman kaybından başka bir şey değil.

Ben senin için öldüm.

Sessiz duruyorum. Bu, Eva'nın sesi. O kadar yüksek ki onların da duymuş olduğundan eminim.

Merdivenlerden yukarı çıkmaya devam ediyorlar.

Buradan kurtulmam gerekiyor, hemen.

Ben daha çıkamadan, emlakçı ve müşterileri sahanlığa vardılar. Arka kapıya doğru yöneliyorum. Başım dönüyor, her nesneyi görebilmeme rağmen, sanki oda karanlıkmış gibi duvarlara dokunarak yolumu buluyorum. Ter, yüzümden aşağıya iniyor. Emlakçı yandan hareketimi yakalıyor ve bakıyor. Beni fark ettiğini görüyorum ve sonra gözlerini Samuel McIntire'ın yaptığı ağaç işi doğramalara çeviriyor, arka kapıdan, hizmetli merdivenlerinden kaçmam için bana zaman veriyor.

Bahçede emlakçıyı bekliyorum. Çok tedirginim. Kapının yanında durup konuşuyorlarken, sohbetlerine kulak kabartıyorum. Onları duymaya çalışıyorum, seslerinin yakınında kendime yer yapıyorum, gerçek sesler. Orta Batı'da bir yerden gelmiş olmalılar. Chicago belki de. Kadın, bir turla birlikte bir kez Salem'e geldiğini söylüyor. Emlakçıya mimariyi hatırladığını ve kocasının Boston bölgesine yerleştirildiğini öğrendiğinde Salem'in aklına geldiğini söylüyor.

Kocasının pek de istekli olmadığını söyleyebilirim, ne ev ne de Salem için.

"Peki, hâlâ yakıyorlar mı cadıları bu kasabada?" Adam komik olmaya çalışıyor.

"Onları yakmıyorlar, onları asıyorlar." Emlakçı gülüyor. Sonra sohbeti tekrar satış konuşmasına getiriyor.

"Buradaki mülk fiyatları, Beacon Tepesi'ndekinden daha iyi." Adamı etkilemeye çalışarak, emlakçının bunları söylediğini duyuyorum.

"Ya da Back Körfezi'ndekinden... Back Körfezi'nde böyle bir ev için üç ya da dört milyon verirsiniz."

Adam ulaşım hakkında sorular soruyor. Kasabadan buraya gelmesinin kırk beş dakikayı aldığını söylüyor. Rahatsız edilmekten ötürü sesinde anlaşılmaz bir öfke var.

"Big Dig Tünel Projesi yüzünden" diyor emlakçı adama. "Tünel yerine köprüyü tercih etmeliydiniz."

Adam buna kanmıyor. Şunu söyleyebilirim ki, emlakçı da. Banliyö trenlerinden bahsediyor adama, yürüme mesafesinde olduğunu, Kuzey İstasyonu'na yirmi dakikalık mesafede olduğunu söylüyor. Çoğu insanın trene bindiğini belirtiyor; ancak bu adamın, treni sürecek biri bile olmadığını söyleyebilirim. Aracının kendi kontrolünde olmasından hoşlanan bir adam bu. Bütün bu ev gezdirme işi, zaman kaybı. Emlakçı bana sonradan böyle olacağını bildiğini söylüyor. "Adam, bahçeleri yerinden sökmeyi istedi" dedi. "İkinci bir park alanı yapmak için. Bunu hayal edebiliyor musun?"

Saat dörtte başka birine daha evi gezdireceğini ve geldiğinde evde olmazsam gerçekten iyi olacağını söylüyor emlakçı. "Mal sahibinin varlığı, potansiyel alıcıları korkutabiliyor"diyor emlakçı. "En azından burada olduğunuzu biliyorlarsa."

Eve gidiyorum. Çay demlemek için ocağa su koyuyorum. Her zamanki Assam çayı ve yanmış tost. Yutkunmaya çalışıyorum. Öğlene kadar kendimi daha iyi hissetmeye başlıyorum.

Ann'in öğle yemeği vaktinde buluşup çiçekleri budamama yardım edeceğini tamamen unutuyorum. Tam parti botunun düdükleri çaldığında öğle vakti ortaya çıkıyor Ann. "İyi misin?" diye soruyor. "Biraz solgun görünüyorsun."

"Akşamdan kalmayım" diyorum. Bunu söylerken kendimi aptal hissediyorum; ama işe yarıyor.

"Anlıyorum" diyor Ann.

Çok zamanı yok; bu yüzden hemen işe koyuluyoruz. Birlikte iyi iş çıkarıyoruz. Sıralar boyunca aşağıya giderek kocaman çiçekleri buduyoruz. Çok ritmik ve hipnotik bir etkisi var: Ayırmak, toplamak, sepeti elden ele vermek. Güneşin sıcaklığı, ağrıyan kaslarımı rahatlatıyor.

"Teşekkürler" diyorum.

Uzun şakayıklar sırasının sonunda, çalıların içinde beyaz bir şey görüyorum. Eğilip, çocuğun fırlattığı yerden *Salem News* gazetesini alıyorum. Bu gazetelerden Eva'nın bana bakışını görmeye alışkınım ve başka bir yüzün yer aldığını görünce rahatlıyorum, daha genç bir yüz. Ardından ismi okuduğumda, rahatsız oluyorum –Angela Rickey. Saçları sade ve püriten günlerine dayanan bir stille arkaya atılmış. Angela'nın ortadan kayboluşu, Eva'nınkinin yerini almış ön sayfa haberlerde.

Hemen onu tanıyorum.

"O, buradaydı" diyorum.

"Ne?"

"Onu gördüm. Buraya geldiğim ilk gün. Kapıya geldi. Ben yetişene kadar gitmişti."

"Telefonun nerede?" diye soruyor Ann. "Rafferty'i aramalıyız."

Beş dakikada buraya varıyor Rafferty.

Ona hikâyeyi anlatıyorum. Angela'nın nasıl geri döndüğünü düşündüğümü; halbuki gelenin Beezer ve o olduğunu söylüyorum.

"Onun Angela olduğundan emin misin?" Gazetenin yayımladığı fotoğrafın daha iyi bir kopyasını çıkarıyor Rafferty.

"Doğum lekesi dışında o" diyorum.

"Hangi doğum lekesi?"

"Yüzünün bir tarafından aşağıya doğru inen çilek renkli bir doğum lekesi vardı." Elimi şakaklarımdan çeneme kadar gezdiriyorum.

Rafferty ve Ann bakışıyorlar.

"Ne?"

"Gördüğün kız hamile miydi?" diye soruyor Rafferty.

"Evet" diyorum. "Kesinlikle."

"O, olmalı" diyor Ann. "Eva'yı arıyordu."

Rafferty'nin düşündüğünü görüyorum.

"Eva'nın kayıp olduğunu bilmiyor olabilir mi?" diye soruyor Ann.

"Her şey olabilir" diyor Rafferty. Çok ciddi. Profesyonel. Yüzü taştan bir maske gibi.

"Belki de Eva'ya anahtarı vermeye çalışıyordu" diye ortaya atıyor Ann. "Ya da yardım arıyordu."

"Tamam" diyor Rafferty. "Teşekkürler."

Ayrılmak için dönüyor Rafferty. Bu, beni ürkütüyor.

"Bekle" diyorum, sepeti kenara bırakarak. Kapıya kadar ona eşlik ediyorum. "Başın nasıl?" diye soruyorum.

"İyi" diyor. "Ya seninki?" Sesi kesik kesik ve tonu kinayeli. "Gitmeliyim" diyor Rafferty ve benden uzaklaşıyor.

Ann'in çalıştığı yere dönüyorum.

Yüzümdeki bakışı görüyor. "Sevgili kavgası mı?" diye soruyor Ann.

"Ne? Hayır... Bilmiyorum."

"Bana eski kafalı diyebilirsin; ancak alkol bile işin içine girse, eski erkek arkadaşınla geceyi geçirdiğinde yeni erkek arkadaşı-

nın üzülmesinin alışılagelmiş bir şey olduğunu düşünüyorum."
Ann'e bakıyorum.

"Burası küçük bir kasaba" diyor Ann. "Haberler çabuk yayılır."

"Bu, doğru değil" diyorum. "Jack, buradaydı; ancak onunla yatmadım."

"Hey, bu beni ilgilendirmez." Ann budamaya devam ediyor.
Ellerimle gözlerimi kapatıyorum; ancak dünya dönüyor ve eğiliyor. Budama sepetinin ortasına kusuyorum, ikinci defa.

Ann, beni Eva'nın kanepesinde bırakıyor. Ateşim var.

"Muhtemelen sıcaktan" diyor Ann. " Belki de ameliyattandır."
Ona ameliyattan bahsediyorum. Önemli olabilir diye. Ayrıca
Jack ile niye yatamayacağımı da açıklamak için. Ya da herkesle.
Ann'in bunu bilmesini istiyorum.

"İşten sonra uğrayacağım" diyor Ann. "Seni ayağa kaldıracak
bazı otlarım var."

Başımı sallıyorum. Tek istediğim uyumak.

Ateşliyken görülen rüyalar meydanı sarıyor. Tırmanmayı hayal
ediyorum. Lyndley'in atladığı gün yaptığı ve May'in beni hayatta
tutmaya çalıştığı zaman defalarca teşebbüs ettiğim şey gibi.

Lyndley'in ölümü beni çok sarsmıştı, neredeyse ben de ölmüştüm. Hatta Eva hastanede olmam gerektiğini düşündü. Ancak
May, buna hayır dedi. Bu, bizi ilgilendiren bir şeydi. Beni kayalıkların tepesinde ilk kez yakaladığında bile hâlâ bu durumun üstesinden gelebileceğini düşünüyordu. Tabii ki yanılıyordu. Birçok
konuda yanıldığı gibi.

May'in tepkisi tam kendi mantığına yaraşırdı. Evin bütün kaçış
noktalarına kilitler koyması için çilingiri çağırdı. Sonra da adama
Boynton evini tahta çaktırarak kapattırdı. Ön kapı kilitliydi, çift
sürgülü. Çilingir, teyzeciğim Boynton'un evine (onların evi terk
edilmiş ve tahta çakılarak kapatılmıştı) çift kilit takarken hiç
problem yaşamadı; ancak bizimkisine takmakta tereddüt etti.
Massachusetts'de çift kilitler yasal değildi; çünkü acil bir durumda dışarı çıkmanı engelliyordu bunlar. Çilingir, bunu May'e bildirdi; ancak çoktan ilk katın pencerelerine ve diğer yerlere kilit takmıştı ve May, bu işi şayet istediği gibi tamamlamazsa onun parasını ödemeyi reddetti. Bu yüzden sonunda buna razı oldu adam.

Kilitlerin amacı birini dışarıda bırakmak değil; beni içeride tutmaktı. İntihar eğilimi taşıdığım için beni sık sık kontrol ediyorlardı. O zaman bile insanlar, intiharın aile bireyleri arasında taşındığını biliyordu ve May, bana hiç şans bırakmıyordu. Ama konu kilitler olunca, May benim dengim değildi. Yaysız kilitlerden bile rahatsız olmadım. Otuz saniyede pencere kilitlerini etkisiz hale getirmiştim. Tek kullandığım şey, masasının çekmecesinden aldığım tel bir raptiyeydi.

Dolunay vardı, çekimi kuvvetliydi. İntiharla ilgili düşüncelerinde yanılıyordu insanlar. Rahatı ya da sonsuz huzuru aramıyordum. Tek istediğim, bakış açısıydı. Etrafımdaki şeyleri onun gözleriyle görmek. Herkes, istismarı ayıpladı. Cal'ın ona yaptıkları hakkında konuştular. Herkes, bunu bizim görmemiz gerektiğini söylüyordu. Ancak biliyordum ki bundan daha fazlası vardı. May'in olduğu kadar bu benim de suçumdu. Cal, onu taciz etmiş olabilirdi. Ancak ben ona sadece kaçma umudunu bırakmıştım.

Ve bu yüzden, tekrar tırmandım. Lyndley'in gördüğü gibi her şeyi görmeyi denemek için. Bu, yapmam gereken şeydi.

Uzun bir tırmanıştı. Göründüğünden daha zordu. Birkaç köpek beni izlemek için mağarasından çıkmıştı. Kuşlar çember çiziyor ve acı acı feryat ediyordu. Yolu yarılamışken ayağımı, martıların düşürmüş olabiliceği bir deniz kabuğuna çarptım. Kabuk, ilk iki ayak parmağımın arasına girdi, onları keserek aralarındaki boşluğu genişletti. Onu düşündüğünde, o kadar da çok kanamıyordum; ancak kanamaya devam ediyor ve ben durduramıyordum; bu yüzden uğraşmayı da bıraktım. Bunun yerine, belki dönüş yolunu bulamam diye Hansel ve Gratel gibi arkamda kan izi bırakarak sadece tırmanmaya devam ettim.

Zirveye varmak uzun zamanımı aldı, hem ayağım hem de dolunayın saldığı gölgeler yüzünden.

Kayalıkların yukarı doğru yükseldiği dik uçurumda uzun bir süre durdum. Tam Lyndley'in atladığı yerde. Aşağıdaki siyah okyanusa bakakaldım. Ardından elbisemin değiştiğini gördüm. Evden çıkarken üzerimde olan kesilmiş kot pantolon ve tişörtü giymiyordum artık; üzerimde Lyndley'in öldüğü gün giydiği beyaz gecelik vardı.

Rüya, bakış açımı değiştiriyor yine ve artık tepede değilim; yılbaşı sabahında Eva'nın salonundayım, Eva'nın bana ve Lyndley'e verdiği beyaz dantel geceliği giyiyorum. Ve deniz manzarası aynı olsa da gerçek değil; bu, Lyndley'in hayattayken son yılbaşında benim için yaptığı resim. Onun *Ay'a Doğru Yüzmek* adını verdiği tablo. Paketi daha yeni açmışım ve resmin başında duruyorum; suyun dokusuna ve kız kardeşim Lyndley'in endamına bakıyorum, saçları savruk ve arkasına düşmüş, bir kolunu uzatmış, önünde bitmek tükenmek bilmeden yayılan patikaya uzanıyor, ufuk çizgisinin hemen yukarısında daralarak dolunayla ortadan kayboluyor patika. Resim beni büyülüyor, Lyndley'in yaptığı diğer resimlerden daha çok. Etrafımdaki seslerin farkındayım, resim hakkında yorum yapan Eva ve Beezer'ın sesleri, bana resmin ne kadar güzel olduğunu söylüyor. Ve onlara beni nasıl bu şekilde şaşırtabildiklerini soruyorum. Yılbaşı gününden önce hediyelerimi keşfetmekle ünlüydüm. Yılbaşı sabahına kadar bu büyük paketi nasıl saklayabilmişlerdi?

Odada ölü sessizliği var. Rüyamdaki şekiller tekrar değişiyor. İnsanlar gitmiş. Resme yakından baktığımda, Lyndley'in kolu bile yok, fırça darbelerinin detaylarını ancak denize çok yaklaştığımda görebileceğim şaşırtıcı renkleri inceliyorum. Ayırt edebilecek kadar yakına geldiğinde her rengin yansıtıldığını fark ediyorsun. Fazla eğiliyorum, tıpkı Lyndley'in kayalıklardan düşmeden önce yaptığı gibi ve dengemi kaybediyorum, tıpkı Lyndley gibi. Aşağının çok yüksek olduğunun farkındayım. Ve artık olduğumu düşündüğüm yerde değilim, Lyndley'in atladığı kayalıklarda da değil, Eva'nın salonunda da; Golden Gate Köprüsü'ndeyim. Kendi ölümümü seyrediyorum, rüya tabirlerinde söylenilen intihar klişesi. Sisin parmakları uzanıyor ve köprünün üzerinde beni yakalamaya çalışıyor içine almak için. Ama ben zaten köprünün ucuna doğru yuvarlanıyorum ve kurtulamayacağımın farkındayım. Boya renklerinin içine düştüğümü hissediyorum; ancak bu boya, kaya gibi sert, kurutulmuş ve boya kuru olmasa bile düşülemeyecek kadar çok uzakta olduğunu, bu yükseklikten yalın denize düşmenin sert bir zemine çarpmak gibi olduğunu fark ediyorum. Şayet kusursuz bir şekilde dümdüz düşmezsen, kurtulamazsın. Bu düşüncede olmama rağmen aşağıdaki renkler hareket etmeye başlıyor ve tekrar sıvılaşıyor ve bakış açım bir kez daha değişiyor, renkler arasında serin sulara doğru kayıyorum.

Lyndley gibi dalmıyorum sulara. Suyun içinde değilim; resmin içindeyim artık ve renk sisi arasında suyun yüzeyinde yüzüyorum. Aya doğru yüzüyorum. Önümde olan Lyndley'e yetişmeye çalışıyorum, kırmızı sarı saçları arkasına düşmüş. Benden uzakta yüzüyor, hızlı hızlı hareket ederek onu yakalamaya çalışıyorum; ancak onun kadar güçlü bir yüzücü değilim ve aramızdaki mesafe gittikçe açılıyor. Solda Children Adası var ve hemen önümde ay patikasının yerini sis almış.

Üşümüş ve bitkin bir şekilde adını söylüyorum. Sis, şimdi her yerde. Her yöne dönüyorum; ancak renkler kaybolmuş. Okyanus, karanlık ve boş. Soluksuzum ve onun gittiği yöne doğru yüzüyorum, bunu yapmamamı söyleyen her hissi boş veriyorum.

Tekrar onu çağırıyorum. "Lyndley!" Ve sesim sisin içinde dağılıyor. Saçını görüyorum tekrar ya da anlık bir bakış. Bazı şeyler var içinde: Bir deniz kabuğu, bir denizatı. Adını söylüyorum tekrar. Beni duyuyor, dönüyor. Ancak baktığım Lyndley'in yüzü değil. Bu, Eva'nınki. Bakışı sevgi dolu ve kibar. Bir şey söylemeye çalışıyor. Yüzmeyi bırakıyorum çok kısa bir süre. Dinliyorum.

"Asla pes etme" diye bağırıyor Eva.

Bir kez daha kayalıkların üzerindeyim. Aşağıya doğru iniyorum, akan kanın farkındayım. Kan şimdi her yerde, her şeyi kaplıyor. Kayalıklar akan kanla kayganlaşmış. Aşağı inmek biraz vakit alıyor.

Cal'ı görmeden önce, varlığını hissediyorum. Eli, bileğimi yakalıyor.

Sonra köpekler ortaya çıkmaya başlıyor, izliyor ve bekliyorlar. Onlara izin vermemi bekliyorlar.

Köpekler Cal'ın üzerinde. Çabucak. Onu parçalıyorlar. Onları durdurabilirim; biliyorum ki bu güce sahibim. Ama durdurmuyorum onları. Cal'ın ölmesini istiyorum.

Bir silah patlaması, ateşler içinde gördüğüm rüyalardan uyandırıyor beni. Hayır... Silah patlaması değil. Gökgürültüsü.

Terden üşümüşüm. Ama daha iyiyim. Hava soğumuş. Yağmur pencere camlarına vuruyor, sonra pencere denizliğine yuvarlanıyor yağmur damlaları sanki ev su alan bir yelkenliymiş gibi. Koşturup pencereleri kapatıyorum. Sonra saati görüyorum. Neredeyse bir buçuk saattir uyuyorum. Sadece on dakika kalmış ve emlakçı diğer müşteriyle dönmek üzere. Eva'nın sarı yağmurluğunu kapıp, yağmura dalıyorum.

Hava serinliyor. Sadece sağanak yağıştan değil. Taşınan soğuk hava kütlesini de hissedebiliyorum. Common Parkı'nı geçiyorum, henüz tamamen uyanmış değilim, nereye gittiğim konusunda hiçbir fikrim yok ama fırtınanın içine dalıyorum. Duck Tur otobüsünün geçmesi için köşede duruyorum. Yanımda "Amfibi Araç" diye yazıyor. Arabanın önü bir tur otobüsünden çok, ordu tankına benziyor. Mikrofonlu bir ses, geçtikçe belirli noktaları tanıtıyor ve herhangi birine heykelin kim olduğunu bilip bilmediğini soruyor. Herkes onun bir cadı olduğunu tahmin ediyor. Turist rehberi, yanıldıklarını ancak onların hoşsohbet olduklarını söylüyor. Bunun Salem'in kurucu babasının heykeli olduğunu belirtiyor; ancak doğru tahmin edemedikleri için kendilerini kötü hissetmemelerini; çünkü ulusal bir derginin de bunu yanlış bildiğini söylüyor rehber. Salem üzerine makaleleri yayımlandığında Roger Conant'ın heykelini, kurucu babamızı, "kararlı bir büyücü kadın" şeklinde etiketleyen bir başlıkla resmetmişlerdi, diyor kadın.

Bu gerçeküstü bir şey. Belki de yarı rüyadayım hâlâ. Turister camlardan dışarı sarkıyor, dönerken fotoğraf çekiyorlar, sallanan kollarıyla ağaç dallarına dönüyorlar adeta, geçerken bana dokunmak için camlara uzanıyorlar. Belki de arkalarında hareket eden ağaçlardır, bakış açısının bir başka hilesi daha.

Yağmur beni hayata döndürüyor. Kendimi Pickering Rıhtımı'nda buluyorum, Ann'in dükkânının dışında durup vitrine bakıyorum. Gözlerim, camın ötesine odaklanıyor, bu dünyanın ötesindeki bir hayata. Köşede, Ann'in asistanı yuvarlak bir masada oturuyor, tarot kartları önünde yayılmış. Bir müşteri dikkatini kartlara veriyor, vücut diliyle kartlardan daha çok şey anlatıyor, onları gereksiz kılıyor. Kadın hakkında buradan bile yorum yapabilirim: Yitirilmiş bir aşk, omuzları üzgünce öne doğru düşmüş. Hayalleri ölen bir kadın. Buraya umut aramak için gelmiş. Görelim bakalım, bir yolcu, o yolculuk yapacak. Belki de şu an fal bakmıyorum; çünkü yolculuk kısmı kesin, bu kadın şüphesiz bir turist; en azından buraya kadar yolculuk yaptı. Yine de onun geleceğinde daha fazla yolculuk görüyorum. Ona düşündüğüm şeyi söyle. Ona, tutunacak bir şeyler ver. *Deniz yolculukları yap, bunları dene, başka hiçbir şey yok.* Eva'nın sesi alıntılar yapıyor. Birinin neden insanlara geleceklerini söyleyerek hayatını kazanmak istediğini anlamıyorum. Bu, beni çok üzerdi.

Turistler koşturuyor. Yağmurluğunu unutan, oldukça ablak bir adam, kol kısımları kesilmiş bir çöp torbası giyiyor. Tur otobüsleri birbirleriyle karşılıklı park ediyor. Daha önce rıhtımın hiç bu kadar dolu olduğunu hatırlamıyorum. İnsanlar kapı girişlerinde, saçakların altında durup havanın düzelmesini bekliyorlar. *Şayet Yeni İngiltere'de havayı beğenmiyorsan, bir dakika bekle yeter.* Altı tane cadı dükkânı bu dar yolda sıralanmış. Turistleri Nebraska ve Ohio'ya giden otobüslerine dönmeden dükkânların içerisinde sabunlar, yağlar, iksir kesecikleri satın alırken görüyorum. Otobüslerini bunun için bekletiyorlar. "Lütfen lütfen bekleyin. Torunum için bir şey almalıyım. Buraya bir daha ne zaman geleceğimi bilmiyorum. Gelecek yıl, Atlantic City'e gideceğiz."

Ann'in asistanı, falına baktığı müşterisini yazarkasaya kaydediyor. Tarot kartları destesi kasanın yanında duruyor. Kız bana bakıyor.

"Ann burada mı?" diye soruyorum.

"Arkada" diyor asistan. "Şimdi çıkar."

Daha yeni ödemesini yapan kadın geri çekiliyor, ben de kadının yolundan çıkıp kenara çekilmeye çalışıyorum; ancak tarot kartlarına takılarak onları yere saçıyorum.

"Üzgünüm" diyorum, kartları almak için eğiliyorum.

"Dokunma onlara!" diyor satış elemanı kız. Yere çökerek kartları alıyor. Ayaklarıma resimli yüzü üste gelecek şekilde düşen bir kart dışında deste eksiksiz.

Kız, kafasını kaldırarak dramatik bir şekilde bana bakıyor. "Ölüm kartı." Sanki kart sıcakmış ya da kirliymiş gibi kenarlarından tutarak onu alıyor kız. Tezgâhın üstüne koyuyor. Sonra içinde kristallerin olduğu bir kutuya doğru yavaşça giderek zincirdeki bir ametist taşını çıkarıyor.

Taşı elime sıkıştırıyor. "Bunu boynuna tak" diyor. "Duş alırken bile çıkarma sakın."

"Ne?"

"Korunmaya ihtiyacın var."

Sonra Ann geri geliyor, yüzümdeki ifadeyi görmüş olmalı.

"Ne oluyor burada?" diye soruyor Ann. Şüphe içinde bana bakıyor. "İyi misin?"

Satış elemanı kız Ann'e dönüyor. "O, ölüm kartını çekti."

"Fal için mi geldin?" Ann, buna inanmakta zorluk çekiyor.

"Hayır" diyorum. "Kartları devirdim."

"Ölüm kartı, onun ayağına düştü. Korunmaya ihtiyacı var."

Ann, başımı kapıp aşağıya çekiyor, ellerini başımın üzerinde gezdiriyor, hissederek ve bastırarak. "O, iyi" diye bildiriyor Ann. Kıza kristali uzatıyor. "Bunu yerine koy."

"Yaptığım şey için özür dilerim" diyor Ann. "Onu uzaklaştırmamın tek yolu buydu." Meraklı görünüyor. "İyi misin?"

Ne söyleyeceğimi bilmiyorum.

"Hadi" diyor Ann. Beni ofisine götürüyor. "Ölüm kartı hiçbir anlama gelmez" dedi Ann. "Pekâlâ, o kart bir şey ifade etmez; ancak genellikle değişim anlamına gelir. Hayatın sona ermesi ve yeni bir başlangıç. Çoğunlukla iyi bir şeydir" diyor Ann. "Ayrıca diğer kartlarla birlikte yorumlanmalıdır bu kart." Ann usanmış gibiydi. "Onun fal bakmasına izin vermemeliyim" dedi Ann. "Onu kovacağımı hatırlat bana."

Gülümsemeye çalışıyorum.

"Daha iyi görünüyorsun" diyor Ann, pozitif olmaya çalışarak. "Biraz."

Uzun bir süre onun Japon şiltesi üzerine oturuyorum. Beni, kediotu kökü ve sıcak çay ile besliyor.

"Bu, doğal Vailum ilacı" diyor Ann. "Bunu her zaman içiyorum."

"Sana bir soru sormam gerekiyor" diyorum sonunda. Bunun için buraya geldim.

"Fal mı istiyorsun?" Ann şaşırmış görünüyordu.

"Öyle bir şey değil. Eva ile ilgili bir şey."

"Peki" Ann bana bakıyor.

"Eva'nın kendisini öldürmüş olabileceğini düşünüyor musun?" Bu, sürekli aklıma gelen bir soru. Kafamdan atamadığım bir şey.

"İntiharı mı kastediyorsun?"

Bu kelime yanlışmış gibi görünüyor. "Neyi kastettiğimden emin değilim."

Ann başını sallıyor. "Eva şimdiye kadar karşılaştığım en mutlu insandı. Kendini öldürecek biri değildi."

Evet anlamında başımı sallıyorum.

"Peki, neden bunu sordun?"

Duyduğum sesler hakkında ona bir şey söylemek istemiyorum. "Eva benim geldiğimi biliyordu" diyorum. "Bundan çok eminim." Ann düşünüyor. "Pekâlâ" diyor. "Eva bir falcıydı. O çok şeyi biliyordu, değil mi?"

"Bana yastığını gönderdi. Dantel yapmak için kullandığı yastığı. Neden bunu yapmış olabilir?"

"Belki de sende olmasını istedi sadece" diye iler sürüyor Ann. Bunun daha iyi hissetmemi sağlaması gerekiyor; ama olmuyor. "Bir not ya da başka bir şey bulmadın." Bu beyandan çok bir soruydu.

"Hayır."

"Bunun intihar olduğunu düşünmüyorum" diyor Ann. " Bir anlamı yok." Başka bir şey daha söylemek istiyor; ancak fikrini değiştiriyor.

Çayı yudumluyorum.

Uzun bir süre Ann'in ofisinde kalıyorum. Japon şiltesi üzerinde yatıyorum. Akşam yemeğini getiriyor Ann. Beni daha fazla bitkisel çayla besliyor. Saat sekizde ateşime bakıyor.

"Eskisi kadar kötü değil" diyor Ann. "Ama hâlâ ateşin var."

"Eve gitsem iyi olacak" diyorum eşyalarımı toplarken.

"Biraz daha beklersen seni eve götürürüm" diyor Ann.

Kafamı kaldırıp eve bakıyorum. Buradan görebiliyorum.

"Yürüyebilecek kadar iyiyim."

"Seni daha sonra ararım" diyor Ann beni kucaklarken. "Daha iyi hisset."

Gerçek şuydu ki zaten iyi hissediyordum. Öncekinden çok daha iyi. Ann bunu görmüştü. Biraz dinlenmeyle iyi olacağım.

Common Parkı'nı çaprazlama keserek rıhtımı tırmanıyorum, caddeden karşıya geçip, arka kapıdan bahçeye giriyorum. Hava etrafı görebilecek kadar aydınlık hâlâ ve arka kapının bitişiğinde gözümden kaçan birkaç çiçeği fark ediyorum. Eğiliyorum ve ilk çiçeği koparıyorum; ardından ben hasta olduktan sonra Ann'in sepeti bir yere koymuş olabileceğini düşünürek, çiçeği cebime koyuyorum.

İkincisine uzanmak için eğiliyorum. Iskalayarak çiçek kısmı yerine gövdesinden tutuyorum, aşağı doğru çekiyorum ve sonra havaya bir şey fırlatan küçük bir sapan gibi sıçrayışını seyrediyorum onun.

Tuğlaların üstüne düşerken tıngırtı sesini duyuyorum. Ses, madeni ve fark edilebilir bir duyu hatırası. Kaçınılmaz. Ne olduğunu görmek için eğiliyorum. Elime alıyorum... Bir anahtar.

Anahtar.

Ona bakakalıyorum. Eski, polis tarafından yapılan kopyalardan biri değil; Eva'nın anahtarı, geleceğimi bildiği zaman şakayık çiçeklerinin içine benim için bıraktığı anahtar.

Haklıydım. Eva biliyordu. O, başına ne geleceğini biliyordu ve bunun, geleceğim anlamına geldiğini de.

Hâlâ öne doğru eğilir vaziyetteyim. Kendimi doğrultamıyorum. Şiddetli bir ağrı beynimi ikiye ayırıyor. Ateşin vuruşu. Bir üşüme kollarımı ve bacaklarımı sarıyor.

Ayağa kalkmaya uğraşırken, İtalyan ipeğini fark ediyorum.

Cal, bana dokunabilecek kadar yakınımda duruyor. Dudakları hareket ediyor; ama hiç ses çıkmıyor. Dua ediyor.

Sonunda yüksek sesle konuştuğunda bu, bir feryat oluyor. "Tanrı, bu kızı cehennem ateşlerinden korusun." Ellerini gökyüzüne doğru kaldırıyor. Gözleri üzerimde, her hareketi ve kas kıpırtısını izliyor, tıpkı köpeklerin avlarını haklarken yaptığı gibi.

Buz kesildim.

Tekrar konuşmaya başlıyor; ancak kelimeleri ayırt edilemiyor. Kendinden geçmiş bir şekilde konuşuyor.

Halüsinasyon görüyorum. Öyle olmalıyım.

Ancak ardından koku beni yakalıyor. Bir hatıra duyusu. Onun kokusunu biliyorum. İğrenç.

Köpekleri arıyorum. Ortaya çıkmaları gereken vakit işte tam da bu. Bana yardım etmek için. Onu öldürmek için. Bu, bir rüya. Ama bunu dilesem de onun rüya olmadığını biliyorum. Hiç köpek yok. Bu, Rafferty'nin beni uyardığı şey.

Battığımı hissediyorum, bilincimi kaybediyorum. Anahtarı avucumun içine sapladığım anda sert metal beni uyandırıyor. Anahtar... Kapı. Mesafeyi hesaplıyorum. Koşmaya başlıyorum.

Cal, beni takip ediyor.

Onun arkamda olduğunu hissediyorum. Yakınlaşıyor.

Anahtarla savaşıyorum. Cal beni yakaladığında, sonunda kilide sokabiliyorum anahtarı.

Beni sarsıyor. Şeytanlara çıkmaları için yalvarıyor. "Diz çök ve dua et!" diye emrediyor Cal. "Diz çök ve benimle dua et." Beni aşağı itmeye çalışıyor; ama ben ayakta kalmayı başarıyorum.

"Kimsin sen, şeytan?" diye bağırıyor. "Adını zikret!" Gözleri sarı sarı ışıldıyor.

Kapı, sertçe itmeme dayanamayıp açılıyor ve başka bir dünyaya giriyorum, Eva'nın dünyasına.

Gevşek menteşe, kapının ağırlığını değiştiriyor ve Cal yere düşüyor. Kapıyı ona karşı kapıyorum ve kilitliyorum.

"İsa, senin günahların için öldü." Bağırıyor bana. "İsa, senin için *öldü.*"

Onu kırık olan tepe camından duyabiliyorum. Hâlâ şeytanların çıkması için emrediyordu: "Diz çök ve dua et!"

Kırık cama uzanıp, bir avuç dolusu saçımı kapıyor ve kafamı geriye doğru çekiyor, kapıya çarptırarak.

"Şeytan, defol!" diye bağırıyor, onları kovacak kadar sert bir şekilde kafamı vuruyor. Cam parçasının kafamı kestiğini hissediyorum.

Gözümün önünde kıvılcımlar dolanıyor. Cam kırıklarıyla aramda sadece birkaç santim var, buraya geldiğim ilk gece kırdığım aynı camla.

Beni öldürmeye çalışıyor. Beni kurtarmaya çalışıyor.

Senin için öldüm. Bu, Cal'ın sesi değil şu an. Eva'nınki. Beni uyandırıyor bu ses.

"Diz çök ve dua et!" diye emrediyor tekrar Cal ve bu sefer itaat ediyorum, dizlerimin üzerine düşerken elini yakalıyorum ve bileğini aşağıya, kırık cama doğru çekiyorum.

Feryadı, yaralı bir hayvan gibi.

Zaman duruyor.

Asla pes etme, Eva'nın bunu söylediğini duyuyorum.

Telefona koşuyorum ve 911'i arıyorum.

Raffetty diye bağırıyorum ve sonra telefonu düşürüyorum, gerçek olan her şeyle ilişkimi kesiyorum.

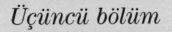

Üçüncü bölüm

Danteli yüzüne doğru tut. Şayet falına baktığın kişi mevcut değilse ya da ölmüşse ona ait şeyler ya da kişinin bir fotoğrafı bile bazen işe yarayabilir... Yaşam gücü daima teslim edilen herhangi bir imgeden daha güçlü olsa da.

Dantel Falı Rehberi

Suç mahallinden götürülen eşyalar
Kırmızı deri ciltli birbirine denk iki tane kırmızı günlük

İlk günlük: Eva'nın "Dantel Falı Rehberi". Dantel fallarını, tarifleri, günlük gözlemleri içermekte. Öncelikle dantel falı elkitabına benziyor.

İkinci günlük: 1981'de Towner tarafından yazıldı ve psikiyatrik tedavide bir çeşit terapi olarak kullanılmışa benziyor. Gerçek olaylarla en azından temeli varmış gibi görünen kısa bir öyküyü içeriyor. Hikâye, tarihli günlük girişleriyle devam etmekte. Olayların kurgu olduğu konusunda spekülasyonlarla günlük, 1980'de McLean Ruh Hastalıkları Hastanesi tarafından desteklenen, hastanede yatanlar için yaratıcı yazma derslerinin bir parçasıydı. Bu materyallerden herhangi birinin Calvin Bonyton'a karşı her halükârda kanıt olarak kullanılıp kullanılmayacağını belirlemek için detaylı bir çalışma gerekli.

1981, McLean Hastanesi, Yaratıcı Yazma Dersi
Fenerle Kovalamaca
Towner Whitney

Her yaz bu oyunu oynardık, haftada bazen iki üç kez; ama
Lyndley, Florida'daki evlerinden gelmeden oynamazdık asla ki,
bu da bazen Ulusal Anma Günü ile Bağımsızlık Günü arasında
olurdu. Lyndleyler gelmeden önce asla aramazdı, gemiden bile ve
sonunda limana girdiklerinde, bu daima pupa yelken şeklinde
olurdu, karadaki ve civar adalardaki bütün çocuklar bunu, oyun-
ların başlama işareti olarak kabul ederdi.

Oyuna gelince, May'in "açık kapı politikası" vardı. İlk kez oyu-
na başladığımızda ortalık fazla kızışmadan bizimle birkaç kez oy-
nardı aslında. Bu biraz, Beezer da oynamak istediği ve tek "ayak-
ta kalan" –sonradan bu adı verdik– olmayı istemediği içindi. Bu
yüzden durumu eşitlemek için May de Beezer'la takım olarak oy-
nardı. Sadece Beezer çok küçük olduğu için buna izin verirdik;
çünkü onu korkuttuğunuz zaman en mükemmel çığlığını/kahka-
sını atardı. Bu, sessiz bir çığlıktı ve yüzü korku filminden çıkmış
gibi buruşurdu; nefes aldığında baykuş gibi öterdi; hem astım yü-
zünden, hem de dünyadaki en komik çocuk olduğundan. Onun
baykuş gibi ötüşlerini duyduğunuz zaman kıkırdamadan edemez-
diniz (nerede saklanırsanız saklanın), dolayısıyla bu da onun işi-
ne yarardı. Koşarak içeri giren biri onu korkutabilirdi; ancak bu
şekilde gülerek Beezer, diğer üç kişiyi saklandığı yerden çıkarır-
dı. Beezer büyüdükçe bunu taktik haline getirdi ve saklandığını-
zı düşündüğü yere yaklaştığı zaman el fenerini söndürür, sessiz-
ce yaklaşır ve size doğru baykuş gibi öterdi ta ki siz gülmekten
koşamayacak ya da kendinizi koruyamayacak hale gelene kadar.

Fenerle kovalamacanın kuralları basittir. Eminim ki bunları bi-
liyorsunuzdur. Karanlıkta oynanması dışında saklambacın bir çe-
şidi; izin verilen tek ışık, "ebe" olduğunuzda taşıyacağınız el fene-
ri. Oynamaya ilk başlığımızda, kazanmak için yapılacak tek şey,
saklanan kişiyi bulmak, el feneri ışığıyla önce onu, sonra da her
zaman "kale" olan yaşlı meşe ağacını ebelemekti.

Ancak bu çabucak eskidi; çünkü ebe olan kişi için çok basitti
bu. Yapmaları gereken tek şey, el fenerini söndürmek ve insanlar
koşana kadar ağacın yanında beklemek, sonra da feneri yakıp
onları ebelemekti. Sonunda şu oluyordu; kimse riske girip koş-
muyor, bu yüzden de oyunun bir raundu saatlerce sürüyordu ta
ki herkes bundan sıkılıp, ebe olan kim ise, eve gidene kadar, onu

saatlerce karanlıkta bırakana dek. Biz bu duruma "ayakta kalma" diyorduk. Orada kalan tek kişi olmak, işte bu çok kötüydü. İnsanı deliye çevirirdi bu durum. Herkesin gerçekten iyi saklandığını mı, yoksa sizinle konuşmaya başlayan ve onlarla uzun süre beraber kaldığınızda her zaman yaptıkları gibi adınızı söyleyen martılarla birlikte adanın ortasında tek başınıza mı olduğunuzu söyleyemezsiniz. Sonunda sırtınız ağaca yaslı, ürkmüş, hareket edemeyecek kadar korkmuş bir halde sonsuza kadar oturursunuz. Benim başıma geldiğinde, bir keresinde bütün gece beklemiştim; ancak başım belaya girdi sonrasında; çünkü şafat vakti eve gizlice girerken May beni yakalamış ve "ayakta kalma" olayına son vermemiz gerektiğine karar vermişti.

"Neden normal çocuklar gibi sadece oynayamıyorsunuz?" May, bizimle tekrar konuşmaya başladığında ki bu, ertesi günün öğleden sonrasını bulmuştu, Lyndley ve bana bu soruyu sormuştu. Lyndley'in kahkahalara boğulduğunu hatırlıyorum May bunu sorduğunda ve o kadar saçma bir soruydu ki May de biraz gülümsemek zorunda kalmıştı, her ne kadar bunu yapmamak için uğraşsa da. Ancak sonra ya oyunu değiştirmemizi ya da artık bu oyunu oynamamamızı istedi. Seçeneklerimiz bunlardı.

Bu yüzden biz de oyunu değiştirdik. Ve bu değişiklik daha iyi oldu. Oyunu daha zor hale getirdik. Normal saklambaç gibi birini bulduğunuz zaman onu kaleye kadar koşturmak zorundaydınız. Bu şekilde daha iyi oldu. Rekabet arttı. İşte o zaman diğer çocuklar da bizimle bu oyunu oynamak için gelmeye başladılar. Lyndley, kasaba çocuklarından birine bunu söyledi ve Beezer da Baker Adası'nda deniz yolcuğu yaptığı bir çocuğa bahsetti bu oyundan.

Laf yayıldı. Oyun zirvedeyken, Bağımsızlık Bayramı'ndan İş Bayramı'nın olduğu hafta sonuna kadar dört ya da beş kez oynardık haftada. "Ayakta kalma" durumunu bırakmadık yine de; sadece başka bir şeye dönüştü. Onu değiştirdik. Taktik yerine, yeni birini kabul usulüne döndü. Her yeni çocuk oyuna katıldığında, oyunun son raundunda onun "ebe" olması yazılı olmayan bir kuraldı. Bazen daha erken oyunu bırakırdık; sırf bunu yapmak için. Diğer zamanlar erkenden koşar, diğer el için ebelensin diye yeni çocuğun nerede olduğunu söylerdik. Sonra da yeni çocuk, yeni "ebe", meşe ağacına doğru döner ve yüze kadar sayardı. O sayarken, oyun sona erer ve hepimiz evlerimize giderdik. Yeni çocuğu orada dikilirken bırakırdık ta ki o, durumu anlayana ya da bu kadar uzayınca en kötüsünü –belki de hepimizi teker teker öldüren bir katil vardı ya da uçan daire veyahut başka bir şey tarafından kaçırılmıştık– düşünmeye başlayana kadar. Nadiren sadece eve gittiğimiz birinin aklına gelirdi. Bu, çocukların asla yapmadığı bir şey değildi; en azından gönüllü olarak. Ancak sonunda şakayı –ihaneti– anlarlardı. Şayet bu olaydan sonra geri dönerse çocuk, artık bizden biri olurdu. Dönmezse, çok da büyük bir kayıp olmadığını düşünürdük. Hiç kimse bu kirli hileden bahsetmezdi. Bu, bizim yazılı olmayan bir kuralımız, ergenlik ayinimizdi.

Ve tabii ki söylememe gerek yok "muhallebi çocuklarına hayır" politikamız vardı. Şayet korktuysan ya da bir yerin incindiyse, bunu kendine saklamalıydın. Bir keresinde diğer adalardan gelen bir çocuk tavşan yuvalarından birine düşüp bileğini burkmuştu. Çocuk adeta süvari gibiydi; hiç bu konuda yakınmadı ve oyuna devam etti, yavaş koşması alay konusu olsa da. Zayıflığını kabul etmekten daha iyidir; çünkü şayet bunu kabul edersen, bir daha istenmezsin. Oysa sonunda o çocuk, bütün yaz koltuk değnekleriyle gezmiş ve bir daha oynayamamıştı o yaz; ancak bizim saygımızı kazanmış ve her yaz oyuna katılmıştı.

O çocuğun kazasından sonra, May'in önerisiyle, tavşan yuvalarına bayraklar koymayı denedik, karanlıkta görülebilecek küçük beyaz bayraklar, ancak bu işe yaramadı. Çok fazla tavşan yuvası vardı ve bir çocuk bayrağın üzerinden atlamaya çalışmış, Lyndley'in sonradan bu hikâyeyi May'e anlattığı gibi, "kendisini kazığa oturtmuştu". Bu yüzden bayrak olayını da bıraktık. Ayrıca gerçek şu ki biz tavşan yuvalarını seviyorduk. Engelleri diğerlerinin değil de sadece bizim biliyor olmamızın iyi olduğunu düşünüyorduk; tıpkı en iyi saklanma yerlerini sadece bizim bilmemiz gibi. Bu kasaba çocukları çok güçlü oyunculardı ve ev sahibi saha olarak bizim bazı avantajlarımıza ihtiyacımız vardı, şayet neyi kastettiğimi biliyorsanız.

Adamız sekiz figürü şeklindeydi; bir ucunda bizim evimiz, diğerinde ise Lyndley'lerinki. Ortada, iskelenin yanında kırmızı okul binası ve arkasında daha çok adanın bizim olan tarafında tuzlu su göleti vardı; yazın burada banyomuzu yapar ve saçımızı yıkardık. Kışın, May yıkanmamız için kar eritirdi ki Beezer'ın açıkladığı gibi "ihtiyacımız olsa da, olmasa da" bunu haftada bir kez yapardık. Yukarıda, çamaşırlıkta bakırdan eski bir leğen vardı ve yemek servisi arabasına sıcak su kaplarını koyar ve leğeni doldurmak için onları taşırdık. Ancak yazın, May bir kalıp Ivory marka sabun ve şişkin traş kremiyle saçımızı yıkamamız için tuzlu su göletine gönderirdi bizi. Beezer, Lyndley ve ben soyunur, suya dalar, hoplayıp, sabunlanıp tekrar suya batardık gölet boyunca yüzen köpük izleri bırakarak. Bunu şimdi yapamazsınız; çünkü bu, çevre açısından iyi bir şey değil; ancak önceden böyle şeylerin bilincinde değildik. Göletteki tuzlu su olduğu için asla gerçekten temiz olmazdık; ancak bütün yaz boyunca yanık tenlerimizde beyazımsı bir tabaka ile gezerdik. Gerçekten temizlenebildiğimiz tek zaman, sağanak yağış olduğunda ve May bizi sabunlarımızla gönderip yağmur damlaları altında köpürmemiz geçene ya da dudaklarımız maviye dönene kadar –artık hangisi önce olursa– dans etmemizi istediğinde olurdu. Bunu, gökgürültülü bir fırtınada yapmazdı tabii ki sadece normal bir yağmurda gönderirdi bizi.

Genellikle, tuzlu su göletinde banyo yapardık. Bir keresinde Ivory marka sabunu geri getirmeyi unuttuğumuzu ve May'in bunun için bizi geri gönderdiğini hatırlıyorum; ama sabun orada değildi. Ertesi gün onu, Back Sahili'nde yıkanırken bulduk; aynı yaz erken ölen köpeğim Skybo'yu bulduğumuz yerde. Cal bunun bir kaza olduğunu söyledi her zaman; ancak hepimiz iyi biliyorduk. Ama bu başka bir hikâye, kötü olanlarından ve burada anlatmak istemiyorum. Yalnız şu kadarını söyleyeyim ki bu olaylar bizim tarafta birçok spekülasyona sebep oldu. Şöyle ki, göletin çok derin olması gerçeği, Lyndley ve beni tuzlu su göletinin dipsiz olduğu ve Back Sahili'nde okyanusa bir şekilde aktığı fikrine itti. Ivory sabun olayının, teorimizi ispatladığı düşüncesindeydik; ancak Beezer, yanıldığımız konusunda ısrar ediyordu; çünkü Ivory sabun tabii ki yüzer ve hiçbir surette dibe batmazdı. "Bu, göletin dibi olmadığını kanıtlamaz" demişti. Bizden bıkmış, aynı zamanda bozulmuştu ve şüphesiz ikimizle de bu konu hakkında artık konuşmak istemiyordu; dolayısıyla sonunda bu konuyu bıraktık ve bir daha asla bundan bahsetmedik.

Beezer, aslında bu olaydan dolayı çok üzülmüştü; öyle ki Eva, bu konuda benimle konuşmak zorunda kalmıştı. Tuzlu su göletinden çok ben ve Beezer arasındaki farklar üzerine konuştuk. "Teknisyenler ve mutasavvıflar vardır" demişti Eva. "Ve onlar farklı gözlerle görürler etrafındakileri."

Jack ve Jay-Jay ile fenerle kovalamaca oynadığımız yıl, Lyndley'in de değişmeye başladığı yıldı. Geriye baktığımda, o geceden önce de bunu bildiğimi fark ediyorum. O yaz Lyndley geldiğinde, onda değişik bir şey vardı. Tanımlayamadığım bir şey. Bottan koşarak fırlamadı ve yanaşma rampasını tırmanıp üzerime atlamadı, güreşmedik ta ki her zaman yaptığımız gibi gülerek ve birbirimizi batırarak ikimiz de suya düşene kadar. Aksine bunun yerine el salladı ve gülümsedi, yetişkinler gibi iskeleyi tırmandı. Benimle hiç dövüşmedi, sadece kucakladı beni. "Oh, Towner, ne kadar da büyümüşsün." Söylediği şey buydu, her ne kadar büyüyenin kendisi olduğu oldukça açık olsa da. Bütün bunları üzgün bir tavırla söylemişti; tıpkı yaşlı bir hanımefendi ya da ona benzer bir şey gibi. O yıl, sesi bile farklıydı. Her yaz başı edindiği ancak yaz sonuna kadar kaybettiği Güneyli aksanı belirginleşmişti, daha etkiliydi. Ona bunu söyledim; ancak neden bahsettiğim konusunda bir fikri olmadığını söylemişti.

Ne hakkında konuştuğumla ilgili hiç kimsenin bir fikri yoktu. May, bunu göremiyordu ve Beezer'la konuşabileceğim bir şey değildi bu. Bu, ceset hırsızı ya da buna benzer bir şeydi: Birisi Lyndley'i alıp yerine başka birini koymuştu ve bu kişi nasıl davranacağını bilmiyordu. Ne yapmam gerektiğini biliyordum, birine bunun benim kardeşim olmadığını söylemeli ve onu geri getirmelerini talep etmeliydim; ancak kime söyleyeceğimi bilmiyordum. Teyzeciğim Boynton ve Cal her zamanki gibi garip davranıyorlardı; bu yüzden onlarda bir değişiklik olduğunu söylemek imkânsızdı. O yıl, bu acayip yaz sona erdikten sonra, Eva'ya bundan bahsettim ve en azından beni dinledi, hiçbir sonuç çıkaramasa da, ya da hiçbir suretle bana anlatmadıkları vardı. Eva'nın uzaydan gelen tohumların klonlanmasına inanmadığını biliyordum; hiç böyle bir film görmemişti ya da başka bir şey. Yine de Eva durumu anlamaya en çok yaklaşan kişiydi, her zaman olduğu gibi.

"Lyndley, gerçekten kim?" Ben ateş püskürmeyi kestiğimde, Eva bana bu soruyu sormuştu. O her zaman böyle garip sorular sorardı; dolayısıyla bu beni şaşırtmadı. İstediğim cevap bu değildi; dolayısıyla cevaplamaya kalkışmadım. Bunun yerine ona gerçekten öfkeli bir bakış attım.

"Bunu düşün" Eva'nın tek söylediği buydu.

Olayları benim için yeniden çerçeveleme huyu vardı Eva'nın; olan biteni sınıflamama yardım etme yolu, öyle de yaptı Eva. Gerçekten de bu soru üzerine düşünmeye başladım. Lyndley'i uzun uzun düşündüm. Ancak birkaç gün sonra Eva'nın neyi kastettiğini anlayabildim. Bu soruyu soran birine vereceğiniz en hızlı cevap, "Lyndley, benim ikiz kız kardeşim ve annemin karnına girdiğimden beri onu tanıyorum" olurdu.

Ancak doğru cevap, rahatlıkla ifade edildiği gibi değildi. Çünkü gerçek şuydu ki on üç yaşına gelene kadar kız kardeşimi gerçekten tanımaya başlamamıştım. Biz doğar doğmaz annem onu vermişti: Onu hediye paketi yapıp kendi çocuğuna hamile kalamayan, yarı kuzenine, teyzem Emma Boynton'a sunmuştu. İkiz kardeşimi tanımayı ne kadar çok istesem de hiç tanımıyordum. Buranın güneyinde yaşıyorlardı, Emma'nın kocası Cal'ın yelkenliyle yarışarak para kazandığı yerde. Bu yüzden Lyndley'i hiç tanıyamadım ta ki on üç yaşıma bastığım ve Cal'ın Marblehead'deki Doğu Yat Kulübü için yarışmaya koyulmasıyla Boyntonların yazlarını burada geçirmeye başladığı seneye kadar.

Boyntonlar toplamda beş yazlarını Yeni İngiltere'de geçirdiler ki bu da bir yıldan biraz fazla bir zamana denk gelmekteydi. Şayet matematiksel olarak bunu hesaplasaydınız ki eğer Eva aynı soruyu Beezer'a sormuş olsaydı o bunu yapabilirdi, tablo bir hayli farklı görünmeye başlardı. Lyndley'in hayatının büyük bir kısmı, uzağımdaki yerlerde geçti. Bu yüzden Eva bana Lyndley'in gerçekten kim olduğunu sorduğunda cevap vermeyi denemeden önce birçok açıdan düşündüm bunu ve sonunda asla yanıt veremeyeceğimi anladım. Kız kardeşime olan şeyler, hayatına şekil veren, onu değiştiren bütün şeyler o benden uzaktayken meydana geliyordu, parçası olmadığım bir hayat içinde. Bunu takip eden yıllarda Eva'nın sorusunu birkaç kez kendime soracaktım. Lyndley ölene kadar, onu hiç tanıyıp tanıyamadığımı merak eder oldum.

Fenerle kovalamaca oyununu son kez oynadığımız yaz, Lyndley'in Jack LaLibertie'yi görmeye başladığı yazdı. O ve erkek kardeşi Jay-Jay, bizimle oyun oynamak için birkaç kez geldi. Jack ve küçük kardeşi dahil olmak üzere bizimle oynayan altı ya da yedi kasaba çocuğu vardı. Baker Adası'ndan gelen yaz çocuklarını da sayarsanız, oyun başına, çoğunluğu erkeklerin oluşturduğu on ya da on iki çocuk olurdu. Hem Jack, hem de Jay-Jay "ayakta kalan" olarak sıralarını salmıştı. Bu özel gecede adı Willie Mays olan Beverly High'dan gelen bir beysbol yıldızı, yeni bir çocuk olarak aramıza katılmıştı. Adı gerçekten Willie Mays değildi; ancak iyi bir koşucuydu ve herkes onun muhtemelen profesyonel olacağını konuşuyordu ve bir süre bunu yaptı da; ancak küçüklere hiç aldırış etmedi ve bütün bunlara rağmen çok da oyun oynamadı.

Herkes, Jack'in Lyndley'e abayı yaktığını biliyordu. O yaz, Lyndley on altı yaşındaydı ve daha büyük görünse de sanırım Jack on yedisindeydi. Lyndley, Jack'in babasının botunda çalışarak güneşte çok zaman geçirdiği için böyle olduğunu söylemişti. Büyüleyici bir çocuktu. Onu daha önce de görmüştük. LaLibertie tuzaklarından birkaçı Back Sahili'ndeydi ve babası, kaçak avlanan birini –ki bu Massachusetts'de o zaman hâlâ yasaldı; ancak yine de onaylanmayan bir şeydi– vurup başını belaya soktuktan sonra Jack devralmıştı işleri. Lyndley ve ben kıyıdan onu gözetlerken, Jack bize gülümsemişti ve ikimiz de denize düşmüştük.

O yaz, Cal'ın içki alışkanlığı kontrolden çıkmıştı, bu yüzden "hava iyi olduğu" zamanlarda oyun oynamaya başlardık. Asıl kastettiğimiz şey, "Cal izin verdiği" zaman oynadığımızdı. Yani sadece Cal gittiğinde oynuyorduk ki çoğu zaman da o burada olmuyordu. Marblehead'deki Doğu Yat Kulübü'nde bir odası vardı ve çoğu gece orada kalıyordu; çünkü onlar için kazandıkça, adamlar, Cal'ın içkilerini karşılıyordu. Onun kulüpte kalmasını destekliyorlardı; çünkü böylece onu kontrol edebiliyor ve en azından bir sonraki yarış için ortaya çıkacağını biliyorlardı. Ayrıca kötüleşirse, içkilerini seyreltebiliyorlardı. En azından Lyndley'in bana anlattığı buydu, bunu nasıl bildiğinden emin değilim.

Bu yüzden, "havanın iyi olduğu" zamanlar yanaşma rampasının aşağıda olduğu vakitlerdi ki çocuklar bunu çabucak fark ediyordu. Çocukların, rampanın sadece Cal'ın botu bizim dubalara bağlı olmadığı zaman aşağıda olduğu bağlantısını kurup kurmadıklarını bilmiyorum. Şayet kurmuşlarsa da kimse bundan bahsetmedi; en azından bana.

Böylece o temmuz çoğu gece oyun oynadık. Son oyunumuzda, bir çocuk yat kulübü olan Pleon'da Beezer'ın tanıştığı, diğer kıyı adadan gelen o denizci kız da dahil olmak üzere on altı çocuktuk. O, oyuna katılamayacak kadar küçüktü; ancak ona nasıl olduysa izin verdik; sadece işleri bitirecek başka bir kız olsun diye aslında. Aramıza iki yeni çocuk katıldığında, kimin "ayakta kalan" olacağını görmek için yazı tura atardık; ancak bu yıl bu kişinin Willie Mays olacağı kesindi; çünkü denizci kız çok küçüktü ve onu karanlıkta tek başına bırakırsak kötü hissedecektik.

Jay-Jay ve Beezer yakın arkadaşlardı. O kadar ki Beezer ona saklanma yerlerinden birkaçını göstermişti ki bu tamamen kurallara aykırıydı; ancak ona dokunmadık bu konuda; çünkü her zaman onun paçayı kurtarmasına izin verirdik. Ayrıca nasıl olsa onlar harika saklanma yerleri değildi; çünkü Lyndley ve ben hepsini kapmıştık.

Her zaman yaptığımız gibi birlikte saklanmadığımız zamanlarda Lyndley ve benim farklı bölgelerimiz vardı. O, adanın batı tarafını alırdı, beysbol sahasının yanını; ben ise tuzlu su göletinden bu yana olan her yeri. O daha iyi saklanırdı; çünkü onun saklanma noktaları daha uzaktaydı ve ebe olan kişi, insanlar koşarak gelmeye başlar diye genellikle kaleden o kadar uzaklaşmazdı. Benim saklanma yerlerim daha yakındı; ancak daha iyiydi. Tırmandığım bir ağaç dalı vardı; kimse beni burada bulamıyordu; Lyndley bile. Beni arayarak bu ağacın altında ileri geri yürürdü; asla yukarı bakmaya tenezzül etmezdi, başının sadece birkaç fit yukarısında oturuyor olsam da.

O gece, altı raunt oynamıştık ki bu bizim için fazlaydı; çünkü çok oyuncumuz vardı ve hepsinin koşarak içeriye girmesi epey zaman almıştı. Böylece "ayakta kalan"ın Willie Mays olmasına karar verdik; ancak onu yakalamak imkânsızdı; bu yüzden Jack kendisinin yakalanmasına izin verdi, Willie'ye tuzak kurmak için. Jack, Willie Mays ortaya çıkana kadar hepimizin saklandığı yerde kalmasını istedi. Sonra yüze kadar saydı ve el fenerini söndürdü, Willie'yi bekleyerek ağacın yanında oturdu sadece. Bir süre geçti, sonunda Willie koşmaya başladı ve onun geldiğini duyan Jack ağacın bitişiğinde durup el fenerini yaktı ve onu ebeledi. Ardından Willie itiraz edecek zaman bulamadan Jack, "Herkes çıksın, ebe şimdi başkası" diye seslenmeye başladı ve hepimiz birden saklandığımız yerden çıkıp, içeri girdik.

Şayet Willie kendisine tuzak kurulduğunu bilseydi, asla buna izin vermezdi. Şaka kaldırabilen biri olarak sadece ağaca doğru gitti ve saymaya başladı. Böylece hepimiz birbirimize baktık ve dedik ki "tamamdır, oyun bitti" ve evlerimize gittik. Kasaba çocukları ve diğer adalardan gelen çocuklar botlarına doğru yol aldı. Motorlarını çalıştırmadan önce, küçük adayı geçip kanala varana kadar kürek çekmek zorunda oldukları herkes tarafından anlaşılmıştı; çünkü ses, su ile birlikte taşınırdı ve Willie Mays'in hilemizi anlamasını istemezdik.

Beezer ve ben hiçbir şey söylemeden eve doğru yürüdük; ancak eve vardığımızda May'in odasının ışığı yanıyordu ve içeri girmek istemiyordum.

"Sen git" dedim.

"Nereye gidiyorsun?" Beezer'ın endişeli olduğunu söyleyebilirdim. Bu, onun yöntemiydi o yaz: Benle ve yapıyor olduğum her şeyle ilgili üzüntü ve hüsran.

"Sadece eve girmek istemiyorum henüz."

"Çekip gidemezsin, bundan nefret ettiğini biliyorsun."

"O, bilmeyecek."

"Işığı açık. Henüz yatmamış."

"Yine de odasından çıkmayacaktır."

"Evet, ama ya çıkarsa?"

"Ona eve erken geldiğini söyle. Benim hâlâ dışarıda oyun oynadığımı ilet."

"Bilmiyorum" dedi Beezer. "Burada kalman gerekiyor."

"Tanrı aşkına, geri geleceğim."

Sinirlenmeye başlıyordum şimdi ve bunun farkındaydı Beezer. Nereye gideceğimi anlayarak Lyndley'in evine bakıyordu Beezer. "Oraya asla gitmemen gerekiyor" dedi.

"Pekâlâ, gidiyorum."

Beezer, bir diğer üzüntülü bakışını attı.

"O, evde bile değil" dedim Cal'ı kastederek.

Beezer da biliyordu; ancak bu, onun sert bakışlarını yok etmedi. "Ona hâlâ oyun oynadığını söyleyeceğim" dedi Beezer, sanki bunu söylemek ilk onun fikriymiş gibi.

"Bak, bu iyi işte."

"Bana karşı acımasız olma" dedi Beezer. "Sadece seni korumaya çalışıyorum."

O zaman gerçekten kötü hissettim kendimi; çünkü Beezer'ın neyi kastettiğini biliyordum. May'in gazabından korkmuyordum yine de. Bir süredir annemden korkmaya başlamıştım.

Beezer, iskeleye doğru endişeli bir bakış attı sonra da döndü ve içeri girdi, sanki ben evdeymişim gibi verandanın ışığını söndürdü. O, akıllı ve iyi bir çocuktu. Bir süre verandada oturdum, sadece kıyının aydınlık olduğundan emin olmak için ve sonra da Lyndleylere gitmeye ve onu benimle Willows'a gelmeye ikna edip edemeyeceğimi görmeye karar verdim. Bunu bazen yapardık, ikimiz de gizlice kaçabilecek kadar cesaretli hissettiğimiz zamanlar. Bazen çarpışan otolara kadar gider ya da sigara oyununda para kazanırdık; çünkü bu oyunu oynamak için on sekiz yaşında olmak zorunluysa da orada çalışan adamlar bizi severdi ve asla kimliklerimize bakmazdı.

Arka yoldan gitmeye karar verdim; çünkü el feneri ışığı keçiyolunda çaprazlama gidip geliyordu ve Willie Mays'in orada dolandığını ve bizi aramaya başladığını söyleyebilirdim. Willie, tuzlu su göletine doğru yöneldiğinde kumulları geçip, normal yola varmıştım ve Boyntonların verandasına ulaşmadan lastik pabuçlarımı çıkarmıştım. Buradan teyzeciğim Boynton'u görebiliyordum, mum ışığının yanında oturmuş kitap okuyordu. Lyndley'in yukarıda olması gerektiğini düşündüm. Kolaylıkla gidip, kapıyı çalabilirdim, teyzem beni gördüğü için memnun olurdu. Ancak ben Lyndley'in gizlice kaçmasını istiyordum; çünkü teyzem hiçbir suretle bizim kasabaya gitmemize izin vermezdi hiç, hem de vakit bu kadar geçken. Ayrıca Cal, Lyndley'in Willows'a gitmesine izin vermezdi. Parmak ucunda yürüyerek pencereyi geçip arka kapıya vardım. Kapıdaki sinek teli mandalla sürgülüydü. Küçük bir çubuk bulmak için etrafa bakındım, kapının aralığına sokuverdim onu ve mandalı o kadar kolaylıkla kaldırdım ki bir çıt bile çıkmadı.

Arka merdivenlerden yukarı çıktım. Deneyimlerinden dolayı biliyordum ki yukarıdan üçüncü basamak gıcırdıyordu; bu yüzden o basamağı atladım. Yukarıya varmadan, Lyndley'in odasının karanlık olduğunu görebiliyordum. Bu büyük bir sürpriz değildi, Lyndley hiçbir zaman mumlarını yakmazdı; çünkü herkesin onun çoktan uyuduğunu sanmasını isterdi. Yatağına doğru yürüdüm. Orada değildi. Aşağıda olmadığını biliyordum; çünkü geçerken pencerelerden bakmıştım. Muhtemelen banyoda olduğunu düşündüm; bu yüzden yatağının üzerinde oturup, onun geri gelmesini bekledim.

Verandada birinin olduğunu duyduğumda, yaklaşık beş dakikadır oturuyordum. Lyndley'in belki de çıkmaza girdiğini ve Back Sahili'nin yanından aşağı inip, Willie Mays'in etrafında dolaşmak zorunda kaldığını düşündüm; ancak el işaretini yapmıştı ve onun kendi yoluna girdiğini görmüştüm; bu yüzden bu garipti. Sonradan, aşağıda Cal'ın sesini duydum ve donakaldım.

Sesi oldukça yüksek ve öfkeliydi ve çok çok sarhoştu. Bir şeye ateş püskürüyordu. Bağırdığı şeyin Willie Mays hakkında olduğunu anlamak bir dakikamı aldı, iskelede kimin botunun bağlı olduğunu bilmek istiyordu. Teyzeciğim Boynton bilmediğine yemin etti ama onu sakinleştirmeye yaramadı.

"O adamın kim olduğunu söyle!" Karısının gardıropta birini sakladığını düşünen kıskanç bir koca gibi sesi yükselmişti. Cal'ın ona vuracağından korkuyordum ki bunu birkaç kez yapmıştı. Bu yüzden Lyndley'in geri gelmesini diliyordum; çünkü böyle bir durumda ne yapacağım konusunda hiçbir fikrim yoktu. Camdan atlamayı düşünüyordum; burada olmayı ne kadar çok istemediğimi gösteriyordu bu. Beni neyin beklediğini söyleyebilirdim; şayet Cal beni burada bulursa, bunun olayları daha iyi hale getirmeyeceğini de biliyordum. Eğer atlarsam bunu yapabileceğimin farkındaydım; ancak çok yüksekti ve dipte bir pencere pervazı vardı. Yine de en azından koşup May'i alabilirdim, bunu düşünüyordum; arka merdivenleri kullanmak harika olurdu.

Ve işte oldu. Büyük bir darbe sesi ve ardından bir dakikalık bir sessizlik, teyzemin çığlık atmasını bekliyordum; ama hiç ses yoktu. Sonra ayak sesleri; gerçekten çok hızlıydı, ne olduğunun farkına varamadan, Cal yukarıda, koridordaydı; bu odaya doğru geliyordu, Lyndley'i arıyordu. Gerçekten çok şaşkındım. O kadar çabuk olmuştu ki. Cal'ın hiç bu kadar hızlı hareket ettiğini görmemiştim ve öfkesinin onu sürüklediğini fark ettim. Durduğum yerden bile hiddetini hissedebiliyordum. Şayet isteseydim, düşüncelerine zihnimle dokunabilirdim; ancak bu dilediğim son şeydi. Buradan bile onların karanlık, korkunç düşünceler olduğunu söyleyebilirdim ve mideme sancılar giriyordu.

Kaçıp, koşma arzusuyla savaşıyordum. Ancak çok geçti. Artık arka merdivenlere yetişemezdim, onu geçemezdim. Odanın karşısındaki pencere açıktı, olağandışı bir şey olmadığı zaman diğer huzur dolu geceler gibi, perdeler meltemle yumuşakça sürükleniyordu. Açık pencereden okyanusu görebiliyordum, ay ışığında siyah siyah parıldıyordu ve bakış açım da bana hile yapıyordu. Bu pencereden o güzel sulara dalabilecek ve buradan kurtulabilcekmişim gibi görünüyordu; ancak kayalıklardan ötürü yapamazdım tabii ki. Yine de Cal'la ve teyzeciğim Boynton'un sesinin olması gerektiği yerde hâkim olan bu korkunç sessizlikle şansımı denemektense pencere pervazlarını tercih ederdim. Neredeyse pencereden atlıyordum, o kadar panik olmuştum ki; ancak bir şey bana bana hareket etmemi söyledi, sadece eski büyük gardırobun bitişiğinde sırtımı duvara yaslayarak orada gölgeler içinde kalmamı emretti. Cal'ın yakabileceği bir ışık yoktu; bu evde hiç elektrik yoktu. Onun bir el feneri ya da başka bir şey getirmediğini görebiliyordum zaten, bir mum bile almamıştı yanına. Ve Lyndley'in evde olmadığını biliyordum artık. Çünkü evde olsaydı, şimdiye kadar aşağıya inmişti ya da bir bıçak veya başka bir şey kapıp Cal'ın arkasından gelmişti.

Ses çıkarma, kafamdaki sesin bunu söylediğini duydum ve böylece, seçeneğimin bu olduğunu anladım. Serin duvara karşı sırtımı dayadım, gözlerimi pencereye diktim, aniden onun odada olduğunu hissettiğimde burası dışında herhangi bir yerde olmayı dilemiştim.

Cal, kapıyı hızla çarparak, Lyndley'in yatağına atladı ve tam anlamıyla battaniye ve yastıkları fırlatarak parçaladı yatağı. Ağzından küfürler saçıldı, bildiğim en kötü kelimelerdi ve bazılarını daha önce hiç duymamıştım. "Hangi cehennemde bu kız?" Teyzeme yarı bağırıyor, yarı gürlüyordu; ancak yukarı hiç ses gelmedi.

Cal, kesme cam içindeki mumu yere fırlattı, parçalara ayrıldı mum. Bir cam parçası ayağıma çarptı ve bir dakika gibi bir süre canımı yaktı ve ardından kanamaya başladığı yerdeki ıslaklığı hissettim. Eğilemedim ya da başka bir şey yapamadım. Cal'ın köpekler gibi kan ve korku kokusunu alma yetisine sahip olmamasını ümit ettiğimi hatırlıyorum.

"Fahişe!" Boş yatağa bağırdı sonra. "Baştan çıkarıcı ve fahişe!" Birinin varlığını hissetmiş gibi etrafta dolanıp durdu ve görünmez olabileyim diye zihnimi boşaltmaya çalıştım. Düşüncelerimi engellemek için gözlerimi sıkıca kapattım. *Hareket etme, nefes bile alma*, dedi o ses ve ardından zihnim bomboş oldu.

İşe yaradı. Hatırladığım bir sonraki şey, Cal'ın merdivenlerden aşağıya inip, ön kapıdan çıkmasıydı.

Aşağıda, arka merdivenlerdeydim, Cal, verandaya varmadan evden çıkmıştım. Geçerken oturma odasının camından baktım ve teyzemi kanepede gördüm, şimdi oturuyordu; ama afallamış gibiydi. Yüzünün bir tarafında kan vardı ve doğrulmaya çalışıyordu; ancak dikkatli bir şekilde, destek almak için kanepenin kolundan tutunuyordu. Yüzündeki bakış ve gözlerindeki korkudan, Lyndley'i ve şayet Cal onu yakalarsa neler olacağını düşünüyor olduğunu söyleyebilirdim. Canı acısa da annelik içgüdüleri güçlüydü. Ancak bunun için yeteri kadar güçlü değildi, hiçbir zaman olmamıştı.

Kapıya doğru yol aldı, verandaya, Cal'ın arkasından bağırıyordu, ona Lyndley'i rahat bırakmasını söylüyordu; düşündüğü gibi değildi, Lyndley'in bu gece evde olduğunu söylediği zaman ona yalan söylemişti. Lyndley'e dışarı çıkması ve oyun oynaması için izin verdiğini söylüyordu, ortada başka bir şey yoktu. "Tanrı aşkına" öfkeli öfkeli yolları tırmanan figürün arkasından bağırıyordu Emma. "Tanrı aşkına, onlar sadece çocuk."

Ancak rüzgâr ona karşıydı ve sesi güçsüzdü. Ona ulaşmıyordu. Ve ayrıca Cal çoktan gitmişti.

Lyndley'in hâlâ oyun oynuyor olduğuna inanamıyordum. Eve gittiğine dair işaret etmişti bana. Birbirimize el sallamıştık ve onun eve doğru gittiğini görmüştüm.

Onun hâlâ oynuyor olması anlamsızdı. Willie'nin bile şu ana kadar oyunu bırakmış olması gerekiyordu. Verandadan, yanaşma rampasına doğru gittiğini görebiliyordum, kayığa binip, motoru çalıştırırken el feneri bir aşağı bir yukarı sallanıyordu. İskeleden ayrılırken, uzaklaşan ışıkları görebiliyordum. Bir an, Lyndley'in onunla gitmiş olmasını diledim; böylece Cal'dan uzakta, güvende olacaktı; en azından şimdilik. Ama gitmemişti. Lyndley, hâlâ orada bir yerde saklanıyordu ve ben çabucak bir şey yapmazsam, onu bulacak kişi Cal olacaktı.

Her zaman saklandığımız yerlere baktım: Köpeklerin yaşadığı yere, Back Sahili'ndeki mağaraya. Tuzlu su göletini denedim ki burası onun bölgesi değildi; ancak hile yapmak istediğinde buraya gelirdi ki bu da sık sık olurdu. Taştan yapılmış viraneye ve kırmızı okul binasının altındaki boş alana bile baktım; buraları Lyndley'den çok benim favori yerlerimdi. Başıdan beri zihnimle ona mesajlar göndermeye çalışıyordum, şayet Lyndley de aynı istasyondaysa bu işe yarardı; ancak o, dinlemiyordu bu gece.

Sonunda su kulesinin yanından kayalıkların tepesine çıktım. Cal, rıhtımın tepesinde çöp tenekelerinin yanından geçerken, martıların ondan uzaklaştığını görebiliyordum. Çamlığa doğru yol almıştı ve Lyndley'in bir kez daha hile yapmıyor ve kendi bölgesinde saklanıyor olması için dua ettim.

Çaresizdim. Cal'dan önce onu bulmalıydım; ancak bu oyunda Lyndley hepimizden iyiydi ve onun nerede olabileceği konusunda hiçbir fikrim yoktu. O an garip bir şey yaptım. Aşağı bakmak yerine, yıldızlara baktım. Onlar tamamen kaybolana ve her şey dantelsi bir desen içinde bulanıklaşana kadar yıldızlara uzun uzun baktım ve sonunda tamamen yok oldular. Her şey gittiğinde, bu bulanık görüntüyü aldım ve ona odaklandım. Böyle yaptığımda, gözlerimi tekrar sabitlediğimde Cal'ı kırmızı okul binasında görebiliyordum ve hatta kapıdan Lyndley'e seslendiğini duyabiliyordum. Odasında kitap okurken uyuyakalan annemi görebiliyordum ve ben geri gelene kadar uyanık kalmaya çalışarak oturma odasında masada oturan Beezer'ı da. Verandanın en üst basamağında oturan, ayakta duramayacak kadar başı dönen ve destek almak için parmaklıklardan tutunan teyzem Boynton'ı da. Sarı köpekleri gördüm, Back Sahili'ndeki mağaralarda yüzlercesi uyku yerlerindeydi, başları ve kuyrukları yığılmıştı, kürkleri çakıltaşları üzerinde yayılmıştı; tıpkı birisi kumsala büyük bir halı sermiş gibi. Bütün adayı görebiliyordum; sekiz figürünün tamamını, evleri, tepeleri ve ötedeki okyanusu. Diğer çamlıktaki beysbol sahasını geçince bir şeyin ışıldadığını gördüm. Onu parlak yapan şeyin ne olduğunu konusunda bir fikrim yoktu; belki de Lyndley bir sigara yakmıştı; çünkü orası, Lyndley'in bazen sigara içmek için gittiği yerdi, terk edilmiş eski bir araba. Belki de bütün adayı aydınlatır gibi görünen ay ışığıydı. Ancak o şey, kesinlikle parlıyordu. Bir Kutupyıldızı ya da çizgi filmden çıkma bir ok gökyüzüne gelip, "Lyndley! Lyndley! Lyndley!" yazan büyük bir ışıklı bir tabela ile arabayı işaret etse, bu kadar açık olamazdı.

Kayalıklardan aşağıya doğru fırladım ve adanın diğer ucuna, arabaya kadar koştum. Elimden geldiği kadar hızlı koşuyordum; Cal'ın her an okul binasını terk edip, beysbol sahasına doğru yol alacağını biliyordum.

Tarlayı geçtim. Nefes alamıyordum. Bir adımı ıskaladım ve tavşan yuvalarından birine doğru ayağım burkuldu ve neredeyse içine düşüyordum; ancak o kadar hızlı gidiyordum ki ayağım fazla girmedi çukurun içine; böylece dengemi kurup, yol almaya devam ettim. Yaklaşıyordum ve şimdi arabayı net bir şekilde görebiliyordum, iki arka tekerleği toprağa batmıştı. May'in babası ve arkadaşları, bu arabayı bir işkampavye ile buraya getirmiş sonra da çıkmaza girmiş ve onu sonsuza kadar tarlanın ortasında bırakmıştı. Havası sönmüş ve uzun süredir çürüyen tekerleklerin etrafında çimenler büyüyordu lastiklerin içine kadar, sanki araba topraktan meydana gelmişti ve orada ölmüştü. Doğa, kendisine ait olanı geri alıyordu.

Arabaya vardığımda camları sis başmıştı. Kapının koluna uzandım ve bitiş çizgisi. Kapıyı açtım.

Ne görüyor olduğumu bilemedim ilk başta. Bütün kollar ve bacaklar hareket ediyor ve doğrulmaya çalışıyordu. Sonra gözlerim odaklandı ve tanıdım. Evet, baktığım kişi Lyndley'di ve yalnız değildi.

"Lanet olsun, Towner, kapat kapıyı!" dedi Lyndley ve Jack'in elbiselerini bulmaya ve kendini örtmeye çalıştığını gördüm.

"Cal, döndü!" Nefesim kesilmişti. Söyleme şeklimden, bunun kötü olduğunu biliyordu Lyndley. Sonra tıpkı bir geri zekâlı gibi kapıyı kapadım ve orada onları bekledim. Cal tehlikesinden çok gördüğüm şeyle şok olmuştum.

Ardından beysbol sopası geldi sert bir şekilde, arabanın ön camını parçalara ayırıp, her tarafa cam kırıklarını saçarak. Lyndley çığlık atıyordu, canı canmıştı ve bir yeri kanıyordu. Sonra birdenbire Jack arabadan çıktı, Lyndley için dövüşmeye hazırdı. Şayet bu noktaya gelirse Cal'ı öldürmeye hazırdı, bunu istiyordu.

Cal gölgeye geçti, diğer hareketini yapmayı bekliyordu. Hemen bir şey yapmalıydım. Cal'ın öfkesini görmüştüm. Ve içimden bir ses diyordu ki şayet aralarında ölümüne bir dövüş olursa ölecek olan kişi Cal değil, Jack olacaktı.

Daha önce hiç koşmadığım kadar hızlı koştum. May'i, onun silahını almak için koşuyordum.

May donakalmıştı, silahını Cal'a doğrultmuştu.

"Giyinin" dedi May.

Lyndley ve Jack kıyafetlerini bulmaya çalışıyordu.

"Vurman gereken o çocuk" dedi Cal.

Ancak May onu dinlemiyordu, Cal'ın yan tarafında sallanan beysbol sopasına gözünü dikmişti.

"Tamamen yanılıyorsun" dedi Cal, bir bahane arıyordu. "Sadece onu korumaya çalışıyordum. Burada ne olduğu konusunda senin hiçbir fikrin yok."

Jack, tişörtünü giydi.

"Evine git" dedi May, Jack'e.

Jack itiraz etmeye başladı; ancak May bunların hiçbirine kanmıyordu.

"İğrençsin" dedi Cal ona. "Pisliğin tekisin!"

Jack'in boynundaki kasların gerildiğini görebiliyordum. Etrafta dönüp duruyor ve Cal'a doğru hamle yapıyordu.

May, tüfeği Cal'a nişan almış bir şekilde tutuyordu; ancak Jack'le konuşuyordu. "Git!"

Jack, Lyndley'in evet işaretini bekledi, ceketini kaptı ve iskeleye doğru yürüdü. Onu orada bırakmak Jack için çok zordu; ama bunu yaptı.

"Git ve onu vur" dedi Cal, May'e. "İnsanlar seni asacaklar. Seni ve Tanrı'nın lanetlediği bütün aileni."

Söylerken bile bunun yanlış olduğunu biliyordu Cal.

May, tüfeğin horozunu kaldırdı. Bunu yapacaktı.

Ve ardından teyzeciğim Boyton'u gördüm. Bayırdan yukarı geliyordu. Yürürken zorluk çekiyordu. Kendini öne atıyordu. Çenesi, delice bir tarafta sallanıyordu, çürük içindeydi, yüzünün bir tarafından kan akıyordu. Bizi gördüğünde durdu. "Hayır" dedi. "Oh, Tanrım, lütfen hayır."

Cal, indirdiği tek darbeyi tanıdı. Bununla harika bir şekilde oynadı. Pişmanlık ve merakla. Gözlerine inanamıyormuş gibi. Onun neredeyse bunu ona kimin yaptığını sormasını bekledim. Hangi canavar? "Aman Tanrım" dedi Cal. "Aman Tanrım, Emma." Gerçek gözyaşları döküyordu.

Cal teyzeme doğru bir adım attı.

"Ona dokunma" dedi May, tüfeği ona doğrultarak.

Cal dondu. Çok ileri gitmişti ve bunu biliyordu.

Teyzeciğim Boynton aralarına girdi, son kalan gücüyle tüfeğe doğru davrandı, düşüyordu.

Ona yetişen May oldu. Cal değil. Hareketi adeta otomatikti. İçgüdüsel. Her doğru insan bunu yapardı.

Silaha uzandım. Cal'ın işini bitirmeyi istiyordum. Ancak ben silahı alana kadar, Cal çoktan gitmişti.

"Asla geri gelme!" May, arkasından bağırıyordu. "Yoksa yemin ederim ki seni öldürürüm."

Ancak artık çok geçti. May şansını kaçırmıştı.

Sabit noktada duruyorduk birlikte. Geçmişin, şu anın ve geleceğin bir araya geldiği yerde. Bir an, geleceği gördük. Şayet bize verilen şansı kullansaydık onu nasıl değiştirebileceğimizi. Ancak sonra bütün kısa bakışlar gibi bu da geldiği gibi çabucak kayboldu ve gerçekle baş başa kaldık.

Teyzeciğim Boynton yerdeydi; çenesi bükülmüş, boynuna dayanmış. İlgilenilmesi gereken şeyler vardı. Gelecekte değil. Burada ve şimdi.

Teyzemin çenesi kırılmıştı, simsiyah iki gözü ve çok sayıda derin kesikleri vardı. Sol gözkapağından yanağına kadar on yedi dikiş atılmıştı. Hastanedeki doktorlar ona bir plastik cerrahtan bahsetmişti; ama ona hiç gitmedi. Suçlamada bulunmayı reddetti. May, onun yerine tutanakları imzalamayı denedi; ancak görgü tanığı değildi. Ben evde olmama ve o gece olan her şeyi duymama rağmen, teknik olarak ben de bir görgü tanığı değildim, özellikle de teyzem her şeyi reddedip polise kayıp, merdivenlerden düştüğünü söylediği için. May ve Eva yetkililere mümkün olduğu kadar baskı yaptı, en azından Cal'a bir yasaklama emri çıkarılması için; ancak teyzemin işbirliği olmadan bunun bir yolu yoktu. Cal, yerel bir kahramandı. Salem ve Marblehead kasabaları, onun kendilerine ait olduğunu iddia ediyordu, herkes onun bir sonraki Amerika Kupası'nda kaptanlık edeceğine bahse giriyordu. Bu, dünyanın yat yarışı başkenti olma ününü Newport ve San Diego'ya hızla kaptıran Marblehead için iyi olurdu. Cal, birkaç gün içinde Florida'ya geri döneceği için polis, "problemin sona erdiğine" inandıklarını söyledi. Dediklerine göre onla konuşmuşlardı ve Cal, yelkenliyle açılma zamanı gelene kadar kulüpte kalacağını garanti etmişti.

Teyzeciğim Boynton'un izniyle Eva torpil yaptırarak, Lyndley'i Miss Porter'ın Okulu'na aldırmayı başardı. Cal çok öfkeliydi, Eva'yı ve annemi tehdit etmişti. Komşulardan biri, Cal'ı Eva'nın evinin önünde bağırırken duyduğu gece polis çağırmıştı; ancak Eva polise her şeyin yolunda olduğunu ve Cal'la sadece "biraz sohbet ettiklerini" söylemişti. Eva, onu içeri alıp bir fincan çay yapmıştı ona.

Bu "biraz sohbet", Cal'ın Florida'daki evinin üzerinde olan ikinci ipoteğin Eva'nın elinde olduğuna dair bir hatırlatmayı içermekteydi; Cal'ın yelkencilik arkadaşlarından bazılarıyla mali ilişkileri kötüye gittikten sonra gerekli hale gelmiş talihsiz bir durumdu bu. Eva, Miss Porter'ın Okulu'nun her geçen dakika daha da hırçınlaşan Lyndley'i disipline sokmaya yarayacağı konusunda Cal'a garanti vermişti. Ayrıca o, Cal'ın Amerika Kupası takımına kaptanlık ederken, kızına nadiren göz kulak olabileceğine de işaret etti. Bu, kariyeri açısından son şansıydı. *Fırsat kapıyı çalar; ama bir kez.* İşte bunu Cal'a söylemişti.

Bunu söylediği zaman dantele baktı Eva, Cal bile istekliliğini saklayamıyordu.

"Ne görüyorsun?" Cal'ın bilmesi gerekiyordu.

"Dikkatini dağıtan hiçbir şeye zamanın olmadığını ve bunun, kendini gerçekten fark ettirmek açısından büyük bir şans olduğunu görüyorum."

"Peki, kazanacak mıyım?" Cal, bu soruyu sormadan edemedi.

Eva, ona sadece gülümsedi. "Sana bunu söylemeyeceğim" dedi Eva. "Sana bunu söyleseydim, hiç eğlenceli olmazdı, değil mi?"

Eva'nın okul taksidini ve diğer bütün masrafları ödemesi koşuluyla Cal sonunda Lyndley'in Miss Porter'ın Okulu'na gitmesine izin verdi ve Eva da ödeyeceği konusunda garanti verdi. Ancak gelecek yaz kupayı kazandıktan sonra, kızını o okuldan alacağını söyledi; son yılını evde de bitirebilirdi.

"Tabii ki" dedi Eva, hiçbir itirazı yokmuş gibi. "Amerika Kupası'nı kazandıktan sonra, bütün ailenin bilikte olmasını isteyeceksin."

Bu, bir dil sürçmesi miydi, yoksa Eva bilerek mi ikiyüzlüydü bilmiyorum; ancak Cal'ın tam duymak istediği şeydi bu.

"Ya da" dedi Eva. "Belki de ünün, sana yeni fırsatlar sunabilir."

Şimdi Cal meraklanmıştı. "Ne gibi fırsatlar?"

"Asla bilemezsin" dedi Eva. "Bu, Batı'da bir şey olabilir ya da medyada."

Cal öne doğru eğildi.

"Önümüzde bunu belirleyecek kocaman bir yıl var" dedi Eva.

Cal, Eva'nın evinden kendi kendine gülümseyerek ayrıldı. Kasabadan birkaç gün sonra polis gözetiminde ve ona sponsorluk eden kulüplerin coşkun müzikleri ile ayrıldı; ailesinden birine bile hoşça kal demeden gitti ki bu koşullarda herkes için iyi olan buydu.

Ancak onun bu yeni özgüveni çok uzun sürmedi.

May, ona daha çok gerçek bir kız kardeş olan Emma için evimizde bir oda hazırladı. Teyzeciğim Boynton'un evi kış için hazırlanmamıştı ve şayet kuzeyde kalacaksa bu ya bizimle ya da Eva ile olmalıydı. Annem, onun misafirimiz olmasından o kadar mutluydu ki kimse Eva'nın yerinin daha mantıklı bir tercih olduğunu önermeye cesaret edemedi. Ne de olsa Eva, Emma'nın annesiydi. Ancak May bu konuyla ilgileniyordu. Teyzemin yaralarını o iyileştirmişti. Emma'ya içmesi için frapeler yapmıştı ta ki çenesinden teller alına kadar. May'i teyzeme baktığı haftalar boyunca olduğu kadar mutlu görmemiştim hiç. May, harika bir anne olmayabilirdi; ancak o (görünen o ki) doğuştan bir hemşireydi.

Sonra durumlar değişmeye başladı. İşçi Bayramı'ndan önceki hafta, yat kulübü sandalı bir mektupla adaya geldi. Mektup teyzeme gönderilmişti, balmumu ve kulübün amblemi ile mühürlenmişti. Bunun, tıpkı benim Hamilton Salonu ya da diğer toplantılar için aldığım bir çeşit davetiye olduğunu düşünerek teyzeme verdim mektubu.

Bir davetiyeydi, doğru; ancak benim umduğum türden değildi. "Bana geri dön. Tanrı benim şahidim ki seni tekrar incitmeyeceğim" diyordu mektup. "Hayatımı sensiz geçirmek istemiyorum."

Cal'ın yeni kazandığı özgüveni bir haftadan az sürmüştü.

Teyzeciğim Boynton ertesi sabah ayrılmak üzere toplandı. May daha uyanmadan, deniz taksisini çağırmıştı.

Annem onu iskelede yakaladı. May çantaları geri taşımaya çalıştı, o ve Emma fiziksel olarak mücadele ettiler. Kötü bir filmden çıkma bir sahne gibiydi ve teyzemin deri bavulunun kollarından biri neredeyse baştan sona yırtılmıştı.

"Beni yalnız bırak." Sıktığı dişleri arasından teyzem bunu demişti. "Gitmeme izin ver!"

"Sen delisin!" dedi May. "Ne yaptığını bilmiyorsun."

"O, benim kocam."

"O sadece seni kullanmaya çalışıyor."

"Bana ihtiyacı var."

"Lütfen."

"Beni seviyor."

Kadınlar çok aptal. May bunu düşünüyordu. May'in yüzündeki inançsızlığı okuyabiliyordum, bu o kadar belliydi ki. Kozları çıkarmak zorunda olduğunu biliyordu May. "Tıpkı kızını 'sevdiği' gibi, değil mi?"

"Bu da ne demek?"

May'in sessizliği her şeyi söylüyordu.

"Söyle bana" dedi teyzem. "Bu düşüncenle ne demek istediğini anlat bana."

"Gözlerini aç" dedi May.

"Sen hasta ve doğru yoldan çıkmış bir kadınsın" dedi teyzem.

May hiçbir şey söylemedi.

"İğrençsin" dedi teyzem.

"Ve sen körsün."

May'in seçtiği kelimenin etkisi teyzem tarafından anlaşılıncaya kadar dünya sanki bir dakikalığına durmuştu.

"Elbette Cal bu yerden nefret eder" dedi teyzeciğim Boynton. "Pek tabii kaçmak zorunda kaldı... Siz onu korkunç şeylerle suçladınız. Ağza alınmayacak şeylerle."

"Sence o, Lyndley'i okuldan almak için ne kadar bekleyecek? Bir hafta mı? Bir ay mı?"

"Bunu duymak istemiyorum."

"Hiç değilse kızını düşün."

Teyzem bavulunu kaptı ve onu botun içine attı.

"Pekâlâ" dedi May. "Bir geri zekâlı olmak istiyorsan, seni durduramam. Ama çocuğunu tehlikeye atmana izin vermeyeceğim."

"Ne demek istiyorsun?"

"Yani Lyndley'i oraya almak istersen, seni durduracağım."

"Bir çocuğu tehlikeye atma konusunda konuşacak doğru kişisin." Bana ve iskelenin tepesinde elinde spreyle daha yeni ortaya çıkan Beezer'a baktı teyzem.

"Hadi" dedi May bana, iskeleden fırlayarak.

Onu takip etmedim. Teyzeme bakarak iskelede sadece durdum. Onun gerçekten gidiyor olduğuna inanamıyordum, imkânsız görünüyordu bu. Orada birbirimize bakarak durduk ve ne düşünüyor olduğumu okumayı başarmış olmalı; çünkü bakışlarını çevirdi ve kırık bavulu almak için arkaya gitti, onu sürekleyerek botun içine itti. Kaptan bavulu yakaladı. Adamın teyzemin yüzündeki sarılık gibi sarı rengine dönen çürükleri fark ettiğini gördüm.

May, iskelenin tepesinde geriye döndü. "Gel!" diye bana bağırdı, sanki onun köpeklerinden biriymişim gibi ellerini çırparak. "Şimdi!"

Eve dönerken May önden yürüyordu. Beezer beni bekliyordu. Spreyinden bir nefes daha çekti.

Beezer yürürken koluma girdi, tam da ben bir tavşan yuvasına düşmek üzereyken. Bu daha önce görmediğim bir yuvaydı, hemen orada patikanın ortasındaydı ve tehlikeli olanlardandı. Onu orada görmek beni şaşırtmıştı. Bütün tavşan yuvalarının nerede olduğunu bildiğimi düşünürdüm; ancak bu yuva yeniydi. Tavşanlar, herkes uyuyorken dün gece bunu kazmış olmalı bir ara.

Botun ayrıldığını duydum; ancak arkama dönmedim. Bunun ne demek olduğunu düşünmemeye çalışıyordum. Teyzeciğim Boynton'un gerçekten gidiyor olduğuna inanamıyordum. Her şeyin böyle biteceğini düşünmemiştim

Kıştan yaza...

Hastaneyi seviyorum. Burada olmayı da. Güvende hissediyorum kendimi. Ama okyanusun kokusunu çok özledim. Sadece bunu söylemek istedim.

O kış neler olduğunu hatırlamaya çalışıyorum; ancak yapamıyorum. Şok tedavisiyle hafızamın çoğu kayboldu. Sadece çok üşüdüğümü ve yalnız olduğumu hatırlıyorum. Lyndley'den haber aldığımı hiç sanmıyorum. Hatırlamıyorum.

Lyndley'i gördüğümü hatırladığım bir sonraki sefer, ertesi yazdı. Lyndley'in geldiği gün hava güzeldi. Sonunda ısınmıştım.

Okul dönemi bittiğinde Lyndley kendi başına Salem'e döndü.

Ne Cal ne de teyzeciğim Boynton Lyndley'in, May'in yakınında bir yere gitmesine izin vermeyeceğinden kız kardeşim resmi olarak Eva ile birlikte, sonradan benim olan odalarda kalıyordu. Ama Lyndley ne olursa olsun adaya geldi. Zamanını ada ile anakara arasında gidip gelmekle geçirdi ve kimse onun hangi gece, nerede kaldığını bilmiyordu asla; bu yüzden şayet Lyndley ortaya çıkmazsa ki bu ona yakışır bir davranıştı, kimse onun için endişelenmiyordu. Adada kaldığı zaman May'in Boynton Teyze için hazırladığı odada uyuyordu.

Bu, onu şimdiye kadar gördüğüm en mutlu haliydi. Lyndley özgürdü. Okulu sevmişti ve son sınıfı sabırsızlıkla bekliyordu. Şimdiye kadar görmediğim bir canlılık vardı onda ve doğal vahşi damarı zincirlerinden kurtulmuştu. Her zaman muhteşemdi; ama şimdi büyüleyiciydi. Tıpkı May gibi. Efsanenin başlangıcı. Herkes onunla birlikte olmak istiyordu. Onunla eşit zaman geçirmek için dövüşmek zorundaydım.

"Hadi, Harvard Square'e gidelim!" Lyndley bunu önermişti bir gün ve ben de hemen atlamıştım bu fırsatın üzerine. "Ceketini al" dedi. "Hava sonradan soğuyacak."

Haymarket'e giden otobüse bindik ki bu yolculuk hiç durmadan sürdü, sonra da Harvard Square'in girişine geldik. Kasaba daha sıcaktı ve Lyndley ceketimi, ayakları acıdığı için hippi bir dilenciye bir çift Meksika takunyası karşılığında verdi; ancak takunyalar bir numara büyüktü; bu yüzden şu bulduğu tütün içilebilen dükkânlara benzer yerlere girmezsek, yalınayak gezecekti. Sonra, takunyaları giydi ve etrafta dönüverdi, yürüdükçe ayakları küçük osuruk sesleri çıkarıyordu. Tezgâhtaki adamlar bundan zevk alıyordu; zaten erkekler Lyndley'in yaptığı her şeyden hoşlanırdı; çünkü o çok muhteşemdi. Ayrıca adamların gözleri kan çanağına dönmüştü; sanırım o adamlar o kadar sarhoştu ki dolayısıyla bu her şeyi komikleştiriyordu. Bir ara ses gerçekten çok çirkin bir hal aldığında, Lyndley kızardı ve "affedersiniz" ile bunun Fransızcasını dedi ve adamlar da neredeyse oturdukları yerden düşüyordu. Biz oradan ayrılana kadar Lyndley ipek bir sari için %20 indirim aldı ve birkaç sigara kâğıdını bedavaya getirdi; adamlar Lyndley'in sigara kâğıtlarını cebe atmasını fark etmemiş gibi davrandı. Ettiği yanına kâr kaldı Lyndley'in; çünkü adamlardan birine telefon numarasını vereceğine söz vermişti, iyi numaraydı çünkü Lyndley'in bir telefonu yoktu. Adamın bunu unutmuş olmasını umdu Lyndley; ancak adam dükkândan çıkıp elinde bir kalemle bizi takip etti ve sonunda Lyndley Eva'nın numarasını adamın koluna karaladı.

"Hey, senin adın ne?" Adam, Lyndley'in arkasından bağırdı, kolunu okumaya çalışırken kaldırım taşına ayağı takılmıştı.

"Eva Braun" dedi Lyndley.

Lyndley bunun çok komik olduğunu düşünüyordu; ancak adam şakayı anlamamıştı. Ben de gülmüyordum; çünkü bu o kadar da komik değildi ve gerçekten sevdiklerimden biri olmasa da ceket yüzünden sinirlenmeye başlamıştım. Ancak, elli dolarlık ceketin, yok pahasına on dolarlık bir çift takunya için verilmeyeceğini de biliyordum. Bu sadece aptallıktı.

Oradan çıkana kadar, Lyndley'in de bu konuda kötü hissettiğini söyleyebilirdim; çünkü benim için bir şey satın alacağı Marimekko adında bir yere götürdü beni; ancak tasarımlar çok neşeliydi ya da bana söylediği buydu; bu yüzden bunun yerine Pier 1'a gittik ve ikimize de Hint baskılı yatak örtüleri aldı Lyndley. Kendininkisini kesip pantolon yapacağını söylemişti; çünkü Eva'nın dikiş makinası vardı ve onu kullanabilirdi. Ancak benim kendi yatak örtümle pantolon yapmak zorunda olmadığımı ve şayet arzu edersem onu yatak örtüsü olarak saklayabilceğimi de belirtmişti.

Bloğun aşağısındaki diğer tütün içilebilen dükkânların birinde, gerçekten muhteşem olan bir çift küpe gördüm ve onları

Lyndley'e gösterdim, o da gidip küpeleri satın aldı, ama benim için değil; kendisi için. Bu davranışı beni çok sinirlendirdi; onları bulan bendim, küpeleri benim için satın almadığından değildi sinirlenişim; çünkü bana zaten çok şey almıştı; ancak onları satın almak zorunda oluşu keyfimi kaçırmıştı. Ne düşündüğümü sorduğunda, küpelerin onda iyi durduğunu söyledim; ancak benim deli olduğumu söyleyebilirdi.

"Bütün bu para nereden geliyor?" diye sordum.

"Eva, bana harçlık veriyor" dedi Lyndley. "Çocukların ne kadar alması gerektiğini bilmiyor; bu yüzden bana çok para veriyor."

Ona baktım. Onu, yargıladığımı söyleyebilirdi, hepimiz, zihin okuyabiliyoruz, Lyndley yapamıyor gibi davranmayı sevse de.

"Hadi, biraz tütsü alalım" dedi, kolumdan tutarak.

Lyndley, biraz frangipani tütsüsü ve mor desenli bir tişört satın aldı. Siyah çay ve bergamot aromalı çay için Tivoli'de durduk ve bunun parasını da Lyndley ödedi; ancak ikimiz de çayın pek güzel olmadığı konusunda hemfikirdik; çünkü Eva'nın yaptığı gibi kupaları ısıtmamışlardı.

Marblehead'e dönmek için otobüse bindik, Fort Sewall'de tam da günbatımında otobüsten indik, bütün yat kulüplerinden patlayan toplar, etrafımızda yankılanıyordu. Merdivenlerden inip, başkasının demir atma yerinde bağlı olan Whaler botuna vardık; şanslıyız ki botumuz hâlâ ordaydı. May, rıhtımın tepesinde tam ortaya çıktığı sırada adaya döndük, Lyndley yanaşma rampasını tırmanırken Sindirella gibi takunyalarından birini kaybetti; ancak bir prensin bulması için takunyasını bırakmak yerine dönüp onu aldı.

"Salem'de olduğunuzu düşünüyordum" dedi May bize ve botun nereden geldiğini izlemiş olduğunu söyleyebilirim.

"Marblehead" dedim.

"Bana Salem'e gideceğinizi söylemiştin."

"Hayır, öyle demedim."

May bize baktı, sonra çantaya ve Lyndley'in tek takunyasına. Çantada ne olduğunu soracak diye bir an korktum ve Lyndley'in sigara kâğıtlarını çantada değil de cebinde saklıyor olmasını ümit ediyordum; ama May sormadı. Bunun yerine yanaşma rampasından yukarı çıkmaya başladı.

"Bir daha geç kaldığınızda" dedi May. "Rampayı yukarı kaldıracağım ve bütün gece dubalarda uyuyabilirsiniz."

Annem çok garipti.

Hava yağmurlu ve soğuktu. Sonraki birkaç gün evde kalıp, hırıldamaya başlayan Beezer'la kâğıt oyunu oynadık. Lyndley, Beezer'in kollarına sahte dövmeler yaparak onu neşelendirmeye çalışıyordu; tükenmez bir kalemle, bir koluna Zümrüdüanka kuşunu, diğerine ise katil bir köpekbalığı çizmişti. Daha sonra eskiz defterini çıkarıp Skybo'nun kilim üzerinde uzanırken resimlerini yaptı; ancak Skybo rüya görüyordu ve ayaklarını hareket ettirmeye devam ediyordu; bu yüzden Lyndley, sonunda bundan vazgeçip, kendi adını farklı stillerde sürekli yazarak, kendine yakışır yeni bir hattatlık tarzı bulmaya çalıştı.

Perşembe gününe kadar Lyndley, dışarıya çıkmak için can atmaya başlamıştı ve May'in marketten birkaç şeye ve Beezer'ın hırıltısı için efedraya ihtiyacı vardı; dolayısıyla kasabaya gitmek için biz gönüllü olduk. Oraya gittiğimizde Eva dışarı çıkmak üzereydi; ancak almamız için efedra, diğer birkaç bitki ve biraz da çay hazırlamıştı ve sonra Lyndley oradayken, garajından birkaç eşyayı ödünç alıp alamayacağımızı sordu Eva'ya.

"Benim eşyalarımı mı istiyorsun?"

"Sadece eski olanları. Artık istemediklerini."

"Niçin peki?" Eva'nın çarklarının döndüğünü görebiliyordum, ne iş çevirdiğimizi merak ediyordu. Durumu daha iyi anlamak için bana baktı; ama açıkçası Lyndley'in aklında ne olduğu konusunda bir fikrim yoktu; dolayısıyla düşüncelerim ona hiçbir şey söylemedi.

"Oyun evini yeniden yapacağız" dedi Lyndley. "Sanki bomba patlamış gibi görünüyor orası."

Bu Eva'nın ifadelerinden biriydi ve Lyndley onun desteğini almak için bunu kullanmıştı. Yine de Eva'nın şüphelendiğini söyleyebilirdiniz; çünkü biz yıllardır oyun evine dokunmamıştık. Eva, bu fikir üzerinde düşünürken onu izliyordum. "Garajda, yığılmış birkaç eski döküntü var. Onları taşımak istiyorsanız, sizin bileceğiniz iş. Bunu yapması için birine para ödemekten de kurtarırsınız beni."

Lyndley onu yanağından öptü. "Teşekkür ederim, teşekkür ederim, teşekkür ederim" dedi ve kapıya yöneldi. "Sen muhteşem bir kadın ve harika bir Amerikalısın."

Eva sanki bir şey hatırlamış gibi durdu. "Bu arada" dedi. "Genç bir adam burayı aradı ve dün gece dışarı çıkmayı teklif etti bana. Sanırım seni arıyordu."

Bu, Lyndley'i durdurdu. "Ne söyledi?"

"Benimle Cambridge'de tanıştığını, şayet dışarı çıkıp makara yapmak istiyorsam gelecek perşembe akşamına araba bulabileceğini söyledi."

"Sen ne dedin?" Lyndley gülmemeye çalışıyordu.

"Yaz boyunca cezalı olduğumu söyledim."

Bu, Lyndley'i kahkahaya boğdu. "Çok iyi" dedi. "Gerçekten çok iyi."

"Bunu olmuş bil" dedi Eva.

"Ne?" diye sordu Lyndley.

"Boston'a yolculuk yok artık" diye cevap verdi Eva. Ardından bunu düşündü. "Daha belirgin bir şekilde, adaya kasaba sınırını getiriyorum. Şanslı olduğunu düşün. Şayet annen, Sarı Köpek Adası'na gidiyor olduğunu bilse beni öldürürdü."

"Tamam" dedi Lyndley; ancak sesi durgundu.

"Ve her gece nerede kaldığını önceden bilmek istiyorum" diye devam etti Eva.

"Peki."

Eva bekliyordu. "Hemen başlayalım" dedi, Lyndley durumu çakmayınca.

"Adada" diye cevap verdi Lyndley. "Bu akşamlık."

"Pekâlâ." Eva başını salladı ve kapıya yöneldi, Lyndley'i orada biraz şaşkın halde bıraktı. "Ve bu arada benim adım Ava Braun, Eva Braun değil. Bu ifade, hiç komik değil." Ortada başka bir şey döndüğünü söyleyebilirdim. Eva'yı hiç bu kadar stresli görmemiştim.

Eva için kapıyı tuttum. Bir teşekkür bile etmeden ya da arkasına bile bakmadan gitti.

Eva duyamayacak kadar uzaklaşınca, Lyndley'e döndüm ve dedim ki, "O adamlara gerçek telefon numarası verdiğine inanamıyorum".

Lyndley omuz silkti. Bu kadar akıllı olmasına rağmen bazen gerçekten aptal olabiliyordu.

"Hadi" dedi sonunda. "Gidelim."

"Nereye?"

"Oyun evini ayarlamaya."

"Gerçekten bunu yapacak mıyız?"

"Evet, başından beri ne hakkında konuştuğumuzu zannediyordun ki?"

Hiçbir fikrim olmadığını kabul etmek zorundaydım.

"Neden yardım etmek isteyeyim ki?"

"Çünkü sen benim kız kardeşimsin, beni seviyorsun ve benim senin yardımına ihtiyacım var."

"Bu gün kapalıyız."

"Pekâlâ. Buna ne dersin? Çünkü sen benim kız kardeşimsin ve

ben seni seviyorum ve yapacak başka iyi bir şeyin olmadığını da biliyorum."

Oyun evi aslında Eva'nın kayıkhanesiydi. İskelenin yanında kazıklar üzerinde duruyordu, suyun üstündeydi. Adadaki odamdan, Eva'nın kayıkhanesi, limana gelen her şeyi yakalamayı bekleyen, denize bakan kocaman, açık bir ağız gibi görünüyordu. Whitneyler gemi ticaretiyle uğraşıyorken, burası ilk olarak teçhizat hangarı olarak inşa edilmişti; ancak sonra taşındı ve kazıklar üzerine yerleştirildi ve kocaman girişi, limana bakan kısmından kesildi ve bu da onu tabiat olaylarına maruz bırakıp, her an yıkılacakmış gibi görünmesine sebep oldu. Binanın arka tarafına doğru, küçük bir oda vardı, kışın yelkenlilerimizi ve küreklerimizi bırakırdık buraya. Bu küçük odanın arkasında, tavan arasına giden küçük bir merdiven vardı. Tavan arasının dışında ambarın penceresi vardı; ancak bu pencere tıpkı kapı gibi ilk başta orada değildi, çok sonraları kesilmişti. Akıntı yeterince yüksek olduğunda, bu pencere, denize dalmak için harika bir yer oluyordu.

May orijinal tavan arasının, muhtemelen, Common Parkı'nın altındaki tüneller gibi gümrükten mal kaçırma ya da İngiliz vergilerinden kurtulmak için yapıldığını söyler ve ancak sonraları yeraltı demiryolu gibi fedakâr amaçlar için kullanıldığını belirtir, belki de öyledir; ama fark etmez. Önemli olan nokta bu tavan arası, bizim oyun evimizdi ve burası harika bir yerdi. Cal'ın kötü olduğu ilk yaz, Eva burayı bana ve Lyndley'e vermişti; böylece Lyndley'in kaçabileceği bir yeri olacaktı, Cal'ın onu bulamayacağı bir yer.

Yazın, aileden kimse kayıkhanenin yakınında bir yere gelmezdi; bu yüzden burası çok özeldi. Kışın botlarımızın birkaçını buraya bırakırdık: Beezer'ın Whaler'ını, küçük bir sandal, mahvolur diye adada bırakmak istemediğimiz her şeyi. Su seviyesi akıntıya göre değişirdi; yüksek akıntıda on ile on iki fit arasında giderken; deniz alçakken, birkaç fite ulaşırdı ancak. Bu bir tekne ya da küçük bir bot için her şeyi zorlaştırırdı, botu bırakıyorken motoru kapatmak zorunda kalırdın yoksa döndüğünde botun etrafta dönüyor ya da pervanesi üzerinde dengesini kuruyor olabilirdi ki motoru için harika bir şey değildi. Bu nedenden ötürü, artık kimse burayı gerçek bir kayıkhane gibi kullanmıyordu; dolayısıyla yaz boyunca burası bizim oldu. Tuz, küf, eski yelkenli ve martı gübresi kokuyordu burası ve biraz temiz kokmasını sağlamak için çok fazla çamaşır suyu kullanmak zorundaydınız; ama bu halledilebilirdi. Yazın ortasında bütün bina buhar banyosuna dönerdi ve diğer yerlerin hatırına burayı terk ederdik. Ama burası yine de harika bir yerdi. Tavan arası penceresi açık olduğunda, dışarısı doksan derece olsa bile –ki bu neredeyse hiç olmazdı– aşağıdaki koku size asla gelmezdi.

Eva'nın garajına birkaç kez gidip geldik. Sandalyeler, bir masa ve hatta hiç kimsenin işine yaramayan ancak Lyndley'in o olmadan yaşamadığı, at kılından yapılma eski bir döşeği bile sürüklüyorduk. Sandalyeler dışında, hiçbir şeyi merdivenlerden çıkaramadık; bu yüzden geri dönüp, bir halat bulup, çatı katı penceresinden masa ve döşeği çekmek zorunda kaldık. Gökyüzü kuzeyde kararmaya başlamıştı ve fırtına bizi ıskalasa da hava oldukça rüzgârlıydı ve neredeyse döşeği denize düşürüyorduk. Sonunda pencereden onu çektiğimizde, döşek birdenbire tavan arası zeminine düştü, yılların tozunu kaldırarak. Lyndley, onu köşeye sürükledi ve yanında getirdiği Hint baskılı yatak örtüsünü üzerine serdi.

"Onla, pantolon yapacağını sanıyordum."

"Ben, senin pantolon yapman gerektiğini söyledim; asla kendim yapacağım demedim."

Hikâyeyi böyle değiştirmesinden nefret ediyordum. Genellikle ağzının payını verirdim; ancak eşyaları taşımak beni o kadar yormuştu ki tek yapmak istediğim şey döşeğin üzerinde uzanmaktı. Lyndley'in üzerine örtü sermiş olmasından memnundum.

Sırt çantasında iki şey getirmişti Lyndley: Yatak örtüsü ve Eva'nın şarap mahzeninden çaldığı bir şişe Burgonya şarabı ki bu çok saçmaydı; çünkü Lyndley'in tek yapmadığı şey içmekti ve içen herkesten de nefret ederdi.

"Ne yapıyorsun?" dedim.

"Göreceksin."

Tirbuşonu yoktu, dolayısıyla eski bir çıtayı aldı ve şişenin mantarını içine doğru itti. Şarap çıtanın etrafında gezindi ve sonra taşarak Lyndley'in tişörtüne de bulaştı. Bu Lyndley'i kızdırdı; ancak ardından pencereye gitti ve şarabın geri kalanını aşağıdaki denize boşalttı. Koyu kırmızının pembeye sonra griye dönüşünü izledim; sonunda tamamen kayboldu. Şarabın gücünü kaybettiğini izlemek bir şekilde tatmin ediciydi; belki de bir çeşit tedavi ayinini ya da ona benzer bir şeyi seyrediyor olduğumu düşündüm: Lyndley, alkol şeytanının ailesinin hayatı üzerindeki gücünü yok ediyordu. Ama sonra Lyndley döşeğin üzerine oturdu, kendisine bir esrar sardı ve teorim şarapla birlikte pencereden çıkıp gitti.

Durumun ironisini göstermeyi düşündüm; ancak Lyndley, benimkisi kadar ironik bir durumda değildi ve ayrıca onun şişeyle gerçekten ne yapmış olduğunu bilmiyordum; bu yüzden hiçbir şey söylemedim. Tedirgin olmaya başlıyordum; Lyndley'in esrar içmesini umursadığımdan değil, içmeyen çok az kişi tanıyordum; daha çok geride kalan birkaç doğru çocuktan biri olduğumdandı ve bunun farkındaydım. Lyndley ile birlikte esrar içmeyi geçen yaz denemiştim ve aslında hiçbir şey olmamıştı. Esrar beni sadece tıkamıştı ki bu da huysuz ve gergin olmama sebep olmuştu.

Lyndley'e tekrar öfkelenmeye başlıyordum. "İnşa ettiğimiz bu muydu? Bir afyon batakhanesi mi?"

"Bu afyon değil."

"Ne demek istediğimi biliyorsun."

"Bu kadar dramatik olma."

Odanın karşısına geçtim, pencerenin yanında, Eva'dan aldığımız sandalyerden daha iyi durumda olanının üzerinde, Lyndley'den olabildiği kadar uzakta oturuyordum. Oturduğum sandalyenin hasırı yoktu; bu yüzden dengemi kurup, düşmemeye çalışarak kenarında oturuyordum.

Kaşlarımı çattım. Lyndley bir nefes daha çekti derinden, sonra döşekten kalktı ve bana doğru yürüdü. Dumanını bana doğru üfleyeceğini düşündüm. Geçen yaz bunu denemiştik; ancak işe yaramamıştı, saçım ve kıyafetlerim pis pis tütün kokmuştu. Üflemek yerine eğildi ve dudaklarımdan beni öptü. Öptüğünü söylüyorum çünkü yaptığını sandığım şey buydu; onu ittim ve gülmeye başladı Lyndley, dumana boğularak.

"İsa aşkına, Towner, sen çok telaşlısın."

"Defol git be!" dedim, hata yaptığını kanıtlamaya çalışarak.

Sonunda Lyndley mumların kâğıt ambalajını aldı, küçük bir boru yaptı ve dumanı ciğerlerime üfledi, bunu yapmasına izin verdim.

Tıkanmadım ve birkaç denemeden sonra adeta uçuyordum. Sadece bunu biliyorum; çünkü döşekte geriye yaslanıp, Lyndley'in mum artıklarını masaya boşaltmasını izliyordum. Ardından boş şarap şişesini aldı, mumu yaktı ve renkli balmumunu küçük damlacıklar halinde şişenin bir tarafına eritmeye başladı. Mumun biri bittiğinde, diğerini yakıyordu ve ardından diğerini ta ki şarap şişesi kaybolup, ortada balmumundan bir gökkuşağı dışında hiçbir şey kalmayana dek. Uçuyor olduğumu biliyordum; çünkü bunun şimdiye kadar gördüğüm en büyüleyici şeylerden biri olduğunu düşündüğümü hatırlıyorum.

"Sanırım ben kafayı buldum" dedim sonunda ve Lyndley gülmeye başladı.

"Öyle mi düşünüyorsun?" dedi ve daha fazla gülemeyene kadar güldük ikimiz de.

Lyndley bıraktığı mum artığını aldı ve şişenin tepesine tıkıştırdı ve "*Voilà*" dedi.

Ve ardından ben uyuyakaldım. Uyandığımda Lyndley sandalyede oturmuş, pencereden dışarı bakıyordu. Bana kaptan eşlerinin ufukta bir bayrak direği arayarak denize doğru baktığı resimleri hatırlatmıştı. Oda tamamlanmıştı. İyi görünüyordu. Gündoğumunun yarı ışığında ve mumun parıltısında Lyndley güzeldi. Her zaman güzel olmadığından değildi bu; ancak güneş saçını aydınlatıyordu. Saçı kırmızı ve altın renginde parlıyordu, etrafında tıpkı bir hale ya da melek var gibi ki bu normalde Lyndley'i resmedeceğiniz bir hal değildi. Şarhoş uyku hayali bir anda kayboldu.

"Aman Tanrım, saat kaç?" dedim, birdenbire gerçeğe dönüp döşekten fırlayarak.

"O kadar da geç değil."

"May, efedra bekliyor" dedim.

"Biraz geç kalacağını biliyordu."

"Yanaşma rampasını yukarı kaldıracak."

"Hayır. Blöf yapıyordu" dedi Lyndley.

"Asla. May blöf yapmaz."

Odada dolanıp her şeyi birbirine katıyordum, Eva'nın bize verdiği küçük ot çantasını bulmaya çalışıyordum.

Onu buldum, geri kalan eşyalarımı topladım ve merdivene yöneldim.

Geriye baktım. "Geliyor musun?"

"Bir süre daha burada kalacağım."

"Eva'ya adada kalacağını söylemiştin."

"Fikrimi değiştirdim."

"Neden?"

"Burası hoş... Kalmak istiyorum."

Yalan söylüyordu.

"Burada uyuyamazsın."

"Neden olmasın?"

"Çünkü başın belaya girer."

"Kim söyleyecek? Sen mi?"

"Hayır, ama burası iyi bir yer değil."

"Neden bahsediyorsun sen?"

"İskeleler."

"Onlar yeterince güvenli."

Jack'in botunun yanaştığını gördüm. Suyun içinde alçakta duruyordu, ıstakozlarla doluydu, muhtelemelen Kanada'dan geliyordu; bu günlerde bunlardan çok vardı orada. Jack, botu bağlarken onu pencereden izledim. Kafasını kaldırıp baktı ve bir gülücük attı. Gömleksizdi ve güneşten bir hayli yanmıştı.

Gülümsemesi içtendi, yüzümün kızardığını hissediyordum ki bu da beni çılgına çeviriyordu ve sonra Lyndley'in arkamda olduğunu hissettim ve bu gülümsemenin onun için olduğunu hemen anladım.

Jack, elinde pano olan bir adamın yanında duruyordu: Adam botun içini göstererek Jack'in yakaladıkları için fiyat pazarlığı yapıyordu. Bir teklif, bir kafa sallayışı... Ardından adam aşağı indi ve botun içine tekrar baktı. Jack, işaretparmağını kaldırarak bir dakika sonra orada olacağını söylüyordu Lyndley'e. Adam bir çiviye takılarak döndü ve pantolonun arkasında kocaman bir delik oluştu. Jack'in gözleri büyüdü. Jack, Lyndley'e "ne yapmalıyım" bakışı attı ve Lyndley, parmağını dudağına getirerek "hiçbir şey söyleme" işareti yaptı. Jack ciddi bir tavır takınmaya çalıştı, adam tamamen habersiz salınarak yürürken. Biraz daha görüştüler ve sonunda el sıkıştılar. Jack ve Lyndley, adam ıstakozları sayarken birbirlerine bakmaya devam ettiler. Sonra Jack, makbuzu imzaladı ve adam çek defterini çıkardı ve alışveriş sona ermişti.

"Yakalanacaksın" diye tısladım Lyndley'e, Jack kayıkhaneye doğru gelirken. Mantığın sesi olmaya çalışıyordum; ancak daha çok saçma bir çizgi filmden çıkma şeytan gibi çıkmıştı sesim.

"Şayet sen söylemezsen bir şey olmaz."

"O zaman da hamile kalacaksın."

"Henüz hamile değilim."

"Bir kez. O zaman sadece şanslıydın."

"Bütün sene boyunca onu gördüm. Ayrıca ben doğum kontrol hapı kullanıyorum. Aptal değilim, biliyorsun."

Ancak ben, onun ilk cümlesine takılıp kalmıştım. "Onu, bütün sene boyunca gördün mü?"

"Hafta sonları arabayla okula geliyordu."

Ona bakakaldım.

"Sana söylemek istemedim; çünkü bundan hoşlanmayacağını biliyordum."

Büyük ihanet.

"Birbirimize aşığız, Towner. Jack evlenip, Kanada'ya gitmek istiyor."

Anlamamıştı. Söyledikleri sadece her şeyi daha da kötüleştiriyordu. Umrumda olan onun Jack'le görüşmesi değildi; bunu bana *söylememiş* olmasıydı.

"Evlenmek istiyor" dedi tekrar Lyndley, sanki bu işe yaraya-cakmış gibi.

"Bu, kitaptaki en eski satır." Eva'nın sözlerinden birini söyle-meyi amaçlıyordum; ancak sonunda sadece Cal olup çıktım.

Tam isabetti.

"Sonsuza kadar mutlu yaşama saçmalığına inandığını söyleme-yeceksin değil mi?" Devam etmek zorundaydım.

"Neden inanmayayım ki?" Karşı koymaya çalışıyordu; ancak sesi zayıflayıp düşmeye başlamıştı.

"Bedava süt almak varken, neden inek satın alırsın ki?" Daha fazla şey söylemek istemiyordum; ancak öfkemin hızı beni sürük-lüyordu. Her şey çok basitti. Cal'ın bozuk dilini kullanmak zorun-da değildim; ihtiyacım olan Eva'nın laflarıydı. Birkaç isabetli atış-la Cal'ı odaya itmeyi başarmıştım sanki. O kendi başına merdi-venleri çıkıp, küfür ve suçlamalarını kusuyormuş gibi. Tam he-deften vurmuştum.

"Eve gelmelisin" dedim, Lyndley'in yüzündeki bakıştan çok ile-ri gittiğimi biliyordum ve kendimi kötü hissetmeye başlamıştım.

Merdivenlerde ayak sesleri vardı, ardından Lyndley ürktü. Jack, merhaba diye seslendi. Sesi net ve mutluydu, daha yeni ya-rattığım duruma oldukça karşıttı.

"Eve gitmiyorum" dedi Lyndley. Mutlu olmaya çalışıyordu; ama ruhu ondan ayrılmıştı. Onu ben almıştım.

Üzgün olduğumu söylemek istiyordum. Ağlamak ve ona tutun-mak istiyordum. Ama onun burada Jack'le kalmasını arzu etmi-yordum. Önceki yaz Cal'ın yaptığı suçlamalardan bir şey benimle kalmıştı. Benim bir tarafım, ufacık, ilginç bir taraf; belki de Cal haklıydı. Belki de kız kardeşim, Cal'ın olduğunu düşündüğü şey-di, bir fahişe. Bu düşünceyi silmeye çalıştım. Ama Lyndley ne dü-şünüyor olduğumu biliyordu. "Seni idare etmeyeceğim, şayet dü-şündüğün buysa." Sonunda bunu söyledim.

"Kimse senden bunu istemedi" dedi Lyndley, dirençli olmaya çalışarak; ancak sesi durgundu. Şayet düşüncelerim, duvara yan-sıtılmış olsaydı da şüphesiz artık onları açıkça okuyamazdı.

Jack merdivenlerden yukarı çıkmadan ben aşağı indim. Akın-tı, atlamak için yeterince yüksek değildi; öyle olsaydı pencereden çıkardım. Beni görmesin diye gölgede saklandım. Sonra da Wha-ler botuna bindim. Yukarıda konuştuklarını duyabiliyordum. Pencereye düşen siluetlerini izledim.

"Neyin var?" Jack'in Lyndley'e bunu söylediğini duydum.

"Hiçbir şey" bunu, olabildiği kadar canlı bir şekilde söyledi Lyndley. "Her şey yolunda." Sonra Jack, Lyndley'in yanına gitti ve onu öptü.

Lyndley'in kolları, iki tarafında gevşekçe sallanıyordu. O, Jack'in öpücüğüne karşılık vermedi.

Geri döndüğümde hava kararıyordu. Lyndley haklıydı. May yanaşma rampasını yukarı kaldırmamıştı. Blöf yapıyordu.

Kötü bir haldeydim. Ne May, ne de Beezer Lyndley'in nerede olduğunu sormuştu; bu yüzden yalan söylememe gerek kalmamıştı. Ben bu vaziyetteyken kimse benle konuşmayı sevmezdi, çoğunlukla beni kendi halime bırakırlardı.

Lyndley, her iki iddiasında da haklı çıkmıştı. May, yanaşma rampasını kaldırmamış ve ben onu idare etmek zorunda kalmamıştım. Ama idare ederdim. Şayet iş o duruma gelseydi. Blöf yapıyor olan bendim.

Ağustosun sonlarında Cal, Lyndley'i Miss Porter'ın Okulu'ndan aldı. Yarıştığı yat kulübünde bir "olay" olmuştu ve takımdan kovulmuştu. Harap olmuştu. Gündüz vakti de içmeye başlamıştı. Lyndley'in okulunu aramış ve okul müdiresini korkunç isimlerle çağırmıştı.

Onu ve okulu, kızının ahlaksız olmasıyla suçlamıştı. Eva, okul müdiresini arayana kadar olan olmuştu. Lyndley'i geri almak isteseler de (Lyndley'in disipline sokulması, kolay bir öğrenci olmadığına dair imalar da vardı) Cal Boynton'la uğraşmayı arzu etmiyorlardı... Her şey bitmişti.

Eva çok öfkeliydi. Söyleyeceği hiçbir şey onların fikirlerini değiştirmeyecekti. Sonunda Pingree'de tanıdığı birini aradı ve güz dönemi için gizlice Lyndley'i kaydettirdi. Sonra da onu May'in koruyucu himayesine bırakıp, Boyntonların yaşadığı yer olan Florida'ya gitti. "Onun, bu adadan ayrılmasına izin verme" dedi Eva. "Ve yanaşma rampasını aşağıya indirme."

Esaret altında yaşamak Lyndley'in tarzında ciddi bir mani oluşturmuş olmalı. Yakalanmadan yazın büyük bir kısmında Jack'le kayıkhanede evcilik oynamıştı. Bu durum onu rahatsız etmiş olmalı. Ancak kaderine razıymış gibi görünüyordu. Neredeyse rahatlamış gibiydi.

Yapabildiğim her yolla ondan özür diledim. Söylediğim hiçbir şeyi aslında kastetmediğimi anlattım ona. Bunun üzerine kavga etmedik. Anladığını söyledi bana. Ve haklı olduğumu.

Onun için gerçekten endişelenmeye başlıyordum.

Eva, Florida'dan döndüğünde çok iyi görünmüyordu. "Cal, ailesini Batı Kıyı'ya taşıyor" dedi May'e. "San Diego için yarışacak."

Florida'daki evi satmışlardı ve Cal, Eva'ya borçlandığı parayı geri ödemişti ki bu da Eva'nın Cal üzerinde artık baskı gücü kalmadığını gösteriyordu.

"Emma onunla gidiyor mu?" May'in hâlâ umudu olduğunu görebiliyordum.

"Evet, Cal bütün aileyi birlikte orada istiyor." Eva cüzdanından bir uçak bileti çıkardı, masanın üzerine, May ile arasına koydu. Şüphesiz bu Lyndley içindi.

"Asla" dedi May.

Eva, Emma'nın eliyle yazılmış bir mektubu çıkardı.

May mektubu bir kez okudu ve sonra ikinci kez. "Lyndley üzerindeki gözetiminden vazgeçmeni mi istiyor?" diye sordu May. Bunun May'in beklemediği bir şey olduğunu söyleyebilirdim.

"Onunla konuştum" dedi Eva. "Kolay değildi."

"Buna bağlı kalacak mı?"

Eva omzunu silkti. "Fark etmez. Avukatımla çoktan konuştum" dedi Eva. Mektup mahkemede işe yaramaz, şayet Cal itiraz etmezse ki mutlaka itiraz edecektir... Eğer Emma, bütün gerçekleri söyleme niyetinde olursa şansımız olur."

"Bu asla olmayacak" dedi May.

Ortada bir şeyin döndüğünü hepimiz biliyorduk. Beezer bile kilitli kapıları dinliyordu; ancak hiçbir şey duyamıyordu, dolayısıyla sonunda vazgeçmişti dinlemekten. Eva ve May iyiydiler. Duyulmamak için kendilerini mutfağa kilitliyorlardı, sesi engellemek için bizimle aralarına odalar koyuyorlardı; bir tarafta kâhyanın kileri, diğer tarafta arka veranda. Buna rağmen arka verandaya geçmeyi başarmıştım. Kilidi açmıştım. İçeri girer girmez, beni görmesinler diye portmantonun arkasına saklandım.

Onlar konuşmalarını bitirene kadar hareket etmeye cesaret edemedim. Eva odadan ayrıldıktan sonra May uzun süre masada oturdu. Sonunda kalktı ve herkes için sandviç yapmaya başladı: Beezer'ın alerjisinin olduğu fıstık ezmeli ve beni kusturan turşu çeşnili gerçekten berbat sandviçler.

Sonunda Lyndley'e duyduklarımı anlatıyor buldum kendimi –seçerek. Cal'ın San Diego'ya gelmesini istediğini; ancak annesinin onun bizle kalabileceğini söyleyen bir mektup yazdığını anlattım Lyndley'e. Ona okul değiştirebileceğini söyledim ve sanırım bu konuda bazı şüpheleri olsa da kalma fikrini sevmişti, her ne kadar bunu söylemek gitgide zorlaşsa da.

Yine de Lyndley tedirgindi. San Diego ile ilgili daha fazla detay vermem için bana baskı yaptı. Sonunda ona Cal'ın Florida takımından kovulduğunu söyledim. Buna üzülmüştü, bunu söyleyebilirdim; ancak düşündüğünde, elinden geleni yapmaya çalışmıştı. "San Diego, daha iyi bir kulüp" demişti Lyndley. Sadece düşünmek, olanları daha iyi ve Cal'ı daha mutlu yapabilirdi.

Lyndley'e Cal'ın hiçbir talebinden bahsetmedim. Sanki Cal da mektubu imzalamış gibi davrandım. Cal'ın ondan buradan ayrılmasını istediğini düşünmek için hiçbir sebebi yoktu Lyndley'in; çünkü Cal geçtiğimiz yıl ona burada kalması için izin vermişti.

Anlatmadığım şeyler için biraz kötü hissediyordum; ancak biliyorum, ona bunları söyleyemezdim. Bundan sonra zihnimi olabildiği kadar boşaltmak zorundaydım; çünkü Lyndley de zihin okuyabiliyordu ve onun şüphelenmesini istemiyordum.

"Annem iyi mi?" Ben sonunda cevap verene kadar Lyndley bu soruyu defalarca sordu.

"O, iyi" dedim, zihnimi bomboş tutmaya çalışarak; Lyndley düşüncelerimi okuyamasın diye Emma'yı aklımdan geçirmemeye çalışıyordum.

Ama bu işe yaramadı. Uzun süre. May ve Eva arasında çok fazla kapalı kapı sohbetleri vardı. Ve Eva dışında hiç kimse adaya giremiyordu.

"Gerçekten neler oluyor?" Bir gece, Lyndley bunu öğrenmeyi talep etti. Uyumamıştı. Gözlerinin altındaki halkaları görebiliyordum.

"Sana anlattım."

"Belki de bana bir kısmını anlatmışsındır; emin ol bana hepsini anlatmadın."

Omzumu silktim. Şayet hikâyenin geri kalan kısmı varsa da bunu duymadığımı söyledim ona. Yalan söylediğimi biliyordu.

Bütün avukatlar aynı şeyi söylemişti; teyzeciğim Boynton'un Lyndley'in gözetimini May'e ya da Eva'ya devrettiğine dair yazdığı mektup mahkemede asla yardımcı olmayacaktı. Şayet Cal, Lyndley'i gerçekten geri istemezse. Ve teyzem, kimse Cal aleyhinde bir şey söylemezse, Lyndley'den vazgeçmeye razı olurdu. Bu yüzden kazanmak söz konusu değildi. Sonunda Eva ve May mahkemeye gitmeye karar verdi; madem iş bu noktaya geldi. Durumu Cal için elverişsiz hale getirmek yolunda yeterli para ve zamanlarının olduğunu düşünüyordu May ve Eva. Şayet şans bizle olursa ve Cal San Diego için kazanmaya başlarsa, Lyndley'in gözetimi uğruna savaşmak için sürekli mahkeyemeye gelecek zamanı olmazdı, özellikle de müsabaka yeri Massachusetts olursa. Ayrıca Eva'nın Cal'dan daha çok parası vardı. Bu yüzden May ve Eva, avukatlarına bu uzun ve zor işe hazır oldukları konunda garanti verdiler.

"Hayatınızın kavgasına hazır olun"du onun cevabı.

Lyndley, bir haftadan daha az bir süre içinde on yedi yaşında olacaktı –şayet mahkeme tarihini bir yıl erteleyebilirse kazanabileceklerini düşünüyorlardı. Çünkü Lyndley on sekiz yaşında oldu mu kendisi istemezse Cal'ın onu geri almak için yapabileceği hiçbir şey yoktu. Lyndley sonunda özgür olacaktı.

Birkaç gün sonra Lyndley yine beni köşeye sıkıştırdı. "Bu sefer bana doğruyu söyle" dedi. "Bütün gerçeği, başka bir şey değil."

Boyun eğdim. Ona her şeyi söyledim. Anlatmadığım için o kadar suçluydum ki sanki içimde bir baraj yıkılmıştı ve her şey dökülüyordu benden.

Ve bu yardım etti de. Artık tamamen yakın değildik; ancak bana tekrar güvendiğini söyleyebilirdim.

Biletin üzerindeki tarih gelip geçtiğinde Cal, Lyndley'i adadan, gemiden aramaya başladı. May, Cal'ın aramalarından birini yakaladığında ben mutfaktaydım.

"Ne istiyorsun?" dedi Cal'a.

"Kızımı geri istiyorum."

"Hayal kırıklığına kendini alıştır" oldu May'in cevabı.

"Lyndley'e annesinin ona ihtiyacı olduğunu söyle. Şayet kendisi buraya gelmezse olacak şeylerden ben sorumlu değilim, anlat ona."

"Tehditlerinde daha net ol" dedi May. "Bunu banda kaydediyorum."

May ondan sonra telsizi kapattı. Ancak koridordan aşağıya inen bir gölge gördüm ve biliyordum ki Lyndley hepsini dinliyordu. İki gün sonra Jack, Lyndley için bir mektup bıraktı. May bana neler olduğunu sorana kadar mektup mutfak masasının üzerinde kapalı bir şekilde durdu.

Mektubu aldım, yukarı çıktım ve Lyndley'in yatağının üzerine koydum. Ona dokunmadı. Ayın üçü bizim doğum günümüzdü. Mektubu ben açtım.

"Doğum gününden sonraki gün Kanada'ya gidiyorum" diyordu. "Evlen benimle." Mektuba bantlanmış, ince kâğıda sarılmış bir yüzük vardı. Gümüştü, ortasında basitçe yerleştirilmiş bir elmas vardı. Bunu satın almak için muhtemelen ıstakozdan kazandığı bir aylık parayı harcamıştı.

Lyndley pencereden dışarı, Boynton evine bakıyordu. Ona mektubu okudum ve cevabını bekliyordum. Tıpkı Jack burada olup kendisi bu soruyu sorsaydı, onun bekleyeceği gibi.

Lyndley'in neye bakıyor olduğunu görmek için pencereden dışarı baktım. Evin bakıma ihtiyacı vardı. Ön verandası hemen hemen yok olmuştu –Cal, geçen yaz bazı çürüyen tahtaları değiştirmek için verandayı kaldırmıştı, sonra bu işi bitirmek için hiç şansı olmadı.

"Yıkılacak" dedi Lyndley, eve bakarak.

"Belki."

"Ya bu sefer onu öldürürse?" diye sordu Lyndley, annesinin kırık çenesini hatırlayarak. "Onu durdurmak için San Diego'da değilim."

"Bu yıl da orada değildin." Ona destek verme amacıyla bunu söyledim.

Güldü sonradan. "Sonsuza kadar mutlu yaşama saçmalığına inanmaya ne zaman başladın?"

"Bilmiyorum" dedim, gerçekten bunu kastederek. "Belki de bugün."

İkindi vaktine kadar Lyndley'in toparlanmasına yardım ettim.

Saat beşe kadar sisten dolayı hapis kaldık evde. Eva telsizle limandan çıkamadığını söyledi. Doğum günü akşam yemeğimizi pişirmesi için May'e marketten dört çanta alışveriş yapmıştı ve karada mahsur kalmıştı.

Bir tarafım Eva gelmiyor olduğu için rahat. Her yıl Eva ve May'in bizim için hazırladığı doğum günü akşam yemeği harika bir gelenekti. Ancak Eva, her yıl doğum günümüzde dantel falımıza bakardı ve bu gece onun görebileceği şeylerden korkuyordum.

Sis sonunda kalkacaktı ve öyle olduğunda Lyndley'i Jack'e gö-türecektim. Kimsenin yolumuza çıkmasını istemiyordum.

May, doğum günü kutlaması hazırlamak için elinden gelenin en iyisini yaptı. Sandviçlere geri döndü; çünkü onlar tek sahip olduğumuz şeydi. Ama ortasında kocaman bir mum olan tereyağ kremalı pasta yapmıştı.

Akşam yemeği sona erdikten sonra hep beraber oturduk. Kimse ne yapacağını bilmiyordu. Eva'nın partilerimizi yönetmesine alışmıştık. Ama o burada değildi.

Bir süre sonra Beezer kalktı ve bulaşıkları yıkadı. May masada kaldı, bizi seyrediyordu. Bizse sise bakmaya devam ettik, dakikalar geçtikçe daha da yoğunlaşıyordu.

"Şayet bilmesem" dedi May. "Başka bir yerde olmayı tercih ettiğinizi düşünürdüm."

"Hayır" dedim çabucak.

"Her şey harika" dedi Lyndley. Yürüdü ve May'in yanağından öptü ki Lyndley'i şimdiye kadar bunu yaparken hiç görmemiştim. "Bu hoş parti için teşekkür ederim."

May gülümsedi. "Rica ederim" dedi.

"Hadi bir oyun oynayalım" dedi Beezer odaya giderken. May bir şey hatırlayıp elini kaldırdığında, Beezer Monopolly tahtasına yönelmişti.

"Geleneğimizi unutuyorsunuz" dedi May. Büfenin en üst çekmecesini açtı ve bir dantel parçası çıkardı.

"Sen bir falcı değilsin" dedim.

"Sadece beni daha önce fal bakarken görmediğin için; bu yapamadığım anlamına gelmez."

"İlk önce benim falıma bak" dedim. Lyndley'in falına bakmasını engellemek için her şeyi yapıyordum.

May danteli yüzümün önünde tuttu. Zihnimi berraklaştırmaya çalışıyordum; Lyndley ya da Jack veyahut olmak üzere olan her şeyi düşünmekten kaçıyordum. Nefesimi tuttum.

İmge, çabucak iplik ağında şekil aldı. Herkes gördü onu. Beezer dışında herkes. May sonradan hiçbir şey görmediğini iddia edecekti; ancak ben daha iyi biliyordum. Yüz ifadesi değişirken onu izliyorum.

İmge, teyzeciğim Boynton'undu. Fena halde dayak yemiş, yüzü ve gözleri kesikler içinde.

Lyndley'in nefesi kesildi. May danteli düşürdü.

Uzun süre sessizlik içinde oturduk.

"Ne gördün?" diye sordu Beezer.

"Hiçbir şey" dedi May. "Kesinlikle hiçbir şey." Ayağa kalktı ve danteli kenara bıraktı. "Geç oluyor" dedi, bizi dağıtarak. "Yorgun görünüyorsunuz."

Lyndley ve ben sessiz sessiz odamıza gittik. Ağladığını bilmemi istemiyordu. "Neden onu bırakmıyor?" diye sordu Lyndley.

"Bilmiyorum" dedim kapıyı açarken.

Gölgeliği kaldırdım ve dışarı baktım. Bir an, Marblehead Burnu'ndaki fener ışığını görebiliyordum. Sadece yeşil bir parlama; ama oradaydı.

"Sis kalkıyor" dedi, ışığı göstererek. Pencereye döndü.

"Eşzamanlı."

"Ne?"

"Sis kalkıyor. Bu her şeyin iyi olacağına dair bir işaret."

Gülümsemeye çalıştı.

Akıntı yükselene kadar Lyndley'i adadan çıkaramadık. Whaler botunu çoktan Back Sahili'ne götürmüş ve baş tarafından uzun bir sıraya bağlamıştım. Şayet akıntı yükselirse ve kayalıklar kapanırsa Lyndley'i bota bindirip, onu adanın kayalıklı kıyısından halatla çekip, ta ki o güvenli bir şekilde noktayı geçene kadar, kıyıdan onu takip etmeyi hesaplamıştım. Sonra ona haladı atacaktım ve Lyndley onu içeri alıp, Whaler'ın Miseries Adası'na doğru akıntıya kapılmasına izin verecekti. Sınır adaları geçene kadar motoru çalıştırmayacaktı ve kimse onun ayrıldığını duymayacaktı. Gece yarısına kadar iskelelere varabilecekti.

Dışarı çıktığımızda ev karanlıktı. Kapıdaki sineklik telini gıcırdamasın diye yavaşça kapadık.

Sırayla onun çantasını taşıyarak sessizlik içinde yürüyorduk. Beysbol sahasını geçtik, Lyndley ve Jack'i bulduğum o terk edilmiş arabayı arkamızda bıraktık. Sanki çok uzun zaman önceydi ancak sadece geçen yazdı. Lyndley'in evini geçtik, basamaklarda veranda parçaları duruyordu hâlâ, çürüyordu şimdi. Lyndley eve ya da verandaya bakmadı, ancak gittiği yöndeydi gözleri.

Zor bir iş olsa da plan başarılıydı. Halattan dolayı elimde nasırlar oluşmuştu. Kimse görmesin diye ellerimi günlerce cebimde tutmak zorundayım. Eminim ki sonunda herkes Lyndley'e yardım ettiğimi anlayacaktı. Kendi başına gitmesinin bir yolu olmadığını herkes biliyordu.

Back sahilindeki sular bizim için ayrılmazsa, bize karşı yükselmez de geçmişe bakıldığında yükselmesi belki de daha iyi olsa da. Gücümün yettiği kadar haladı kayalıklar boyunca çektim, ben çalışıyorken köpekler beni seyrediyordu. O noktayı geçtiğimde haladı suyun içine attım. İskele tarafına geldi halat ve Lyndley içeri aldı onu. Botun içinde oturdu. Bir dakikadır birbirimize bakıyorduk; ancak sonra bot sallandı ve Lyndley oturmak zorunda kaldı. Bana el salladı ve ben mümkün olduğu kadar onu seyrediyordum. Planladığım gibi o noktayı geçmesini izledim. Gözden kaybolurken ona bakmıyordum; hem çok şiddetli ağlıyordum, gözlerim bulanıklaşmaya başlamıştı, hem de Eva'nın bana her zaman söylediği şey yüzünden: *Birini, gözden uzaklaşıncaya kadar seyretmek kötü şans getirir.*

Ertesi gün, sabaha kadar Jack'in yüzüğünü bulmamıştım. Yatağımın yanındaki masanın üzerindeydi hemen, Lyndley'in bıraktığı yerde. Ancak geri döndüğümde oda karanlıktı, bu yüzden onu hemen görmedim. Merdivenlerden aşağıya koştum ve May'in, Cal'ın Lyndley'e gönderdiği uçak biletini koyduğu dolaba baktım. Biletin gitmiş olduğunu fark edene kadar bütün dolabı taradım.

Eva, Lyndley'i almak için San Diego'ya gitti; ancak bu işe yaramadı. Tek başına geri döndü Eva.

Sohbahardan kışa...

May, Lyndley'in gidişine çok üzüldü. Şayet daha önce köşesine çekilen biri olsaydı şimdi agorafobinin ilk ve gerçek belirtilerini gösteriyor olacaktı. Kasabaya gittiğinde, o kadar terdirgin olacaktı ki hemen geri dönmek zorunda kalacaktı. Nefes alamadığını söyleyecekti. Etrafında o kadar insanla.

O yıl, hava erken soğudu. Çoktan yatılı okulda olan Beezer, okulda olmayışımla ilgili endişelerini dile getiren mektuplar yazdı.

Eva gelip, kış için kasabaya gitmesi konusunda May'le konuşmaya çalıştı, bir apartman dairesi gibi bütün üçüncü katı bize vereceğini söyledi. May treasa çıkıp, adaya göz kulak olabilirdi. Eva, ona ilkbahara kadar aşağıya inmek zorunda olmadığını söyledi yarı şakayla. Annemi ikna etmek için elinden geleni yapıyordu. May bu teklifi reddetti. Eva benim gelmemi istedi, emretti aslında; ancak May'i yalnız bırakmaya cesaret edemiyordum. Annemden nefret ettiğim doğruydu; ancak orada tek başına bırakılmaması gerektiğini de görüyordum. Nadiren uyuyordu. Hem gündüz gece lambasını yakıyordu. Vitaminlerini almayı bırakmıştı. Bana artık emirler yağdırmıyordu ve sandviç yapmayı bile bırakmıştı.

Ekimde Sosyal Hizmetler Departmanı boy gösterdi. Birileri onlara adada okula gitmeyen bir çocuk olduğunu ihbar etmişti. Evde eğitim o zamanlar Massachusetts'de yasal değildi. Ben onlara bunu söyleyenin hep Cal olduğunu düşündüm; ancak geçmişe bakıldığında onları çağıranın Eva olabileceğini fark ediyorum. May sinirlenmişti ve onlarla konuşmayacaktı; salonda benle bırakmıştı onları. Ne söyleyeceğimi bilmiyordum onlara. Eva olsa ne yapardı diye düşünüp durdum. Onlara çay ikram ettim.

Sonra bir gün, ayın sonuna doğru, her şey yoluna girmiş gibi May aşağı indi. Mısır gevreği yapmıştı. Bir karar aldığını söyledi bana. Benim Eva ile yaşamam gerektiğine karar vermişti. "Yazın dilersen gelebilirsin" dedi. "Ama şimdi Eva'ya gitmelisin." Sonradan aklına gelmiş gibi ekledi: "Ve Beezer, tatil için geldiğinde, senle kasabada kalmalı."

Ve aynen bu şekilde May, geri kalan çocuklarını da hediye etmişti. Sanki bir çocuk yerine iki çocuğa sahip olmanın ağırlığı altında ezilmeden önceki zamanını hatırlamıştı sonunda. Birini bağışlamak, onun cevabı olmuştu ve yarattığı bütün sıkıntı ve derde rağmen bunun iyi bir çözüm yolu olduğuna karar vermişti önceden ve şimdi de bu iyi bir çözümdü. May eşyalarını topladı ve ne olduğunu anlamadan kendimi Eva'nın evinde buldum. Hava kötüleşmeye başlar başlamaz bize katılacağını söyledi May ve ona inandı Eva, bence. Ama ben inanmadım.

Bir hafta sonra Beezer bize bir mektup gönderdi. Eve dönmeyi ve belki de arkadaşı Jay-Jay'le birlikte devlet okuluna gitmeyi düşündüğünü söyledi. Endişesiz bir ifadesi vardı; ancak onun asıl içinde olanları her zaman okuyabiliyordum. May için benim kadar üzülüyordu. Eva hemen cevap yazdı ve bunun kötü bir fikir olduğunu söyledi Beezer'a. Geri gelse bile okul planı işe yaramayacaktı. LaLibertieler, Witchcraft Heights Okulu'na gidiyordu. Bu Cadıcılık Okulu bizim bölgemizden uzaktaydı ve Jay-Jay'le birlikte o okula gidemezdi. Ona her şeyin iyiye gittiğini ve yerinden kımıldamamasını söyledi Eva.

Eva, beni Pingree Okulu'na kaydettirdi. Ne de olsa Lyndley' için bu okula para ödemişti; dolayısıyla gayet mantıklı bir hareketti. Servise kaydolmak için çok geç kalmıştım; bu yüzden Eva beni her gün okula getirmesi için bir şoför tutmuştu. Okula başladığım gün, fırtınanın koptuğu gündü. Öğlene kadar okuldan çıkartıldık ve şoför Salem'e varamadan, beni alıp eve götürmek için geri dönmek zorunda kaldı. Günün geri kalan kısmını terasta, May'in hâlâ adada olduğu düşüncesiyle çılgına dönerek geçirdim. Annemin fırtınanın geldiğinden haberdar olup olmadığı konusunda bile bir fikrim yoktu. Telsizi genellikle ben dinlerdim, ben ya da Beezer; May asla dinlemezdi. Ona imdat sinyali göndermeye çalıştım; Mors alfabesinde diğer sinyaller; ama yağmur çok şiddetliydi, bırakın olduğumuz yerden, Winter Adası'ndaki Sahil Güvenlik'teki ışığı bile göremezdiniz. Rüzgârlar iyice kötüleşene kadar terasta sabahladım. Eva içeri aldı beni. May'in her an geleceğini umduğunu söyledi bana Eva. Bundan emindi. Ama bu asla olmadı.

Okulda kendi halimdeydim. Bir kasım geldi ve geçti. Bu zamana kadar balıkçı botlarının çoğu bile denize çıkmayı bıraktı; ancak annem ortaya hiç çıkmadı. Dikkatimi başka yöne çevirmek için Eva bana çay salonunda bir iş verdi. Ve dans okulunda. Kasımda Hamilton Salonu'ndaki kotilyon dansı için bir davetiye aldım. Eskiden bütün davetiyeleri atardım ve bu sefer de aynısını yaptım; ancak Eva çöpten bulup çıkardı ve cevap yazdı. May'in ışığını iki gün boyunca görmeyince ve neredeyse bütün hafta terastan inmeyince, Eva usandı. May'i gidip getirmek için onu adaya götürecek ıstakoz işiyle uğraşan bir adam buldu Eva, tıpkı Lyndley için de yaptığı gibi, ancak yine tek başına döndü. Eva'nın keyifsiz olduğunu ve beni üzmek istemediğini söyleyebilirdim. Gaziler Günü'ydü, hatırlıyorum çünkü okul tatildi.

"Onun gelmeye hiç niyeti yok" dedim, gerçeği görerek. May'in, adasını bırakmaktansa bizden vazgeçmeyi tercih edeceğini biliyordum.

"Bu o kadar kolay değil" dedi Eva, zihnimi okuyarak. Ancak bunların hiçbirine kanmıyordum.

"Bu o kadar kolay işte."

"Tanrı aşkına, Sophya, biraz merhamet et."

"Her zaman aynı şey." Yerimde oturamıyordum, çok gergindim.

"Ne demek istiyorsun?"

"Tıpkı Lyndley gibi."

"Lyndley'e ne olmuş?" Olan biteni ne kadar bildiğimi öğrenmeye çalışır gibi kelimeleri yavaş yavaş söyledi Eva.

"O, Lyndley'i hediye etti ve şimdi Beezer'la beni bağışlıyor."

"Neden bahsediyorsun sen?" Eva gözlerini bana dikmişti.

"Lyndley'e ne olduğundan, o adamın Lyndley'e ne yaptığından."

Lyndley'in odasındaki o geceyi düşündüğümde kanım çekildi.

"Şayet May, en başta Lyndley'i vermemiş olsaydı bunların hiçbiri olmayacaktı. Herkes, o adamın Lyndley'e ne yaptığını biliyor!" Bu kelimeler ağzımdan çıkarken kontrolsüz bir şekilde ağlıyorum. Nefes alamıyordum. Eva uzun bir süre beni tuttu. "Her şey yoluna girecek" dedi. Nasıl olacağını anlamıyordum.

Eva, beni Boston'da bir terapiste götürdü. Doktor bana, hafif bir antidepresan verdi. Eva, doktorla konuşacağımı ümit ediyordu. Bunu yapabilecek gibi görünmüyordum. "Kız kardeşinden bahset bana" diyecekti doktor. Ama bunu yapamazdım. Eva'ya anlatabilirdim; ancak bu bir *yabancıyla* paylaşabileceğim türden bir şey değildi. Altı seanstan sonra tekrar gitmeyi reddettim.

Bunun yerine Eva, bana dans derslerine yardım amaçlı bir iş verdi. Beni oyalamaya çalışıyordu. Hamilton Salonu'na gitmemi ve bir hanımefendi gibi davranmamı ümit etmesi gerçeği de bu planın bir parçasıydı. Dans partnerlerinin önderlerine eşlik etmeyi öğrendim. Eva, bana dirseklerime kadar uzanan eldivenler aldı ve akşam yemeği yerken, sadece bilezikleri bırakarak nasıl eldivenlerimi kıvıracağımı öğretti bana; bir ziyafet masasında dirseklerimi hareket ettirmeden ve resmi kıyafetime bir tane bile bezelye düşürmeden *chicken à la king* yemeğini yemeyi gösterdi ayrıca. Eğer *chicken à la king*'den başka bir şey servis ederlerse ne yapmam gerektiğini Eva'ya sorduğumda, sadece gülümsedi ve bunun asla olmayacağını söyledi bana, "milyonda bir bile olmaz" dedi.

Kotilyon dansından birkaç hafta önce Pingree'deki bir kızdan, ailesinin kiraladığı küçük bir otobüsle dansa gitmek için bir davetiye aldım. Kızı çok az tanıyordum, onunla ilgili hatırladığım tek şey onun gerçekten zengin çocuğu gibi görünmesi ve sadece insanları şaşırtmak için sürekli "kahrolası" demesiydi. Eva'ya bunun çok saçma olduğunu söyledim; çünkü araba Beverly Farms'dan hareket ediyordu ve ben Hamilton Salonu'na bizim evden yürüyebilirdim; ancak Eva, asıl önemli olan noktayı kaçırdığımı söyledi. Ona yazarak kızın "kibar daveti"ni kabul etmemi sağladı ve şoföründen beni Beverly Çiftliği'ne götürüp bırakmasını istedi; böylece kalabalık ve kokan bir otobüsün içinde Salem'e gidebilecektim.

Dans berbat değildi, başka bir yüzyıldan gelse bile. Her kızın iki partneri vardı; her biri bir kolunda. Bana eşlik edenlerden biri Marblehead'deki Doğu Yat Kulübü'nden tanıdığım bir çocuktu. Orkestra, her mola verdiğinde kenarına grubun adının işlendiği fötr şapkaları seyirciye atıyordu ve erkekler de hoşlandıkları kızlara vermek için şapkaları yakalamaya çalışıyordu. Ve çocuklar müzikten nefret etse de bu şapkaları seviyordu. Sanki beysbol oyununda ya da buna benzer bir şeydeymiş gibi onları yakalamak için havaya zıplıyor ve birbirleriyle dövüşüyorlardı.

Molaların birinde, birisi orkestra şefinin çubuğunu sakladı ve şaperonlar çubuğu araştırıp, çocukları sorguya çekiyorken dans durdu. Erkekler sigara içmek için dışarı çıktı. Bunlara iki kavalyem de dahildi. İçeride olan İspanyol Engizisyon Mahkemesi'ni düşündüğümde bunun iyi bir fikir olduğuna karar verdim. Caddenin karşısındaki parkta duruyorduk ve madras kumaştan kemeri olan çocuk bir Marlboro yaktı, Cal ve onun San Diego'da neler yaptığıyla ilgili kendi soruşturmasını yapmaya başladı.

Bu noktaya kadar kimse bağlantıyı kuramamıştı. Onu tanıyan yelkenci çocuklara göre Cal, yerel bir kahramandı; şayet her şey yolunda giderse ve şanslılarsa, onun gibi olmayı ümit ettikleri türden bir adamdı. "O muhtemelen dünyadaki en iyi denizcidir" dedi çocuk, bitirirken. "Ve o zengin biri. Tanrı aşkına bu adanın tamamına sahip."

"Bu ada onun değil; annemin ailesi sahip bu adaya" dedim, biraz fazla bir hiddetle.

"Aynı anlaşmazlık."

"Onun resmini gazetede gördüm" dedi kızlardan biri sersem sersem.

"Paul Newman'a aşırı derecede benziyor" dedi otobüs kiralayan kız.

Kaslarımın gerildiğini hissedebiliyordum.

Kızlardan biri titriyordu. "Daha ne kadar bizim burada tutacaklar?"

"Ta ki suçluyu bulana dek." Kemerli çocuk bana göz kırptı.

"Ki bu bize biraz zaman kazandırır" dedi yat kulübünden olan çocuk, ceketinin cebinden içki şişesi çıkarıp elden ele gönderen kemerli çocuğa yandan bir bakış attı.

"Ben eve gidiyorum" dedim.

"Ne?"

"Olmaz."

"Eve gidemezsin, otobüs on bire kadar buraya gelmeyecek."

"Sadece altı blok ötede yaşıyorken, beni götürmesi için on bire kadar bir otobüsü bekleyecek değilim."

"Parti Townerların evinde" dedi çocuklardan biri.

"Ben büyükteyzemle yaşıyorum."

Otobüsü kiralayan kız bana bir bakış attı.

"Parti, Towner'ın büyükteyzesinin evinde."

"Teyzem uyumuştur."

"İnan bana, orada parti yapmak istemezdin" dedi diğer kızlardan biri.

"Evet" dedi otobüsü kiralayan kız. "Onun teyzesi, kahrolası Emily Post."

"Affedersiniz?!" Kemerli çocuğun şaşkınlıktan gözleri faltaşı gibi açıldı. "Onun teyzesinin kahrolası Emily Post mu olduğunu söyledin? Emily Post'un hâlâ hayatta olduğunu bile bilmiyordum."

Sanki bu şimdiye kadar duyduğu en komik şakaymış gibi kız kıkırdamaya başladı. "Neyi kastettiğimi biliyorsun."

Biri beni de dahil eden alternatif bir planla çıkıp gelmeden ayrıldım oradan. Bloğu yarılamıştım ki mantomun hâlâ içerde olduğunu fark ettim; ancak onu almak için geri dönmek istemiyordum; çünkü bir dahaki sefere bu kadar kolay kurtulabileceğimi sanmıyordum. Bunun yerine ellerimi eldivenlerin içine kıvırdım ve kollarımı kapatacak şekilde eldivenleri olabildiği kadar yukarı çektim. Köşeyi dönerken orkestranın çalmaya başladığını duyabiliyordum ve çocukların içeri girdiğini gördüm.

Evin yanından geçtim; ama Eva hâlâ ayaktaydı ve henüz içeri girmek istemiyordum; dolayısıyla yürümeye devam ettim. İlerledikçe May'e gerçekten kızmaya başladım bunların olmasına izin verdiği için, beni bu duruma soktuğu, Eva'nın evinde yaşamama ve kotilyon danslarına gitmeme sebep olduğu için. Beezer temelli gittiği için de kızgındım, öyle değil miydi ki? Çünkü yatılı okuldan sonra hazırlık okulu, daha sonra üniversite? Satıyor, satıyor ve sattım. Her şeyin ne kadar ve ne çabuk değiştiğini fark etmeye başlıyordum. Muhtemelen adada hep birlikte tekrar yaşayamayacaktık. Göz açıp kapayıncaya kadar, bütün dünyamız değişmişti ve kimse onu eski haline döndüremezdi. Lyndley gitmişti, erkek kardeşim gitmişti. Ve annem May depresyona girmişti ya da deliydi veyahut sadece umursamıyordu.

Ve sonra gerçekten çılgınca olan bu fikri benimsemeye başladım. Belki de bu durumu *değiştirebileceğimi* düşünüyordum çabucak harekete geçersem; hemen şimdi, bu gece eve gidersem çok geç olmayacaktı belki de. Şayet Beezer'ı arayıp eve gelmesini istersem, gelirdi. Hâlâ onun üzerinde etkiliydim, bu güç hızlı bir şekilde kayboluyor olsa da. İskeledeki jetonlu telefona gittim ve Beezer'ı aradım; ancak orada ışıkların çoktan sönme vakti gelmişti ve telefona cevap vermezlerdi. Bunun önemli olmadığını düşündüm. Birkaç gün içinde Şükran Günü için evde olacaktı ve Evalara gittiğinde benim adada olduğumu öğrenecek ve buraya gelecekti; her şey tekrar güzel olacaktı. Onu tanıyordum. Adaya bir şekilde gelirdi. Helikopter tutmak zorunda kalsa bile kardeşim bunu yapardı.

Ve böylece Whaler botunun kış için kenara bırakıldığı yer olan kayıkhanede buldum kendimi; benzin deposunu kontrol ettim, biraz gaz kalmıştı içinde. Oldukça sakin bir geceydi; bu yüzden botu suya doğru ittim ve ona bindim, elbisemi mahvederek; ancak kim bunu umursar? Şayet eve tekrar gideceksem, bu gece tam zamanıydı. Daha fazla bekleyemezdi artık.

Kıyıdan uzaklaştım ve limana doğru sürükleniyordum. Akıntı çok alçaktı, dolunay vardı; ancak etrafta başka bot yoktu; böylece en azından hiç kimse bana soru sormayacak ya da beni durdurmaya çalışmayacaktı.

Motoru çalıştırırken, gazın bir kısmını boşa harcadığımı düşündüm; ancak düşündüğümden daha kolay oldu. Gaz bidonunu aldım, yarı doluydu. Hiç dalga yoktu ve dolunay vardı; dolayısıyla kayalıkları saptamak kolaydı. Şayet aptalca bir şey yapmazsam iyi olacağımı biliyordum; düşmezsem eğer. Bir keresinde Eva'nın Lyndley'e, elli yaşında birinin, elli derecelik bir denizde, elli yarda yüzebilecek kadar hayatta kalma şansının yüzde elli olduğunu söylediğini hatırlıyorum. Şayet düşerseniz, neden yüzmemeniz gerektiğinin sebeplerinden biriydi bu. Sadece orada durmanız gerekiyor, olabildiği kadar az enerji kullanıp, biri sizi kurtarana kadar beklemelisiniz. Şayet yüzmeye başlarsanız, kanınızı son sınırına kadar zorlamış ve hayati organlarınızdan çekilmesine sebep olmuş olursunuz. Bu yolla çok daha hızlı ölürsünüz ve bu gece de su elli dereceydi. Ekimin ilk günlerinden beri su elli dereceyi görmemişti.

Limandan çıktığımda, kara sığınağından uzakta, soğuk bir rüzgâr suyu dalgalandırdı ve böylece biraz dalga olduğunu fark ettim, çok kötü olmasa da. Adanın çok uzağında değildim bu yüzden dalgalar beni endişelendirmedi. Yine de bütün her şey bana biraz garip ve yersiz görünüyordu. Yıldızlarda kış beyazlığı vardı ve önceki kışlarda, adada dışarıda sabahlayıp aynı gökyüzünü görsem de yıl boyunca hiç bu kadar geç saatte denizde olmadığımı düşündüğümü hatırlıyorum. Erkenden botlarımızı alırdık, Columbus Günün'den hemen sonra. Hava sıcak olsa bile dubalar Gaziler Günü'ne kadar orada durmak zorunda olurdu; çünkü kayık iskelesinin sezon için kapandığı zamana rastlardı ve bütün işi yapan iskele çalışanlarıydı. Yılın bu geç vaktinde sadece Gloucester'ın büyük botları denize açılırdı. Ve birkaç tane de ıstakoz avlama botu.

Durumu çaktığımda neredeyse adaya varmıştım. Bu, bir çeşit evrensel bir şakaydı ve ben birdenbire anlamıştım onu. Ve sonra gülmeye başladım. O kadar şiddetli gülüyordum ki motoru kapatmak zorunda kaldım; çünkü gülmeyi bırakana kadar şayet oturmazsam bottan düşeceğimden korkuyordum.

Eva'nın söylediği şey neydi? *Eve tekrar gidemezsin.* İşte, buydu şaka. Simgesel ya da mecazi değildi. Söylemek istediği kelimesi kelimesine buydu. Adaya yaklaştığımda, dubaların gitmiş olduğunu gördüm. Yanaşma rampası oradaydı, suyun yukarısında asılıydı, hatırlayabildiğim kadarıyla her gece olduğu gibi. Ancak onun bağlı olduğu dubalar gitmişti. Her yıl Gaziler Günü'ne kadar yapıldığı gibi, kış için denizden kaldırılmıştılar; ancak bazı nedenlerden ötürü, bunu hatırlamamıştım. Eva, May'i almaya gittiğinde onu üzen şey buydu; işte bu yüzden oraya gitmişti; çünkü dubalar kaldırıldığı zaman May, helikopter olmadan bahara kadar adadan ayrılamazdı ki bunu da asla yapmazdı. Biliyordum, daha geçen hafta sonu bunun hakkında konuşuyorduk. Ancak unuttuğum şey şuydu ki şayet May adadan çıkamıyorsa, ben de adaya giremezdim. Tek yol Back Sahili'ndeydi; ancak kış denizinde değil. Yılın bu vaktinde su, botu parçalardı. Bu büyük hareketi yapıyordum burada: Eve tekrar gitmeye çalışıyordum; ancak teyzem Eva, *eve gidemezsin* derken haklıydı. Ve bazı sebeplerden ötürü şimdi bunu komik buluyordum.

Motoru kapatıp, botun içinde oturuyordum. Sadece birkaç yüz fit uzakta iken bana yapmış olduğu bütün iyi şeyler için milyonlarca mil uzağımda olan adaya bakıyordum. Motoru çalıştırıp kasabaya gitmem gerektiğini biliyordum ama hareket edemiyordum. İleri ya da geri gidemiyordum. Çılgınca gülerek, parti elbisemle botun içinde oturuyordum sadece.

Jack, botun bozulduğunu ya da onun gibi bir şey olduğunu düşünmüştü. Babasının hâlâ birkaç tuzak sakladığı yer olan adanın arka tarafından geliyordu. Kış için onları çekiyordu ve bot onlarla doluydu, küçük kutular labirenti. O gece dışarı çıkmak istememişti, sonradan bana anlattığına göre, ancak babası haftalardır başının etini yiyordu ve onun sesini duymaktan usanmıştı. Sadece yapıp kurtulmak istiyordu; böylece biraz huzur bulacaktı. Ay çok parlak olduğu için Jack, Whaler botunu hemen gördü. Yanaşana kadar içindekinin ben olduğunu fark ettiğini zannetmiyorum.

Onun, elbiseme ve eldivenlere baktığını gördüm. Orada ne yaptığımı sormadı hatta motor hakkında da bir şey sormadı. Bunun yerine kolumdan tuttu ve beni kendi botunun içine çekti, Whaler'ı botun arkasına bağlayıp, ceketini üzerime örttü. Bana selam vermedi. Sinirlenmiş olduğunu söyleyebilirdim. Aslında uzun süre benimle hiç konuşmadı ve sonunda konuştuğunda tek söylediği, "Sadece aptal mısın yoksa gerçek bir problemin mi var?" oldu.

Hangisinin gerçek cevap olduğundan emin değildim; bu yüzden hiçbir şey söylemedim.

Tekrar yaz...

Bir sonraki yaz adaya geri döndüm. Bu, Eva ve psikiyatristimle aldığım bir karardı. May daha iyiydi, ben de. Yaz için oraya gelmemi umduğunu söyleyen bir mektup gönderdi bana May, bunu sabırsızlıkla bekliyordu. Beezer geri gelmedi. Kaliforniya Teknik Üniversitesi'nde bir bilim kampına katılma fırsatı yakalamıştı. May dahil olmak üzere herkes oraya gitmesi konusunda hemfikirdi.

Ben ve May arasında her şey aynı değildi. Ancak katlanılabilirdi. Ve May iyiydi artık. Onu fena halde sarsan depresyon şimdi yok olmuştu ve ben onun kendisi için neyin en iyi olduğunu artık bildiğini düşünmeye başlamıştım. Belki de hepimizin aksine, kendi sınırlarını biliyordu ve bu sınırlar içinde davranıyordu.

Ağustosun ilk günlerinde Lyndley geldi. Gelmesi planlanmıyordu. Damdan düşercesine ortaya çıktı, beni özlediğini ve doğum günümüzü beraber geçirmek istediğini söyleyerek. Mutlu görünüyordu. İki tane sanat okuluna kabul edilmişti; Rhode Island Tasarım Okulu ve Kaliforniya Sanat Enstitüsü. Cal ve teyzeciğim Boynton'un, Kaliforniya Sanat Enstitüsü'nde ısrar ettiğini söyledi Lyndley. Lyndley'in eve yakın bir yerde kalmasını istiyorlardı.

Yılbaşından beri, Hamilton Salonu'ndaki dans gecesinden beri Jack'le görüşüyorduk. Bu bir rüyanın kaçınılmazlığı ile olmuştu. Başta beni sevmiyor gibiydi, sadece bana sinirliydi, muhtemelen kız kardeşime benzediğim içindi –Lyndley'in onu ne kadar incittiğini biliyordum. Herkes biliyordu bunu. Jack ve ben birbirimizle daha çok vakit geçirdikçe bunun önemli olmadığını ve Jack'i bırakan Lyndley olduğu için bunda bir yanlış olmadığını söyledim kendime. Lyndley kararını vermişti.

Bütün yaz boyunca, Jack'le birlikte ıstakoz tuzaklarını çekmiştik ve böylece eve günlerce gitmemelerim başlamıştı birden. Burada üç gün çalışıyorduk, dört gün de deniz kıyısında, hemen Kanada sınırının yukarısında. Orada üç yüz tane tuzağı vardı. Üç tane de bizim adanın arkasında ve Baker's Adaları'nda. Jack'in babası hastaydı. "İçmekten ve denizden" diye anlatmıştı bu durumu Jack, yıllarca süren balıkçılığı ve kıyıdaki barlara gidip gelmesini kastederek. Karaciğeri iflas etmişti. İlerlemiş bir artriti vardı. Balıkçılık yapamazdı artık.

Jack, kardeşi Jay-Jay'in yerel tuzakların başına geçmesi için uğraştı; ancak Jay-Jay, ıstakoz avlamakla ilgilenmiyordu. Onu deniz tutuyordu. Böylece Jack beni işe aldı. Resmi olarak May ile adada yaşıyor olsam da çoğu zaman Jack'le botta kalıyordum.

Lyndley'in geldiği hafta, Jack ve ben deniz kıyısındaydık. Shoals Adası'nda demir atmıştık ve kumsalda kamp yapıyorduk çünkü ikimizin de bottan inmeye ihtiyacı vardı. Geri dönene kadar adada birkaç gün geçirmeye hazırdım, sadece kara parçasında olmak için. Gece yarısını geçmişti ve May, beni en azından ertesi gün için beklemiyordu; ancak mutfaktaki ışık yanıyordu. Beezer'ın Kaliforniya'da olduğunu biliyordum. Vakit geçti ve May'in beni beklemiyor olmasını ümit ediyordum.

Ama bekleyen May değildi; mutfakta masada oturan Lyndley'di. Uzun süre beni kucakladı. "Seni çok özledim" dedi. "Buraya tekrar gelebileceğimi düşünmüyordum."

"Tanrım, şuna bak" dedi. "Bu yıl ne kadar güzelleşmişsin böyle."

"Senin Kaliforniya Sanat Enstitüsü'ne gittiğini düşünüyordum."

"Kaliforniya Sanat Enstitüsü'nü unut" dedi. "Kaliforniya Sanat Enstitüsü'nün yakınındaki hiçbir yere gitmiyorum."

Tek başına kalmak istemediğini söyleyerek, Lyndley benimle uyudu. Şimdiye kadar gördüğüm en kırmızı olan gökyüzünde güneş doğana kadar onu rahatsız etmemeye çalışıp, pencereden dışarı bakarak bütün gece orada uzandım.

Jack'ın mezuniyet resmini taşıyordu. Attığı yerden pantolonunu kaldırmaya gittiğimde, pantolonunun cebinden düştü. Kırışmış ve eskimişti. Aynı resimden bende de vardı, benimki daha iyi bir durumda olsa da.

Lyndley kahvaltı için aşağı indiğinde, Jack'le telsizden konuşuyordum. Onu en son gördüğümden daha ince ve daha büyük görünüyordu, on sekizinci doğum günümüze sadece bir ay kalmış olsa da.

"Kimle konuşuyorsun?"diye bana sordu.

"Jack."

"Benim Jack mi?"

Ayağa kalktım ve ona biraz mısır gevreği hazırladım. Neler olduğunu bilmek istediğini söyleyebilirdim; ancak henüz bu konu hakkında konuşmak istemiyordum.

"Ona geri döndüğümü söyledin mi?" diye sordu. Bu belirsiz bir soruydu. Jack'in nasıl hissedeceğinden emin değildi.

"Henüz değil" dedim, sanki bu büyük bir sırmış gibi. Öyleydi; ancak onun düşündüğü türden değil.

Mısır gevreğinin üzerine koymak için birkaç çilek kestim; bunu çok sevdiğini biliyordum.

"Sonsuza kadar mutlu yaşama kahvaltısı" demişti. Çilekleri ve üç kaşık dolusu şeker almıştı. Bütün kâseyi bitirmişti. Ve sonra garip bir şey yaptı. Harvard Square'de benim seçmiş olduğum gümüş küpeleri çıkardı. Masanın karşısından bana doğru kaydırdı.

"Ne yapıyorsun?" diye sordum şüpheli şüpheli.

"Bana ait olan senindir" dedi ve bildiğini böylece anladım. Uzun süre bana baktı; sonra da kâsesini aldı ve daha fazla mısır gevreği almak için gitti.

Küpeleri masada, aramızda bıraktım. Ne yapacağım konusunda hiçbir fikrim yoktu. Lyndley, masaya tekrar geldi ve sanki olağandışı bir şey yokmuş gibi bir kâse mısır gevreği daha yedi.

Sonunda yemek yemeğe son verdi, ikimizin de kâsesini alıp, lavoboya götürdü ve tuzlu su ile yıkadı onları. Tabaklar, tuzdan çizgili olmasın diye onları kurulamak için kurulama bezi kullandı. Sonra da onları kaldırdı; daha önce bunu yaptığını hiç görmemiştim.

"Gerçekten güzel bir gün" dedi. "Hava sıcak olacak."

Gökyüzünde hâlâ kırmızının izleri vardı.

"Aşağı inip, evi kontrol edeceğim" dedi, kalktı ve dışarı çıktı. Boynton evini kontrol etmek, nasıl kışın üstesinden geldiğini görmek bir gelenekti ve bunu genellikle birlikte yapardık. Ancak bu yıl, benim gelmek isteyip istemediğimi sormadı. Ve küpeleri de geri almadı.

Jack'e Lyndley'in döndüğünü asla söylemedim. Bu konuyu hiç konuşmamış olmamız şimdi saçma görünüyor (bütün olan bitenle) ama doğru.

Jack varana kadar alacakaranlık çökmüştü ve yaklaşan fırtına-
dan dolayı rüzgâr değişkendi. O iskeleye girdiğinde orada bekli-
yordum. Botu bağlamasına bile izin vermedim; hemen atladım ki
bu hiç hoş değildi; çünkü okyanus zaten çalkalanıyordu. Sanırım
Jack adada kalmayı istiyordu, en azından kısa bir süre.

"Götür beni buradan" dedim.

Üzgün olduğumu biliyordu. Muhtemelen May'le kavga ettiğimi
ya da ona benzer bir şey olduğunu sanmıştı. Bugünlerde pek sık
olan bir şeydi, annemle kavga etmek. Aklı başında olduğu zaman-
lar ikimiz daima bir şey için tartışıyorduk, genellikle de aptalca
şeyler için. Suyu kim açık bıraktı ya da yanaşma rampasını kim
yukarı kaldırmadı gibi şeyler. Aramızdaki ilişki böyleydi. Geçen
kış tek istediğim şey buraya, adaya geri dönmekti, eve gelene ka-
dar günleri sayıyorken ümit ettiğim şey bu değildi.

Istakoz tuzaklarında küçük bir kapı vardır, bunu hayalet pano
diye çağırırlar. Ahşaptan yapılmıştır. Bir gün tuzakları çekerken
onu fark ettim. Jack'e sorduğumda, şayet ıstakoz yakalamakla
uğraşan kişi avı için geri gelmezse, ıstakozların dışarı çıkması
için bunların yapıldığını söyledi. Eğer, kişi uzun süre ortaya çık-
mazsa, ahşap bozulacak ve ıstakoz serbest kalacaktır. İnsancıl ol-
ması için bu yapılmış. Bunun nispeten yeni bir icat mı, yoksa tu-
zaklarda zaten bunlardan olup olmadığını bilmiyorum. Veyahut
belki de bütün tuzakların ahşaptan yapıldığı zamanlarda, bunlara
ihtiyaç yoktu.

Beraber geçirdiğimiz son günde, ahşaptan eski tuzaklardan bi-
rini çektik, Jack'in hâlâ kullandığı birkaç taneden biri. Hayalet
panoyu aradım; ancak bulamadım. Jack, tuzağa yem koymuştu
çoktan ve onu tekrar atmak için hazırdı; ancak ben o panoyu bul-
makla kafayı bozmuştum. Istakozun çıkacağı bir yol arayarak, tu-
zağa her açıdan bakıyordum.

"Ne yapıyorsun?" diye sordu sonunda Jack.

İşte o an, onu artık görmek istemediğimi söyledim.

Neredeyse gülüyordu, o kadar ansızın olmuştu ki. Ancak bana
baktığı zaman ağlıyordum. Beni daha önce ağlarken hiç görme-
mişti. Kolay ağlayan biri değilimdir.

"Seni görmeye devam edemem" dedim. Bunu kastettiğimi an-
lamıştı.

"Bu da ne şimdi?"

Ona anlatamazdım. Lyndley'i bilmesini istemiyordum; henüz

değil. Benim için üzüldüğünü bilmeye ihtiyacım vardı ve şayet ona Lyndley'den bahsedersem ayrılmamızı çok da umursamayacağını düşünüyordum. Ne çeşit bir mantık kullandığımı bilmiyordum, bu sadece sahip olduğum bir duyguydu.

Başta, yüzü kızardı sonra yavaş yavaş dağıldı. Orada donakalmıştım, bir darbe bekliyordum. Daha önce beyaz öfke görmüştüm, Jack'te değil asla; ancak çok kez Cal'da gördüm. Beyaz öfke, aşikâr bir duygudur. Jack'in gerçekten bana vurmasını bekliyordum. Ama yanıldım. Vurmadı bana. Sadece orada durdu; sanki sonsuza kadar sürecekti, gözlerini bana dikmişti.

"Bir daha olmaz" dedi sonunda Jack. Kelimeleri buz gibiydi.

Bir an neyi kastettiğini anlamadım. "Bir daha olmaz." Biz daha önce ayrılmamıştık ki, kavga bile etmemiştik. "Bir daha olmaz" doğru bir cevap değildi.

Sonra, ansızın anladım neyi kastettiğini. Tümüyle uygun bir cevaptı bu. Neye inanmak istesem de ona Lyndley'in geri geldiğini söylememe noktasındaki içgüdülerimin doğru olduğunu biliyordum. Jack, Lyndley'le tanıştığı ilk andan beri ona âşık olmuştu. Ben sadece onun yerine geçmiştim, Jack'in gerçekten istediği şeye en yakın olan şeydim ben; Lyndley benim ikizimdi. Şayet kendime karşı dürüst olsaydım, bunu başından beri bildiğimi fark etmiş olacaktım, düşünmek istemedim sadece. Darbeyi kalbime indirmişti, bu fiziksel olarak bana yapabileceği her şeyden daha da kötüydü.

Jack sinirli sinirli motoru çalıştırdı ve tam gaz ilerledi.

Adanın rüzgâr yönündeki tarafına geldiğimizde, Back Sahili'ndeki kayalıklara vardığımızda, bot yavaşladı, neredeyse sezilemeyecek bir şekilde. Kafamı yukarı kaldırıp baktım. Gökyüzü hatırladığımdan daha parlaktı, kuzeye doğru bulutlarla kaplı olup, sanki bütün bir parçası silinmiş gibi siyah ve boş görünse de. Jack'e bir şey söylememe az kalmıştı, burada durmaması konusunda neredeyse onu uyarıyordum; çünkü akıntı ve aniden değişen rüzgâr kolayca seni yakalayabilir ve bu kayalıklarda botunu kaybedebilirdin. Geminin baş tarafına gittim ve öne doğru eğildim, kayalıkların gölgesini aradım. "Durma!" diye bağırdım geminin baş tarafından. Hemen su yüzeyinin aşağısındaki kayalıkların silüetini görebiliyordum. Parçalara ayrılabilirdik burada, tıpkı çok sayıda bota olduğu gibi. Neredeyse ona bunları anlatacaktım ki yüzündeki ifade beni durdurdu. Kayalıkların tepesinden bir şeye bakıyordu.

Gözlerim, onunkileri takip etti. Kuşku içinde gözlerimi açıp kapadım. Kayalıkların üstündeydi, yaklaşık yüz fit yukarıdaydı Lyndley. Yalınayaktı, Eva'nın yılbaşında bana verdiği dantelli, beyaz geceliği giyiyordu. Saçları dalganıyordu, geceliği de. Yunan mitolojisinden bir Tanrıça gibi görünüyordu. Kıskançlık dalgası sarstı beni. Orada çok güzel göründüğü için değil; ancak bütün senaryo tamamen sahnelenmiş gibi görünüyordu. Onu görmemiz için orada bir süredir bizi bekliyor olmalıydı, rüzgârın elverişli olması ve botun görüş alanında belirmesi için. O kadar hesaplanmıştı ki çok komikti ve Jack'in buna aldanacak kadar aptal olabileceğine inanmıyordum. Şu anda kız kardeşimden nefret ediyordum. Tamamen ve bütün kalbimle. Onun ölmesini istiyordum. Kayalıklardan aşağıya düşüp, milyonlarca parçaya ayrılmasını istiyordum onun.

Hava, hâlâ ufukta olan ancak hızla bize doğru gelen fırtınanın nemiyle ağırlaşmıştı, siyah ve koyuydu; nefes almak imkânsızdı.

Lyndley öne doğru eğiliyordu, rüzgâra doğru, eski bir Salem gemisindeki gemi başı süsü gibi, dantelsi geceliği arkasında dalganıyordu, solan ayın ışığıyla aydınlatılmıştı, yıldızlar ve eşleri siyah gökyüzünden daha kara olan denize yansıyordu. Yüzü harika ve ifadesizdi, henüz başlamadığı boş bir tuval gibi; adeta o gece gördüklerimizin izlenimini çizmemiz için bize bırakıyordu bu tuvali. Bütün vücudu, imkânsız bir açıda rüzgâra doğru eğilmişti ve tam ben bu açının onu tutamayacağını fark etmiştim ki serbest kaldı, yerçekimi kanunlarına uyarak ancak bakış açısı kurallarını yıkarak. Lyndley, aşağıdaki soğuk ve siyah okyanusa doğru uzun ve sessizce düşmeye başladı. Sadece bir kez baş aşağı döndü, sonra kollarını göğsünde katladı sanki zaten ölmüştü, siyah suları iğne gibi deldi ve bir dalgacık bile yapmadı. Sonsuza kadar gitmişti. Aynen böyle.

Jack'in nefesinin kesildiğini duydum ve ses beni kendime getirdi. Sonsuzluk gibi görünen şeye bakakalmıştık, onun su yüzüne çıkmasını bekliyorduk, en azından bir kez görünmesini ama bu olmadı. Sonra suyun içindeydim, dalmıştım suya. Jack'in telsizle konuştuğunu duydum. "İmdat! İmdat!" diye bağırıyordu radyo parazitinin içine. Nefesimi tuttum ve tekrar daldım. Jack düdüğü çaldı üç kez, imdat çağrısında bulunuyordu, sonra bana yardım etmeye çalışarak, ışıldağı suya tuttu. Sıçrayan suyun sesini duydum ve biliyordum ki o da suyun içindeydi.

Tekrar tekrar daldım; ancak okyanus boştu. Dibe inemiyordum. Üçüncü kez su yüzeyine çıktım, nefesimi tamamen dışarı verdim ve kocaman bir soluk alıp, daldım tekrar, gücümün yettiği kadar derine indim, ilerledikçe havayı serbest bırakıyordum; böylece bedeninin orada olduğunu bildiğim dipteki kayalıklara ulaşabilirdim. Kayalıkları sıyırdıkça, bacaklarımın sızladığını hissettim, kendimi çekiyordum, bedenim aşağıda kalmaya istekliydi. Sonra birden okyanus artık boş değildi, insanların şimdiye kadar kaybettikleriyle doluydu: Bir çapa, bir şişe, eski bir ıstakoz tuzağı. Ciğerlerim acıyordu, ilk olarak nefesimi tuttuğum, sonra da nefessiz oldukları için. Her parçam su yüzüne çıkmak istiyordu; ancak biliyordum, şayet yukarı çıkarsam bir daha aşağı inemeyecektim.

Yaşam gücünün iradeyi alt ettiği bir nokta vardır ve beden tamamen kendisi nefes alır. Sadece meydana gelir. Deniz suyunu içine çektiğinde inanılmaz bir şekilde acıtır canını; ancak bu acı çabucak kaybolur ve suyun akışını hissedersin, katmanların müziğini dinlersin. Tam olarak çekiliyorsundur ışığa doğru. Bunu kaydettiğimi hatırlıyorum, ölüme yaklaşan insanların yazdıkları her şeyin doğru olduğunu fark ediyorum. Sadece dişlerimi göstererek gülümsediğimi anımsıyorum, soğuk su tam vaktinde onu donduruyor sonsuza dek.

Yüzeye çıktığımızda May'in çoktan suda olduğunu görebiliyordum, bize doğru yüzüyordu. Gördüğüm ışık, benim ölüme yaklaştığımda sahip olduğum bir deneyim değildi; Jack'in botundan gelen ışıldaktı ve beni hayata döndüren onun eliydi. Bu korkunçtu. Bir dakika önce nasıl güzelse işte o kadar kötü ve acı vericiydi, Jack şimdi beni zapt etmeye çalışıyordu, ağzı ağzımda nefes veriyordu bana, yardım gelene kadar ikimizi de suyun üstünde tutmaya çalışıyordu.

May ikimizi de kıyıya çekti ve tepemizde duruyordu; benim için çok endişeliydi. Ona anlatmaya çalışıyor, Lyndley için geri dönmesini sağlamaya uğraşıyordum; ama sesim çıkmıyordu. Konuşmayı her denediğimde tıkanıp, tuzlu su kusuyor ve sonra tekrar tıkanıyordum. Ciğerlerimdeki acı, hayal edilebilecek her şeyden daha berbattı. Jack gitmeme izin vermeliydi, Lyndley'le ölmeme izin vermeliydi. Ölmek acı değildi; ancak hayata geri dönmek dayanılmazdı.

"Sakin ol şu an" diyordu May bana, başımı kucağında tutuyor ve saçlarımı geriye doğru atıyordu. Jack'i görebiliyordum, diz çökmüş öksürüyordu birkaç fit ötede. *Anlat ona*, söylemeye çalışıyordum, *Tanrı aşkına, Lyndley'in hâlâ aşağıda olduğunu söyle ona*. May güçlü bir yüzücüydü. Onun için üzülmekle hata yaptığımı şimdi fark ettim. May onu tanıdığımdan çok daha güçlüydü. Lyndley'i şu an kurtarabilecek kadar güçlü olan tek kişiydi. Ama onun aşağıda olduğunu bilmezse kurtaramazdı onu. Tekrar ona anlatmaya çalıştım ve tekrar. Ancak hiçbir kelime çıkmadı ne benden, ne de Jack'den.

Jack kusup, yıkıldığında ve bitkin bir şekilde hıçkırarak kumlara gömüldüğünde takatsizce onu seyrettim.

Dördüncü bölüm

Kaostan ve desenin kıvrımından im-
geler ortaya çıkmaya başlayacak. Bu
imgelerin ilki, sabit noktada belirecek.
Bunlar, Kılavuzlar. Dantel falına bakan
kişi, sabit noktayı geçmek ve peçenin
ötesine ulaşmak için Kılavuzlar'ı kul-
lanmalıdır. Burada ortaya çıkan imge-
lere dikkat edin. Onlar gerçek değildir.
Kılavuzlar aldatıcıdır. Sana sihirlerini
gösterir ve oyalanman için seni davet
ederler. Şayet onlar becerikli çıkar ve
fal baktıran kişi de savunmasızsa, Kı-
lavuzlar seni, kendilerinin cevap oldu-
ğuna inandırır. Egoları oldukça fazla-
dır. Fala bakan kişi, fal baktıranın bu-
rada durmasına izin verme arzusuna
karşı koymalıdır, imgeler ne kadar bü-
yüleyici ve gerçek görünse de. Fal
baktıran kişinin sabit noktayı geçip,
gerçek doğruya ulaşması dantel falına
bakanın görevidir; bu doğru da peçe-
nin içince yatmaz, onun ötesindedir.

Dantel Falı Rehberi

21

Deniz yolculuğuna çıkmış yaşlı bir çift gibi Towner ve Rafferty verandada birlikte oturuyorlardı. Bacaklarının üzerinde battaniye, Rafferty'nin buraya geldiği ilk kış satın aldığı ve o zamandan beri bundan dolayı pişmanlık duyduğu Viktorya dönemine ait eski evin parmaklığına sıkıca yaslanmıştı şezlongları.

Hiçbir yere doğru yelken açmak, Towner burada oturmayı bu şekilde çağırıyordu. Hastaneden çıktığından beri bu, onun ana meşguliyeti olmuştu. Böyle tavsiye edilmişti. "Dinlen" demişti doktorlar ona. Kendini yeterince güçlü hissettiğinde tuzlu su olmak şartıyla biraz yüzebilirdi. Bu son kısım Rafferty'nin fikriydi, Towner'ınki değil. Onun bir yüzücü olduğunu biliyordu, bütün Whitney kadınları öyleydi; bu yüzden doktora yüzme fikrini veren Rafferty'di. Doktor bunun iyi bir fikir olduğunu söylemişti. Şu ana kadar Towner, suyun yakınında bir yere hiç gitmemişti.

Üç haftadır hastanedeydi Towner, ilk hafta vankomisin antibiyotiği tedavisi görmüştü. Kötü bir enfeksiyon kapmıştı. Ameliyat sonrası olduğunu söylemişlerdi. Komplikasyonlarla birlikte. Bu komplikasyonların ne olduğunu tanımlamamışlardı; ancak mevcuttular. Komplikasyonlar, Towner'ın hayatında bilinen şeylerdi ve Eva'yı büyük yeğeni hakkında en çok üzen de onlardı. Bu son komplikasyonlarla ilgili kaçınılmaz bir şey vardı –halihazırda olan şeylerle alakalı değil, daha çok Towner'ın bunlara karşı verdiği tepkiyle ilgiliydi. Eva'nın kelimeleri, Rafferty'nin aklına gelip duruyordu. *Kendini öldürmenin çok yolu vardır.*

Enfeksiyonu izleyen haftalarda Rafferty, ikizler ve büyük ölümler hakkındaki her şeyi okudu. İkizler özel şeylerdi. Herhangi bir yaşta ikizinizi kaybettiğinizde, kendinizden bir parçayı yitirirsiniz. Yarınız ölür. İkizini anne karnında ya da doğumda kaybedip ikiz olduğunu bilmeyenler bile sanki yarı parçaları kaybolmuş ve bir daha asla bulamayacak gibi ayrılık ve keder duygularıyla dolanıp durmuştur hayatları boyunca.

Towner'ın günlüğünü okuduğundan beri onun Lyndley'in intiharı ile ilgili yarattığı imge, Rafferty'nin zihnini meşgul etmekteydi. Düşündüğünde bu, tipik hayatta kalanın hissettiği suçluluk duygusuydu. İntihar, neredeyse atlatılamayacak bir şeydi. Rafferty'nin Fordham'daki oda arkadaşı intihar etmişti, hiç konuşulmadığı için daha da kötü hale gelen bir gerçekti bu; çünkü Katolik Kilisesi, intiharı suç olarak değil, günah kabul ediyordu. Birkaç açıdan günah gibiydi de. En azından geride kalan için. Asla tamamen kurtulamayacağın bir şey yaptığında, hissettiğin o bezgin duyguyu yaratıyordu. Günah gibi ya da daha az etkili bir virüs gibi.

Oda arkadaşının intihar ettiğini keşfeden Rafferty olmuştu. O görüntü onu hiç bırakmamıştı. Towner'ın tersine Rafferty kendini öldürmeyi denememişti hiç, doğrudan. Ancak bu olasılık hep oradaydı. Virüs gibi. Bir kez maruz kaldın mı sonsuza kadar senle kalırdı, sadece zayıfladığın anı beklerdi. Direncinin ne zaman yok olup, hastalığın seni vuracağını asla bilmezdin.

Rafferty, Lyndley'i Salem Hastanesi'nde ziyaret etmişti. İş dönüşü çoğu zaman ona uğramıştı. Çok konuşmazlardı ancak çatıdaki verandada oturup limana doğru bakarlardı. Towner'ın hastaneden ayrılma vakti geldiğinde onu, manzaranın daha iyi olduğu, Rafferty'nin verandasına götürmek normal görünmüştü ve böylece her şeye göz kulak olabilirdi Rafferty.

Towner Kaliforniya'ya dönemezdi, henüz değil. Eva'nın evine de gitmek istemiyordu ve o da Towner'ın bunu yapmasını istemediğinden emindi. Bu yüzden Rafferty, ona kızının odasında kalmayı teklif etti. "Sadece birkaç hafta" dedi, Towner'ın tereddütünü duyunca. "Daha güçlü olana kadar."

Towner, Rafferty'nin kızının odasını sevmişti, kendi hayatıyla hiçbir bağlantısı olmayan bir yaşamın hatıralarıyla çevrili olarak rahat hissediyordu kendini: Şifoniyerin üstünde Tupac Shakur'un bir posteri, geçici olarak oraya konmuş bir hamakta, çatıdan aşağıya doğru asılı duran Beanie Bebekleri.

"Kızın kaç yaşında?" Bu, Towner'ın ona şimdiye kadar sorduğu birkaç sorudan biriydi.

"Leah, neredeyse on beş yaşında" dedi Rafferty.

Şayet Rafferty, kızının geliş tarihini değiştirmeseydi, kızı on beş yaşına bu yaz burada tatil yapıyorken girmiş olacaktı.

"Birkaç hafta sonra gelmek hakkında ne düşünürdün?" Rafferty, Leah'yı geçen hafta aradığında ona bu soruyu sormuştu. "Botu alıp, Maine'e gidebiliriz."

"Büyük botu mu, küçük olanı mı?" diye sormuştu Leah.

"Büyük olanı."

"Tamam" demişti Leah. "Fark etmez."

Eski karısı, tarihi değiştirdiği için Rafferty'nin başının etini yemişti. Ve kızıyla ilgilenmediği için.

"Her şeyi değiştirip duramazsın" demişti eski karısı.

"Her şeyi değiştirmiyorum. Sadece bunu değiştirdim. Leah umursamamış gibiydi bunu."

"Çocuklar hakkında bilmediğin şeylerden bir kitap olur."

Rafferty, onun muhtelemen haklı olduğunu düşünüyordu. "Bir dava üzerindeyim." Bu bir açıklama değildi aslında ancak tek söyleyebilceği buydu, dolayısıyla buna uydu.

"O halde yeni olan ne?"

"Bir cinayet davası."

Rafferty konuştuğunda uzun bir sessizlik olmuştu. "Oraya cinayet davalarından kurtulmak için gittiğini sanıyordum" dedi eski karısı sonunda.

"Buraya birçok şeyden uzaklaşmak için geldim."

Bu, doğrudan bir saldırıydı ve bunu biliyordu Rafferty. Aslında bunu kastetmemişti. Bu bir alışkanlıktı onun için artık.

"Her şeyi istediğin gibi değiştiremezsin" dedi kadın sonunda.

"Ya ben plan yaptıysam?"

"O seni ilgilendiriyor."

Çat sesi. Rafferty, telefonun suratına kapatılmasına alışmıştı. Çoğu zaman sohbetleri bu şekilde bitiyordu. Ve genellikle de Rafferty'nin söylediği bir şeyden dolayı bu oluyordu.

Yaklaşık bir saat boyunca, bütün olan bitenden dolayı üzüldü Rafferty. Planları değiştirmiş olmasının Leah'nın umurunda olduğunu biliyordu. Ancak kızı için bunun bir tatil değil, bir "vaztil" olduğunun da farkındaydı. Leah, buna bu adı vermişti kendi kendine. Yarı vazife. Yarı tatil. Leah, kelimelerle oynamada iyiydi, Rafferty'nin kızı. Beraber geçirdikleri zamanın doğru bir tarifi olsa da Rafferty bu kelimeyi ilk duyduğunda biraz alınmıştı. Birlikteyken ne yapacaklarını bilmiyorlardı. Leah için buraya gelmek ne kadar zorsa, Rafferty için onun burada olması o kadar zordu. Onu sevmediği için değildi. Kızını çok seviyordu. Ancak onu arkada bırakmanın suçu Rafferty'e çok gelmişti. New York'tan ayrılıyorken Leah, onunla gelmek istemişti. Annesinin babasına tercih ettiği adamı sevmemişti Leah, sadece, "Senle olmak istiyorum" demişti.

"Annen buna asla izin vermez" olmuştu Rafferty'nin cevabı. Bu doğruydu tabii ki ama cevap bu değildi.

Leah, ona bunu tekrar sormadı. Onun mizacı değildi. Rafferty de buna güvendi. Tıpkı tatil tarihindeki değişikliği sorgulamak onun doğası olmadığı gibi. Leah soru sormazdı. Ki bu iyi bir şeydi, en azından bu durumda. Rafferty'nin Leah'nın bilmesini istediği son şey, planları değiştirmesinin asıl sebebiydi: Towner'a âşık olduğunu bilmesini istemiyordu Leah'nın.

Rafferty, çoğu gece Towner'a yemek yapardı. Genellikle de makarna; çünkü Towner'ın gerçekten yiyebileceği bir şeydi. Towner dondurmayı da seviyordu. Dondurma kamyonu bazen Willows'a giderdi ve Rafferty, Towner'a biraz dondurma almak için o küçük kumsala yürürdü. Diğer geceler, şayet geç saatlere kadar çalışıyorsa, eve dönerken Dairy Witch'e uğrardı. Towner şekerlemeli her şeyi severdi, meyveli olanları değil de çikolatalıları tercih ederdi.

"Neye bakıyorsun?" diye sordu Rafferty, Towner'a. Bakışları çoğu zaman uzak olurdu. Rafferty, bu soruyu daha önce de sormuştu; genellikle bir cevap almazdı.

"Işıklar" dedi Towner. May'in penceresine doğru bakıyordu. "Her zaman sadece bir ışığını yakar" dedi, bu gece May'in penceresinde parıldayan iki ışığı göstererek.

Denizin yanında her şey çift görünür; karada ise tek, diye düşündü Rafferty. Bunu tam sesli söyleyecekti ki durdu.

Towner'ın ışıkları –detayları– fark etmesi Rafferty'i şaşırttı. Bunu iyi bir işaret olarak kabul etti.

Towner'ın Jack'in botunun limandan ayrıldığını görmemesi de iyi bir işaretti; farklı bir sebep için olsa da. Towner'ın Jack LaLibertie ile geçirdiği gece, ikisinin de konuşmaya yanaşmadığı bir konuydu. Hiçbir şeyden bahsetmiyorlardı. Ancak Jack LaLibertie ile ilgili kesinlikle konuşmuyorlardı.

Rafferty kabul etmek zorundaydı ki Towner'ın bakışları, May'in ışıkları üzerinde kaldığında ve Jack'in botu ıstakoz tuzaklarının çoğunu koyduğu Miseries Adası'na yönelip, sonra da seyir fenerini söndürerek sancak yönüne, Sarı Köpek Adası'nın arka tarafına doğru dönerken Towner onu izlemediğinde Rafferty rahatlamıştı.

Çok konuşmuyorlardı. Gerçek buydu. Şayet konuşsalardı, Rafferty ona Jack'i sormuş olabilirdi. Şüphesiz günlük hakkında sorular sorardı. Yoksa bu, kısa öyküler kitabı mıydı? Rafferty, bunu nasıl bir gruba koyacağını gerçekten bilmiyordu. Eva'da duyduğu hikâyeler, Towner'ın günlüğünde üst üste binmiş ve birbirine dolanmıştı. Rafferty, Towner'ın kendi geçmişinin boşluklarını doldurduğunu biliyordu. Bu, tedavisinin bir parçasıydı; günlüğü okumak için izin istediğinde Towner ona bunu söylemişti. Evet, onu okuyabilirdi şayet Cal'a karşı davada işe yarayacağını düşünüyorsa. Ama Towner bununla ilgili hiçbir şey yapmak istemiyordu.

Defalarca onu okumuştu Rafferty. Her seferinde, cevapladıklarından çok sorular doğurmuştu bu kitap. Sayfaların altlarında, okutmanın notları karalanmıştı. Bu kitabı yazdığı ders, Boston Üniversitesi'ndeydi; Towner, oraya bir öğrenci olarak hiç kaydolmasa da. Daha çok McLean'deki son yılında onun yeniden giriş programının bir parçasıydı.

Rafferty'nin bunun doğruluğunu kontrol etme şansı oldu. Ancak okutman çok uzun süre önce gitmişti. Ders başlığı, "Kurgu Yazmaya Giriş" de bunu açıklamaya pek yetmiyordu. Okutman, Towner'ın kurgu yazdığına inanmış olabilirdi, kesinlikle içinde bol miktarda kurgu vardı. Ancak gerçekler de vardı, daha çok normal bir insanın dünya ile paylaşmak istemeyeceği gerçekler.

Towner'a Lyndley, aşk üçgeni ve onun yani Jack'in asıl sevdiğinin Lyndley olduğuna dair vardığı sonuç hakkında sorular sorabilirdi. Bu konu çok kişisel ve acı vericiydi; ancak yine de o günlüğü bir kez daha okumadan edemiyordu; başa çıkmaya çalışıyor; şayet zamanı gelirse, ona soracağı, sorması gereken soruları belirlemeye uğraşıyordu.

Günlüğün bu kısmı, onun için dayanması en zor olan bölümdü. Başının belada olduğunu biliyordu. Sürekli okuduğu bölüm Cal'la ilgili değildi, Towner ve Jack'le ilgili kısımlardı.

Rafferty, Towner'la tanışmadan önce o ve Jack'le ilgili her şeyi biliyordu. Eva ona anlattığı için değil, Jack bunları Mor Çatı toplantılarında dile getirdiği içindi. Bir kez de değil üstelik, defalarca.

Onların nasıl tanıştıklarını, âşık olduğu için Jack'in asla katlanamayacağı şeylere nasıl tahammül ettiğini biliyordu Rafferty. Towner'ın onunla konuşmasını ümit ederek her gün hastaneye nasıl gittiğini. Hastaneden çıktıktan sonra Towner'ın onu nasıl tanımıyormuş gibi davrandığını. *Beni tanımıyordu bile!* Jack bunu söylediğinde neredeyse ağlamıştı. Rafferty onun için üzülmüştü; ancak onu yargılamıştı da. Demek ki Towner muhtemelen onu hiç sevmemişti, gerçekten sevmemişti.

Ancak Rafferty bu konudaki fikrini değiştirdi, son olaylar ve günlük yüzünden. Towner'ın günlüğünü okuduktan sonra onun en azından bir kez Jack LaLibertie'ye âşık olduğunu fark etti. Muhtemelen onu hâlâ seviyordu.

Rafferty, Jack LaLibertie yüzünden Salem'deki Mor Çatı toplantılarına gitmeyi bırakmıştı. Jack orada olduğu için değildi –hayır, toplantılarda ortaya çıkmıyordu. Towner kasabaya dönmeden önce Jack alkole başlamıştı tekrar. Rafferty'nin toplantılara gitmeme nedeni, herkesin Towner'ı tanımasıydı ki bu, Rafferty'nin suçlu hissetmesine sebep oluyordu. İyi bir sebebi vardı. Zamanında Jack içmeye tekrar başlamadan önce Rafferty onun sponsoruydu.

"Dürüstlüğünü sına, Rafferty." Son kez Salem toplantısına gittiğinde Roberta ona bunu söylemişti. Odayı sessizlik kaplamıştı. Bu, herkesin ona söylemeyi istediği ancak cesaret edemediği şeydi.

İşyerinde durumlar Rafferty için daha da kötü bir hal almıştı.

Rafferty'nin polis beyninin her bölümü, kendisine olan şeyin iyiye işaret olmadığını biliyordu. Ve diğer insanlar da bunu fark etmeye başlamıştı.

Şef, Rafferty'i uyarmıştı. "Sırf kaşınıyorsun diye davayı mahvetme."

"Defol git" diye cevap vermişti Rafferty.

Rafferty, Cal'ı Towner'a saldırdığı için tutukladığında, Towner üç gündür hastanedeydi. Bunu daha önce yapabilirdi –şefi de öyle yapması için ona baskı yapıyordu aslında– ancak Rafferty, Cal'ın yirmi dört saat içinde serbest kalacağını biliyordu. Cuma günü saat 16:00'a kadar beklerse, sorgulanması pazartesi sabahına kadar olmayacaktı. En azından Cal, hafta sonunu hapishanede geçirecekti. Çok şey değildi, ancak yine de bu işe yarardı. Ve bu, Rafferty'e Cal'ın her zaman mevcut denetimi olmadan Kalvinist müritlerinden bazılarını sorgulama şansı vermişti.

Sorgulamalar bir işe yaramadı. Aralarında bir fark varsa o da Kalvinistlerin, liderlerinden daha dogmatik olduğuydu. Ya da sadece beyinleri yıkanmıştı.

Rafferty'nin başka bir planı vardı; ancak zor bir işti bu.

Mahkemede Rafferty, Cal'ın kefaletle serbest bırakılmamasını istedi hâkimden: Cal'ın toplum için bir tehlike olduğunu açıkladı, Emma Boynton'a attığı dayağı kanıt olarak gösterdi, onu kör bırakan ve beyninde hasar oluşmasına sebep olan dayakları. İddialarını desteklemek için hastane ve mahkeme kayıtlarını sundu.

Cal'ın avukatı tabii ki bunu bekliyordu ve Cal'ın son on üç yılki lekesiz sicilini ve yaptığı kamu hizmetinden dolayı San Diego belediye başkanından aldığı övgüleri göstererek karşılık verdi.

Cal'ın duruşmasının olduğu gün, mahkeme salonu ağzına kadar doluydu.

İlk olarak şef, Kalvinisterin işlerini bozduğu yerel tüccarların ve Cal'ın şeytan çıkarma uygulamalarının istismara kaçan bedensel cezaları içerdiğini belirten bazı annelerin şikâyetlerini sundu.

Sonra Rafferty sözü aldı, iddia edildiğine göre Cal'ın bebeğini taşıyan Angela Rickey'in ortadan kaybolmasında Cal'ın birinci şüpheli olduğunu hâkime anlattı.

Cal'ın avukatı hâkime, Angela'nın kararlaştırıldığı gibi bebeğini doğurmak için anne babasının evine gitme amacıyla Kalvinistlerden ayrıldığını söyleyerek karşılık verdi.

Rafferty Angela'nın evine, anne babasına hiç dönmediğini ve muhtemelen de dönmeyeceğini söyledi.

Cal'ın avukatı, Cal'ın Angela Rickey ile asla cinsel ilişkide bulunmadığını belirten ve Cal tarafından imzalanan yeminli ifadeyi gösterdi.

Rafferty, Angela'nın taşıdığı bebeğin Cal'dan olduğunu iddia ettiğini ve Cal'ın nasıl hissedeceğinden emin olmasa da bu bebeği doğurmakta ısrarlı olduğunu söyledi. Şüphesiz Cal, bundan memnun olmamıştı. Ayrıca Cal'ın hem gerekçesi, hem de yöntemi olduğunu belirtti. "Bir çocuğun babası olmak, dini nedenlerden ötürü cinsel ilişkiden uzak durulmasını öğütleyerek çok para kazanan biri için kötü bir iş olsa gerek."

Cal, kendi adına birkaç kelime söylemek için izin aldı. Yarı vaaz, yarı satış konuşması tonundaki gösterisinde kendini "Şaşırtıcı Merhamet" ilahisini yazan John Newton'a benzetti. Kendisi gibi Newton da ahlaksız, pişmanlık nedir bilmeyen, günahkârların en kötüsü ve aslında bir esir tüccarıydı, diye anlattı Cal. Ve yine kendisi gibi Newton da büyük kurtuluşunu denizde bulmuştu. Onun değiştiği gün, Cal'ınkinden farklı değildi ve tıpkı Newton gibi Cal da Evangelist bir papaz olmuştu. "Tanrı'nın merhameti ve müdahalesi ile" dedi Cal.

"Aramızda kim kurtuluşa inanmaz?" Cal, cemaate dönerek yalvardı. Avukatlar, hâkim, Kalvinistler ve duruşmaya katılan birkaç kasaba insanı vardı salonda.

"Aramızda kim ilk taşı atacak?" diye devam etti Cal.

Kiliseler konseyinin birkaç üyesi, arka sıra boyunca oturuyordu. Presbiteryen Kilise'nin papazı, şayet arka sıradan tam Cal'ın kafasına isabet ettirebileceğini düşünseydi, kendisinin ilk taşı atabileceğini Metodist Kilise'nin papazına mırıldandı. Bu oldukça komik olurdu. Presbiteryenler, Cal'ın uygulamaları ve uzun süre kendi markaları olan Protestanlıkla alakalı, Kalvinist ismini benimsemeleri ile en çok gücenen mezhepti. Bu ismi istediklerinden değildi, şu da var ki: Kalvinist etiketi, Presbiteryenler için yıllarca unutturmaya çalıştıkları bir halkla ilşkiler kâbusu olmuştu. Cal'ın esin verdiği bir basından hiçbir şekilde faydalanmaları muhtemel değildi.

"Ben bir ya da iki tane taş atmak istiyorum." Bir kadın ayağa kalktı. Kırmızı şapkası ve mor elbisesi, gri ve kahverengiler denizinde dikkat çekiyordu.

Diğer Kırmızı Şapkalı onunla birlikte ayaktaydı. "Hadi şunu kaya parçası yapalım" dedi.

Hâkim, kadınları işaret etti. Beş Kırmızı Şapkalı daha onlara katıldı, mahkeme salonunun önüne doğru yürüyorken.

"Günaydın, hanımefendiler." Hâkim, bunu söylemeden edemedi. Kırmızı ve mor, mahkeme salonunda çok sık gördüğü bir şey değildi. Bu kadınların kim olduğunu biliyordu, karısı ellisine girdiğinden beri kendi Kırmızı Şapka markasını başlatmakla tehdit ediyordu onu.

"Sayın Hâkim, Calvin Boynton'un tehlikeli olduğu ile alakalı birkaç kelime söylemek istiyoruz." Grup, Ruth'u resmi sözcüleri olarak tayin etmiş ve Rafferty de onu hazırlamak için bir saat uğraşmıştı.

"Devam et" dedi hâkim.

"Birçoğunuzun bildiği gibi biz, Eva Whitney'in çay salonunun düzenli müşterileriydik" dedi Ruth. "Eva'nın ortadan kaybolmasının bir kaza olmadığına inanmak için sebeplerimiz var." Hâkim, verdikleri bilginin bu davayı ilgilendirmediğini söylemeden önce kadın soluk almadan konuşmaya devam etti. "Eva Whitney'in devam eden rahatsızlığına şahit olmuştuk; sadece işinden dolayı değil, kişisel olarak da. Cal, onu birçok olayda tehdit etti."

"Bu lanet olası bir yalan!" dedi Cal birdenbire fırlayarak.

"Yerinize oturun, Bay Boynton" diye buyurdu hâkim.

"Ne çeşit tehditlerde bulundu?" diye sordu.

"Bir keresinde, Eva'yı diri diri yakmakla tehdit etti." Bunu, oğlu Körfez Savaşı'nda ölen anne söyledi. Rafferty, kadının pastel renkli şapkasından sıkılıp şimdi açık kırmızı bir şapkayla gösteriş yaptığını fark etti.

"Affedersiniz?"

"Onu cadı diye çağırdı ve farklı olaylarda onu asmakla, yakmakla ve boğmakla tehdit etti."

"Onu öldürmekle tehdit etti, Sayın Hâkim." Üçüncü Kırmızı Şapkalı söyledi bunu. "Çay salonunda olduğumuzu bilmediği bir gün."

"Ve Bayan Whitney, bu tehditlere nasıl cevap verdi?"

"Doğal olarak polisi aradı."

"Bu doğru, Sayın Hâkim" dedi Rafferty. "Bu tarz tacizle ilgili çok kaydımız var. Nisan ayının başında Eva Whitney, Cal'a karşı yasaklama emri çıkarttırdı." Rafferty, bunun bir kopyasını hâkime sundu.

"Eva bize anlattı" dedi oğlu Körfez Savaşı'nda ölen anne. "Şayet ona bir şey olursa, bunun sorumlusu Cal Boynton'dur dedi."

"O uzakta, Children's Adası'nın yanında bulundu" dedi diğer Kırmızı Şapkalı. "Herkes buranın, onların cesetleri attıkları yer olduğunu biliyor."

Birkaç yıl önce Children's Adası'nda başka bir ceset bulunmuştu. Bu, daha yeni çözümlenmiş bir cinayet davasıydı. Ve herkes benzerliği fark etmişti. Eva gibi, belki de Angela gibi o kadın da cesedi Children's Adası'nın yanında bulunmadan önce bir süre kayıptı.

"Eva yüzerken asla limandan ayrılmazdı." Ruth sözü aldı. "Tanrı aşkına, o seksen beş yaşındaydı. Oraya kadar asla yüzemezdi."

Cal'ın avukatı, Eva'ya bir otopsi yapıldığına işaret etti. Hiçbir cinayet izi yoktu.

"Herhangi bir şeye ait hiçbir iz yoktu" diyerek araya girdi Rafferty. "Biz Eva'yı bulana kadar cesedi ıstakozlar tarafından parçalanmıştı. Onu, diş kayıtlarından teşhis etmek zorunda kalmıştık."

Hâkim, Cal'ı otuz gün içeride tuttu. "Şayet onu daha fazla içeride tutmamı istiyorsanız, bana bir ceset getirmek zorunda kalacaksınız."

Eva'dan bahsetmiyordu; kastettiği Angela Rickey'di.

Rafferty, mahkeme salonundan ayrılıyorken, Kırmızı Şapkalılar'ın yanına gitti.

"İyi işti, hanımefendiler" dedi Rafferty.

"Yardımcı olduğunu düşünüyor musunuz?" diye sordu oğlu Körfez Savaşı'nda ölen kadın.

"Çok fazla."

"Ya diğer kız... Angela?" Ruth öğrenmek istiyordu.

"Siz de onu Cal'ın öldürdüğü fikrinde misiniz?" diye sordu üçüncü Kırmızı Şapkalı.

"Ne düşündüğümden emin değilim" dedi Rafferty. Angela'ya ne olduğu konusunda kötü hisleri vardı. Tek bildiği, onu bulmak zorunda olduğuydu. Bir an önce.

Kalabalık dağıldığında Rafferty, Cal'ın Eva Whitney'i öldürdüğünü düşünmeyen tüm kasabadaki muhtemelen tek kişi olduğunu fark etti. Rafferty, kamuoyunun Cal'ı caddelerden uzaklaştırma amacını gerçekleştirmesine izin vermişti, en azından bir süreliğine. Ancak Cal'ın Eva'yı öldürdüğünü bir an bile gerçekten düşünmemişti. Sebep çok basitti. Şayet bunu Cal yapmış olsaydı, cesedi Eva'nın sık sık yüzdüğü limana atacak kadar zeki olurdu o. Eva'nın, Kalvinistlerin cesetleri attığı yerde bulunması, onun Cal Bonyton'u durdurmak için yaptığı planda yanıldığı bir noktaydı. Children's Adası, dikkat çekmek için seçilmişti. Ve çekti de. Ancak Rafferty'e göre bütün yanlış sebeplere dikkat çekmişti.

Yüzmek iyi bir fikirdi; ancak Eva bunu çok ileri götürmüştü. Ayrıca o bir Whitney kadınıydı. Whitney kadınlarının herhangi biri oraya yüzebilirdi. Her yaşta.

Rafferty, Towner'a Cal'ı içerde tuttuklarını söyledi. Olan bitenin hepsini anlatmadı ona. Towner'ın bilmesi gereken bir şey olmadığını düşündü.

Rafferty, Angela ile ilgili neye inandığından emin değildi. Bebek konusunda yanılmıyordu. Ve gitme nedeni konusunda da. Onun çoktan ölmüş olduğuna ya da çok yakında öleceğine dair gitgide büyüyen hislerinde yanılıyor olmayı umuyordu sadece.

Rafferty, Angela için pek bir şey yapamamıştı. Ama en azından Towner'a göz kulak olabilirdi. Kendisine bunu söylüyordu. Towner'ın tek ihtiyacı olduğu şey, dinlenmek ve iyileşmekti. Bu yüzden Rafferty ona bakmak için elinden geleni yapıyordu. Ona yemek yaptı. Dışarıda oturdular, botları seyrettiler.

Bu gece verandada oturup okyanusa bakıyorlardı. "Leah, yelkenci mi?" diye sordu Towner. Marblehead'de yarış haftasıydı. Towner limana doğru, büyük yelkenli botların sırasına bakıyordu. Rafferty'nin düşünceleri o kadar farklı bir yerdeydi ki bu soru onu şaşırttı. "Ne?"

"Kızın, yelkenli ile açılır mı?"

"Evet" dedi Rafferty. "Biraz."

Bu, Towner'ın bütün gece konuştuğu birkaç andan biriydi. Rafferty, eğer onunla sohbet etmek istiyorsa sorularına cevap vermeliydi. "Almamı istediği bot, Scarab modeli."

Towner anlamış gibi başını salladı. "Hız yapma ihtiyacı" dedi Towner. "Bundan vazgeçecektir. Zevkler değişir."

"Bu doğru mu?" Rafferty umutluydu.

"Kesinlikle" dedi Towner.

Rafferty, bu gece ona makarna önerdi, ızgarada biftek yapmayı teklif etti; ancak hiçbiri onu cezbetmiyordu. Mönü seçenekleri tükeniyordu. Yorulmuştu.

"Aç değilim" dedi Towner.

Rafferty şezlongundan kalktı ve bacaklarını gerdi.

"O zaman koşmaya gidiyorum" dedi Rafferty.

"Şimdi mi?" Towner şaşırmışa benziyordu. Rafferty bütün akşam esneyip durmuştu.

"Evet. Sonra da kıymalı soğanlı sandviç almak için Willows'a uğrayacağım."

"Sen ve senin kıymalı soğanlı sandviçlerin" dedi Towner.

"Gelmek ister misin?" Rafferty her zaman sorardı. Towner asla evet dememişti; ancak Rafferty sormaya devam etti.

"Yorgunum" dedi Towner.

"Dondurma ister misin?" Rafferty bir kez daha şansını denedi. Dondurma, Towner'ın her zaman yediği bir şeydi.

"İstemiyorum."

Yavaşlamadan önce Rafferty, Derby Caddesi'nin etrafında üç tur atmıştı. Her turunda Winter Adası'nın yanından geçti. Cal hâlâ hapishanede olabilirdi ancak diğer Kalvinistler de onun kadar tehlikeliydi.

Rafferty kendini fazlasıyla yorana kadar koştu. Willows Parkı'na girmek üzereyken sonunda yavaşlayarak yürümeye başladı. Terlemişti. Verandada oturan komşuları ve caddede hokey oynayan çocukları geçti. Sahilin aşağısında, bir komşu çocuğu esrar içmeyi bırakıp zulasını kayalığın arkasına sakladı. Patikanın sonunda başka bir komşu köpeğini çağırdı. "Pardon" dedi kadın Rafferty'e, kurallara uygun olarak köpeğin kayışını taktı tekrar. Rafferty gülümsemeye çalıştı. Polis olmak, otomatik olarak kendisiyle kasabadaki herkes arasına bir mesafe koyuyordu.

Rıhtımın sonunda balık tutan biri çizgili bir levreği çekti. Havada, batmakta olan güneşin kırmızısını yakalayıp, gökyüzünü boyararak sarkaç gibi dalgalanıyordu.

Harley Davidson motorlar, tam yarı yolun karşısında dizilmişti. Deri giyinen motocular ise kıyafetleriyle motorlarının arkasındaydı. Muhasabeciler ve dişçiler diye düşündü Rafferty ama hayır, Cehennemin Melekleri[12] de vardı. Yılda iki kez Salem'e yolculuk yaparlardı binlerce motorsiklet. Salem, caddeleri onlar için kapatırdı. Bu çok etkileyiciydi. Onlar kasabaya girdiğinde, onları görmeden gürültülerini Highland Yolu'ndan duyabilirdiniz. İnsanlar, katlanır sandalyelerinde caddeler boyunca onların akın etmesini seyretmek için sıralanırdı.

Motorcular geçit töreninde de motorlarını sürerdi. Cadılar Bayramı'nda da. Cadıların arkasında. Anaokulu çocuklarıyla bandonun arasında.

Rafferty onu görmeden Roberta, Rafferty'i fark etti. Motorsikletler dizisini hayranlıkla seyrederek, diet kolasından yudumlayıp duruyordu Roberta. Rafferty'i gördüğünde, başka tarafa döndü.

Rafferty, kıymalı soğanlı sandviç sırasındaydı, sonra iskele ile sahne arasında bir yere oturdu. Oturur oturmaz, bando mola verdi. *Harika*, diye düşündü Rafferty.

Ancak bu büyük ihtimalle iyi bir şeydi. Bandonun susmasıyla, Winter Adası'ndan gelen sesler yarı yola kadar yankılanabilirdi ve böylece Towner'ın güvende olduğunu biliyordu. Şayet zorunda kalırsa eve iki dakikadan daha az bir sürede gidebilirdi. Bu, herhangi birinin ona ulaşmasından çok daha hızlıydı.

Ancak Kalvinistler bu gece vaaz vermiyor gibiydi. Rafferty koşuyorken hangar karanlıktı. Bunun yerine dini propaganlarını burada yapıyorlardı. İçlerinden biri ilan levhası giyiyordu. Levhanın her iki tarafında da aynı mesaj basılıydı: "İsa, cehennemin meleklerini kurtarmakta kararlı."

---

12. Amerika'nın en büyük motorsiklet kulübü.

Motorcular oltaya gelmiyordu; ancak yerel cadıların birkaçı tuzağa düşmüştü. Birbirlerine laf atarak kavga ediyorlardı. "Derby Caddesi'ne geri dönün" diye bağırıyordu Kalvinistler, Kelt takılarını satmak için tezgâh kuran cadılara.

"Okyanusa atın kendinizi" diye seslendi cadılardan biri, Yahya Peygamber diye çağırdıkları iman sahibine. Ancak Yahya, bu gece okyanus vaftizlerini yapmıyordu. Bunun yerine cübbeli mürit, vaftiz törenlerini taşınabilir hale getirmişti. Bir kova ve kocaman bir sünger taşıyordu; ruhu kurtarma görevinden çok, bir öğrencinin araba yıkamasına daha uygundu. Rafferty, onun afişini değiştirip, kendi dinine çektiği her kişiye, Harley Davidson motorunu bedava yıkamayı önermesi gerektiğini düşündü. Motorcuların bazıları, buraya gelmek için uzun yol katetmişti ve motorları çok tozluydu.

Son birkaç hafta boyunca Rafferty Kalvinisterin çoğu, özellikle de cübbeli olanları ve Angela'dan sonra giden kadınlar hakkında araştırma yapmıştı. Yahya Peygamber'in asıl adı Charlie Pedrick'ti. Rafferty onu sorguladığında üstelediği gibi Kudüslü değildi. Aslında Braintree'den geliyordu. Ergenlik döneminin sonuna doğru kendisine şizofreni teşhisi konmuş olan Charlie, hapse girmede payına düşeni almıştı. Ancak "kurtarıldığından" beri hiç hapse düşmemişti.

Cal'ın "farmakope şeytan çıkarma" diye adlandırdığı tartışmalı bir ayinde akıl hastaları, ilaçlarını limana atmaya teşvik ediliyordu. Sonra bu hastalar Amerikan yerlilerinin buhar kulübelerinden farksız olan bir arınma ayinine dayanıyordu. Diğer inançlardan öğreti çalma işleminde, Cal bu ayini, görüntü arayışı olarak adlandırmıştı. Gayet uygun görünüyordu. İki gün bir şey yemeden içmeden duran, önceden akıl hastası olan bu kişilerin teki bile bir görüntü yakalamakta başarısız olmamıştı. Bunu, denizde kaybettiği zamana benzeterek Cal, taraftarlarından Tanrı'nın sesini dinlemelerini ve bu sesin hayatlarını yönlendirmesine izin vermelerini istemişti.

İnanç sistemleri bu tarz şeyleri destekleyen kadınların arasında üç tane Meryem Ana ve iki tane Jeanne d'Arc vardı. Charlie Pedrick'in kendi görüntü arayışı ayininde duyduğu sesler, kendisinin Yahya Peygamber olarak yeniden hayata döndüğünü söylemişti ona.

Rafferty, Salem'e geldiğinde bu ayin hakkında bilgi verilmişti kendisine ancak ta ki bir sabah turuncu reçete şişelerini Salem Limanı'nda yüzerken görene kadar bunu ciddiye almamıştı. Onları çıkarmakla birkaç saat harcamıştı, sonra da Cal Boynton'u ilk kez tutuklamıştı. Çevreyi kirlettiği için.

İki grup, şimdi gazinonun önündeydi ve işler kızışmaya başlamıştı.

"Pagan putlarını alın ve evinize dönün" Kalvinisterden biri bağırdı.

"Serbest girişim" diye cadılardan biri karşılık verdi. Ann'ın dükkânının isminin izin belgesinde belirgin bir şekilde göründüğü yeri gösterdi. "İşletme ruhsatı alma özgürlüğü."

Akşam yemeğimi yeme özgürlüğü, diye düşündü Rafferty. "Hey, gidin kavganızı bir dağ geçidinde yapın"dedi Rafferty. "Bana sindirim güçlüğü veriyorsunuz."

Kalvinistler bunu, zehirlerini ona çevirme için bir davet olarak aldı.

"Tanrı ölümsüz ruhunu kurtarsın" diye bağırdı Yahya Peygamber, Rafferty'e. "Ve günah içinde birlikte yaşadığın kadını da."

"Kızıl saçlı fahişe" diye bağırdı Kalvinisterden biri.

"Pişmanlık nedir bilmeyen şeytan!" diye haykırdı diğeri.

Yan tarafta bir kavga patlak verdi. Meryem Ana'lardan bir tanesi, cadılardan birine bir yumruk savurdu.

"Pekâlâ" dedi Rafferty, sandviçini bırakıp ayağa kalktı. "Yeter."

Park sessizleşti. İnsanlar nefeslerini tutup, onun ne yapacağını görmek için dönüp, bekliyordu.

Sonra Rafferty, Kalvinistlerin yüzündeki korkuyu gördü. Bu onu şaşırttı. Onların herhangi bir karşılaşmadan geri çekildiğini hiç görmemişti. Ancak baktıkları kişi o değil; arkasında olan bir şeydi. Rafferty, siyahlar içinde ve kolları havada olan kadını görmek için döndü. Derin bir ses ve gözleri Kalvinistlere takılıp kalmıştı, büyülü sözleri sarf etmeye başladı kadın.

"Gallia est omnis divisa in partes tres..." O kadar derin ve zengin bir sesle ilahi söylüyordu ki o ses ondan değil de tamamen başka bir yerden geliyordu adeta. Martıları kaçırıp, havada asılı bırakan ve onları rüzgâra karıştıran bir sesti.

Kalvinistler dondu.

Cadı soluk aldı. Sonra işaretparmağını suçlayıcı bir tavırla gruba yöneltti ve sesini tekrar kalınlaştırdı. *"Quarum unam incolunt Belgae."*

Bu işe yaradı. Kalvinistler dağıldı ve küçük cıva topları gibi parktan kayarak uzaklaştılar.

Herkes cadı kıyafeti içindeki Ann'in beliriveren görüntüsüne dikmişti gözlerini. Etkileyiciydi.

"Ve bir diğer şey de..." diye bağırdı Ann arkalarından normal ses tonunda. Kıkırdamaya başladı büyüyü bozarak. Ellerini sildi sanki bütün sahneyi siliyormuş gibi. Sonra cübbesini arkasına savurdu, birdenbire bir hanımefendiye dönerek banka, Rafferty'nin yanına oturdu.

"Çok hoş" dedi Rafferty gülerek. "Hadi bir bakalım, lisedeki Latince dersinden hatırladığıma gör, *Jason ve Argonotlar*'dan bir bölümü söylüyordun sen."

"Sezar'ın *Gallik Savaşları*'ndan" dedi Ann. "Ama yaklaştın. Öyle olmasa da senin budala poponu kurtardı."

"En azından akşam yemeğimi" dedi Rafferty gülerek.

"Seni kurtardım ve bunu biliyorsun" diye güldü Ann. "Ve tekrar soruyorum. Şayet birkaç cadıdan korkuyorlarsa ne çeşit bir Tanrı'ya tapıyorlar, bu kadar zayıf ve ödlek?"

"Onlar birkaç cadıdan korkmuyorlar; senden korkuyorlar. Kahrolsun, *ben* de senden korkuyorum."

"Gerçekten mi?" Ann memnun olmuş görünüyordu.

"Elbette."

Bir dakika sessizlik içinde oturdular.

"Pekâlâ, böyle giyinip süslenip ne yapıyosun burada?" Rafferty bilmek istiyordu.

"Sadece kızlara göz atıyordum" dedi, daha yeni Kalvinistlerle karşı karşıya gelen cadıların tezgâhını göstererek. Şimdi baş döndürücü zaferlerini kutluyorlardı, motorcuların beş köşeli yıldız figürlü kolyeleri ve nazarlıkları denemelerine izin verip açıkça onlarla flört ediyorlardı. Motorcular, genç ve muhteşem cadılardan gelen bu ilgiden oldukça memnundu.

"Onlar için endişelenmeli miyiz?" diye sordu Rafferty, motorculara bakarak.

"Onlar benim için kaygılanmalı" dedi Ann. Elini kaldırdı ve en çetin görünen motorcuya tattı tatlı el salladı. Ann'in varlığı ile adamın cesareti kırıldı biraz. "Evet, bu doğru, anneleri burada" dedi, kibarca ancak koruyucu bir hareketle el sallarak. "Korkun" dedi Ann, tatlı bir ses tonuyla. "Hem de çok korkun."

"Hey, senle uğraşmak istemiyorum" dedi Rafferty. "Beni, Gallik Savaşları'na gönderme eğilimin var."

"Bak, bu doğru işte."

"O halde bir soru" dedi Rafferty. "Niçin, şu Yahya Peygamber karakterine gerçek bir büyü yapmadın?"

"Sana kaç kez söylemem gerekiyor..." dedi Ann. "Biz kara büyü yapmıyoruz. Sen, cadıları satanistlerle karıştırmaya başladın. Ya da vuducularla."

"Vuducular mı? Bu Latince bir terim mi?"

"Neyi kastettiğimi biliyorsun."

"Şu oyuncak bebekli ve iğneli olanları kastediyorsun."

Ann başını salladı ve bir eliyle Rafferty'nin sandviçinden kalanı kaparken diğer eliyle *mükemmel işareti* yaptı.

"Buyurun" dedi Rafferty.

Ann güldü. "Ben kötü büyüler yapmam. Bu, benim dinime aykırı. Aşk büyülerinde iyi iş çıkarırım ama" dedi Ann. "Belki ihtiyacın olur."

Rafferty'nin cevabı, okunamayacak kadar zordu. Homurdanma ile mırıldanma arasında bir yerdeydi. Rafferty'nin, Jack Miserie Adası'nın arkasında kaybolup kıyıya doğru giderken onu izlediğini fark etti Ann.

"Onunla yatmadı, biliyorsun."

"Ne?"

"Towner. Jack LaLibertie ile yatmadı."

"Bu, senin medyum düşüncen mi?"

"Bana anlattığı bu."

Raffery şaşırmış görünüyordu.

"Bu noktayı aydınlatmanın önemli olduğunu düşünüyor gibiydi" dedi Ann.

Rafferty cevap vermedi.

"Dükkâna gittiğimizde, senin için belki birkaç kelime daha söyleyebilirim" dedi Ann. "Bedavaya."

"Bana iyilik yapma" dedi Rafferty.

"Şayet Jack LaLiberti'ye âşık olsaydı, onunla kalıyor olurdu şu an; senle değil. Hiç bunu düşündün mü?"

"Evet. Pekâlâ. Belki."

"İyi yapmamışsın" dedi Ann.

Rafferty güldü. Anlamıştı.

22

Dantel falına bakarken, yanlış cevap diye bir şey yoktur. Öyle ol-
masına rağmen, sadece yanlış soru sorarak yanlış sonuçlara ulaşmak
kolaydır.

Dantel Falı Rehberi

Rafferty, Towner'ın yattığından emin olmadan eve gitmedi. Sa-
bah, Marblehead'deki Mor Çatı toplantısına yetişmek için erken-
den ayrıldı evden.

Karakola vardığında, May'den üç tane mesaj vardı.

Kahvesini alıp ofisine gitti, kapıyı kapattı ve May'i aradı.

"Hasteneyi aradım ve onun bir hafta önce taburcu olduğunu
söylediler bana. Kaynaklarım, senin evinde kaldığını söylüyor."

"Ve?" Rafferty, May'in kendisine bir cep telefonu almamış ol-
masını diliyordu.

"Ve neden sende kaldığını bilmek istiyorum."

Rafferty çekmeceye uzandı. "Bir tane fazla odam var. Towner'a
teklif ettim."

"Onu burada daha iyi koruyabilirim" dedi May.

"Bundan şüpheliyim."

"Korunmaya ihtiyacı var."

"Seninkilerden daha fazla silahım var benim" dedi Rafferty, bi-
raz da şakayla.

"Onu her an izleyemezsin."

"Sen de" dedi Rafferty. "Ve ayrıca Cal hapishanede. Kaynakla-
rın bunu söyledi mi sana?"

"Geçici olarak" dedi May.

Bu, May'i durdurmuş gibiydi. Ancak sadece bir an.

"Bu işe yaramayacak" dedi May, sanki o an bir şeye karar veri-
yordu.

"Ne?"

"Siz ikiniz."

Bu Rafferty'i durdurdu.

"Zıt kutuplar birbirini çeker" dedi May.

"Ne olmuş yani?"

"Siz, zıt kutuplar değilsiniz... İkiniz de yaralısınız. Böyle bir ilişkiyle başa çıkamazsınız."

Rafferty, May'in nasıl hakkında bu kadar çok şey bildiğini merak ediyordu. O da bir falcı mıydı yoksa Eva ona Rafferty'nin hikâyesini anlatmış mıydı? Her halükârda ilişkiler konusundaki eksikliğini onunla tartışmayı istemiyordu. May konuşmaya devam ettiğinde açık bir cevap arıyordu Rafferty.

"İkiniz ayrıldığında, inan bana bu olacak, normal insanlar gibi sadece ayrı kalmayacaksınız. Biribirinizi darmadağın edeceksiniz."

"Bunu, bir tavsiye olarak alacağım" dedi Rafferty ve telefonu kapattı.

Telefonu yerine koymak için masasına uzandı, ancak telefon kablosuyla kahve fincanına takılarak, kahveyi bütün dosyaların üzerine döktü.

İyi bir gün olmayacaktı.

Rafferty ayrılıyorken, şef geliyordu.

"Portland'a gidiyorum yine" dedi Rafferty. "Çevredekileri soruşturmak için."

Şef başını salladı. "İyi fikir" dedi. "O zaman seni yarın göreceğim."

"Yarın izinliyim."

"Doğru" dedi şef.

Towner'a gittiğini söylemek için eve uğradı Rafferty. Orada değildi. Telaşlanmaya başlıyordu. Pencereden Towner'ın limandan yukarı doğru çıktığını gördü. Kesik pantolonunu ve kızının en sevdiği mayonun üst kısmını giyiyordu Towner. Saçları ıslaktı. Yüzmüştü.

Farklı bir insan gibi görünüyordu. Daha genç. Neredeyse sağlıklı.

"Merhaba" dedi Towner.

"Portland'a gitmek zorunda olduğumu söylemek için uğradım."

"Portland, Maine mi?"

"Evet" dedi Rafferty. "Gelmek ister misin?" Bunu söyler söylemez pişman oldu. İş için gittiği için bu iyi bir fikir değildi. Ayrıca, bir hayır cevabını daha kaldıramazdı.

"Evet" dedi Towner. "Sanırım gelirim."

23

Dantel falına bakan her kişi, soruları oluşturan boş alanlarda var olmayı öğrenmelidir.

Dantel Falı Rehberi

Angela Rickey'nin anne babası Portland'ın kuzeyinde, karavan parklarının ve harap haldeki fabrika konutlarının sıkıcı karışımı olan bir kasabada oturuyordu. Kasabadaki her bina, nehre ve kasabadaki tek önemli mülk olan fakat artık kullanılmayan kâğıt fabrikasına bakıyordu. Tuğladan fabrika, her iki ucunda da başarısız onarım teşebbüsleri ile ortasından bir hamak gibi çökmüştü. Angela'nın ailesinin yaşadığı karavan parkı, hemen fabrikayı geçtikten sonra Agway firması ve Mason okul binası tarafından ortaklaşa kullanılan otoparkın sonundaydı. Parkın ortasında yarısı tamamlanmış bir yanyol (kasabayı I-95[13] ve dolayısıyla turist dolarlarıyla bağlamak için genişletilen otobanın bir parçasıydı), Angela'nın ailesine ait olan karavan boyunca uzun bir gölge bırakıyordu.

Rafferty içeri girerken, Towner arabada bekledi.

Kısa bir ziyaret oldu. Angela'yı görmemişlerdi. Ondan haber almamışlardı. Rafferty bunun çok zor bir iş olduğunu biliyordu –daha önce de buraya gelmişti– ancak denemeye değerdi.

"Buraya gelmezse iyi olur" dedi Angela'nın babası. "Bana borcu var."

Güzellik okulu için parayı babası vermişti. Bunu daha önce birkaç kez Rafferty'e söylemişti Angela'nın babası.

"Şayet onu ve bebeğini desteklediğimi düşünüyorsa..." Cümlesini bitirmedi babası.

"Ondan haber alırsan, bana söylemen gerekiyor" dedi Rafferty.

"Bu sefer ne çeşit bir belaya soktu başını?" diye sordu yaşlı adam.

"Başı belada değil" dedi Rafferty. "Ancak ölmüş olabilir."

13. Amerika'nın doğu kıyısındaki ana otoban.

Bu, adamı susturdu. Söylemesi acımasız bir şeydi; ancak bu, adamı durdurdu.

Rafferty, Towner'ı halk pazarında bıraktı ve sonra da Congress Caddesi'ne, Angela'nın gittiği güzellik okuluna doğru yol aldı. Sorular sordu orada. Birisi onu görmüş müydü? Hayır. Kasabada Angela'nın hiç arkadaşı var mıydı? Hayır. Evet. Pekâlâ, belki de. Bir kız olduğunu söylediler, adı Susan mı neymiş, kenevirden yapılan ürünleri sattığı Old Port'ta bir dükkânda çalışıyordu. Rafferty, kadına teşekkür etti ve numarasını bıraktı. "Şayet onu görürseniz, hemen beni arayın."

Congress Caddesi'nden aşağıya yürüdü ve doğru Old Port'a gitti. Kenevir dükkânını buldu. Susan artık orada değildi ve kimse Angela'yı fotoğrafından tanımamıştı. Rafferty, Angela'nın fotoğrafını, arnavutkaldırımlı taş sokaklarda birkaç esnafa daha gösterdi. Sonra halk pazarına geri döndü ve arabasını ikinci kata park etti, çatı katına giden köprüden geçerek, Towner'ın yabanmersinli çörek yediği yere geldi.

Towner ona uzattı. "Yer misin?"

"Teşekkürler ama vakit öğleyi geçti. Ben öğle yemeğimi yemek istiyorum" dedi Rafferty.

Çatı katından aşağıdaki dükkânlara kadar uzun merdivenlerden indiler. Rafferty, Towner'ın kolaylıkla merdivenlerden indiğini fark edemeden yapamadı; artık parmaklıklardan tutunmuyordu. Adımlarında bir hafiflik ve ruh halinde de bir rahatlama vardı.

"Canın ne almak istiyor?" diye sordu Rafferty, etrafa bakınarak. "İstediğin her şeyi alabilirsin."

"Sen seç" dedi Towner.

Rafferty etrafına baktı. Peynir, ekmek, balıklı sebze çorbası ve diğer çorbalardan satan tezgâhlar vardı. Rafferty, Towner'a döndü. İşte tam zamanıydı. "Ben çorbayı severim, ya sen?"

Towner gözlerini Rafferty'e dikti.

"Sahip olduğum birçok yetenekten ikisi" dedi Rafferty. "Yalan söylemek ve kandırmak."

Towner'ın dudaklarında bir gülümseme belirmeye başladı. Engel olmaya çalıştı ancak olamadığının farkına vardı. Gülümseme, tüm yüzüne yayıldı. Ve gülmeye başladı Towner. "Seni mendebur" dedi Towner.

Güneye doğru giderken Rafferty 95. Yol'da hız uyarısı aldı.

"Size ceza yazmalıyım" dedi arabadaki genç polis. "Hız sınırının yirmi mil üzerinde gidiyordunuz ancak, hey, profesyonel nezaket, değil mi?"

Rafferty gülümsedi ve çocuğa teşekkür etti, sonra da ödemeyi unuttuğu park cezalarının olduğu torpido gözüne uyarıyı tıkıştırdı.

Evin garajına doğru yanaşırken, Rafferty'nin evinin ön tarafındaki tırabzana bağlı olan köpeği fark ettiler, yanında bir kâse su tepetaklak olmuştu. Şüphesiz kaçmaya çalışmıştı. Gözleri çok vahşiydi.

"Bu, May'in köpeklerinden biri" dedi Towner, arabadan fırlayarak.

Köpeğin tasmasına bağlı bir not vardı. "Benim adım, Bizans" Towner okudu notu.

Köpek dişlerini çıkardı ve hırladı. Towner eli ayağına dolaşmış bir şekilde evin ön tarafında oturdu, köpeğe doğrudan bakmıyordu, kendini onun hizasına getirdi. Sanki böyle bir günde yapılacak en doğal şeymiş gibi uzun süre oturup limana baktı. Köpeğin soluması yavaşladığında, Towner elini köpeğin çenesinin altına götürdü ve boynunu okşadı. "Merhaba, Bizy" dedi, sesi rahatlatıcıydı. Sonunda köpeğin yüzüne baktı. Köpek hipnotize olmuş gibi indi ve yan tarafına yattı. Towner, köpeğin karnını okşadı. "İyi köpek" dedi.

Rafferty, kapı açık bir şekilde arabada oturuyordu. Arabadan çıktı.

"May neden onu gönderdi sence?" diye sordu Towner.

"Bana eziyet etmek için, sanırım" dedi Rafferty ve hapşırdı.

"Bu, iyi bir fikir değil" dedi Towner.

Ancak Rafferty, öyle olduğunu düşünmeden edemedi. May haklıydı, Towner'ı her dakika izleyemezdi. Rafferty, Bizzy'nin burada olduğunu bildiği için daha iyi hissedecekti şüphesiz. "Tamam, kalabilir" dedi Rafferty. "Ayakkabılarımı yemediği sürece."

Towner güldü. "Onun ne *yediğini* düşünüyorsun?" diye sordu Towner. "Yani tavşan ve fare dışında."

"Purina maması gibi şeyler ya da başka bir şey" dedi Rafferty, tepetaklak olmuş su kâsesini aldı ve onu doldurmak için hortumun yanına gitti. Kâseyi köpeğin önüne koydu ve o da içmeye başladı.

"Skybo'ya benziyor" dedi Towner.

Rafferty bu ismi hatırladı. Skybo, Towner'ın ilk köpeğiydi, Cal'ın öldürdüğü. Bunu Towner'ın günlüğünde okumuştu ve Eva da ona söylemişti. Skybo onun arkadaşı ve koruyucusuydu. Dolayısıyla bu köpeğin Skybo'ya benzediği gerçeği Towner'la onu birbirine bağlıyordu.

Rafferty merdivenlerden çıkmaya başladı, hırlayan köpeğin yanından geçerken iki kez hapşırdı. "Hey ahbap, biz aynı taraftayız" dedi Rafferty ve Towner güldü.

"Otur oğlum" dedi Towner, Bizans'a ve o da itaat etti.

Rafferty arabayı garaja koymadı. Birkaç dakika içinde demir kova almak için Crosby's Market'e gitmek zorunda olacağını biliyordu. Alerjisi için Benadryl almayı hatırlaması gerekecekti. Sonra yatağına gidecekti. İyi bir uykuya ihtiyacı vardı. Son birkaç haftadır, Towner oraya geldiğinden beri çok uyumamıştı.

Rafferty iki tane Benadryl aldı ve öğlene kadar uyudu. Sonunda Bizy'nin hırlamasına uyandı. Kapıyı açtı. Köpek burnu sürgüye dayalı, limana doğru bakıp yanaşan, ayrılan botlara hırlıyordu. Banyoda akan suyun sesini duyabiliyordu Rafferty. Towner dişlerini fırçalıyordu.

Elektrikli su ısıtıcısını çalıştırdı ve kızı Leah'nın geçen yılbaşında verdiği filtre kahve yapma aparatında kendisine bir kahve hazırladı. Fincanını sıcak suyun altında tutarak ısıttı. Sonra sürgüyü açıp, dışarı çıktı. "Hadi" dedi Bizy'e. "Dışarı gelirsen daha iyi olur." Köpek tereddüt etti, sonra dışarı çıktı.

Rafferty kahvesinden yudumladı. Köpeğin dikkatini çeken şeyin ne olduğunu görmek için gözlerini kısarak baktı. Başta ayrılan botlar olduğunu düşünmüştü. Ya da elektrik santraline kömür boşaltmak için limana gelen koca gemi. Sonra başka bir şeyi fark etti... Demir atma yerleri hareket ediyordu.

Ayağa kalktı. Onlardan yirmi tane vardı, Willows ile Winter Adası'nın arasında iskelelerin dışında, kıyı şeridi boyunca yavaşça ve düzenli olarak hareket ediyorlardı. Rafferty tekrar baktı ve demir atma yerlerine değil de dalgıcın şamandırasına bakıyor olduğunu fark etti. Ceset arıyorlardı.

Bizy'nin sızlanmasını önemsemeyerek, Rafferty onu tekrar içeri kapattı. Hâlâ elinde kahvesini tutarak tepeden aşağıya, iskelelere doğru yürüdü. Herhangi biri olabilirdi bu. Muhtemelen içip, kıyıya yüzen bir denizciydi. Tanrım, onun bir çocuk olmamasını ümit etti Rafferty.

Kayalıkların üstündeki polis arabalarını görebiliyordu. Şef, dalgıçlardan biriyle konuşuyordu.

"Neler oluyor?" dedi Rafferty.

Şef, dalgıcı bırakarak Rafferty'e döndü.

"Seni dün cep telefonundan aramaya çalıştım" dedi şef. "Sen gider gitmez oldu. Bir tavsiye aldık. Cal'dan. Angela Rickey'nin Salem Limanı'nın dibinde olduğu konusunda kararlı Cal."

"Cal, itiraf etti mi?" diye sordu Rafferty. Bu, hiç de muhtemel olmayan bir senaryoydu.

"Tam olarak değil" dedi şef.

"Bu da ne demek?" diye sordu Rafferty.

"Bu, tamamen bir itiraf değildi. Ancak şayet cesedi bulursak, neredeyse onun kadar iyi olacak. Cal, Angela'yı ölü gördüğünü söyledi. Nereye bakmamız gerektiğini belirtti."

"Bu bana bir itirafmış gibi geliyor."

"Tam olarak değil" dedi şef. "O, Tanrı'nın kendisine bu bilgiyi verdiğini söyledi. Rüyasında."

Rafferty aşağı, Winter Adası'na doğru baktı. Kalvinistlerin, Waikiki Sahili'nin kıyısında dizilmiş, olan biteni seyrediyor olduğunu gördü. Birkaçı diz çökmüştü. Berbat bir şekilde sahnelenmiş bir tiyatro vardı sahnede.

"Sizle dalga geçiyor" dedi Rafferty.

Şefin baskı altında olduğunu biliyordu Rafferty. Tüccarlar, cadı işine karışan ve turistleri kıyıya doğru süren Kalvinistlere kızgındı. Daha dün ticaret odası, Cal'ın grubunun Cape Ann'de bir kamp alanına taşınmasını talep etmişti. Şefin pozisyonunda, Rafferty de aynı şeyi yapardı.

"Bu, senin izin günün değil mi?" diye cevap verdi şef.

"Doğru" dedi Rafferty. "Öyle."

Towner, kayışını taktığı Bizy ile birlikte patikadan aşağıya geliyordu. Mayo giyiyordu.

"Onu yüzmeye götürüyorum." Towner gülümsedi. Köpek, Towner'ın topuklarında onu takip ediyordu, bir macera için hevesliydi.

Rafferty çabucak düşündü. Her şeyden usanmıştı. Şefin dediği gibi bu, onun izin günüydü.

"Ben yüzmek için çok daha iyi bir yer biliyorum" dedi Rafferty. "Şayet ikiniz de bot yolculuğuna hazırsanız."

Bazen dantel falına bakan kişi imgeler ortaya çıkmadan önce, danteli birçok yöne döndürmek ve o parçaya çeşitli ışıklardan bakmak zorunda kalabilir.

Dantel Falı Rehberi

Rafferty ve ben, onun arkadaşlarından birinin işlettiği, paketlenmiş olarak sıcak yemek satan ıstakoz dükkânına uğruyoruz. Rafferty yiyecekleri bota götürüyor.

Rafferty, Bizy'i istiridye ile besliyor ancak köpek onu güverteye tükürüyor. İstiridye, tahtalar arasındaki boşluğa sıkışıyor. Rafferty elleri üzerinde gidiyor ve onu almak için diz çöküyor, sonunda onu kapıp yan tarafa fırlatıyor. "İşte elde ettiğim şey bu" diyor Rafferty ve gülüyor.

"Bence Bizy tavşanı tercih ediyor" diyorum.

"Tabii ki."

Tekrar yola çıkmadan, Rafferty erzak olarak birkaç şey almak için iskelelere, 1A Yolu'na gidiyor. Yiyecek çantasıyla geri dönüyor ve onu geminin mutfağına koyuyor. Köpek maması çıkarıyor Rafferty.

Dümene geçmeme ve botu limandan çıkarmama izin veriyor Rafferty. Ben, ıstakoz avlamak için denize açılan botlara alışkınım. Bu sefer iskeleyi sıyırıyor biraz; ancak yola giriyor bot. Ve hareket ediyor. Rafferty, bu botu onarmakla iyi iş çıkardı. Kastettiğim şey, artık yem gibi kokmuyor.

Miseries Adası'na doğru yol alıyoruz, sonra Rafferty, bu adayı geçmemi söylüyor ve açık okyanusa doğru beni yönlendiriyor.

"Bu yer nerede?" diye soruyorum.

Rafferty ufuk çizgisini gösteriyor. "İşte orada" diyor.

"Gerçekten mi?" Bu, bende merak uyandırıyor.

Oldukça güzel bir gün. Bizy geminin baş tarafında, gemi başı süsü gibi oturuyor, kürkü arkaya doğru dalgalanıyor. Yavaşladığımızda, bir şey yiyip yemediğimizi görmek için arkaya geliyor. Yemediğimizi görünce, geminin baş tarafına dönüp, martılara havlıyor.

"Komik bir köpek" diyor Rafferty.

Gülümsüyorum.

Rafferty'nin adası, Miseries ve Bakers Adası'nı geçtikten sonra orada, denizin ortasında. Polinezya'da bulabileceğin türden bir şeye benziyor, küçük tepeye varan, dar kumlu sahil. Hemen tanıyorum onu. Daha önce buraya gelmiştim. Çocukken, bu adada korsancılık oynardık.

"Bu ada, hiçbir haritada yok" diye bilgi veriyor bana Rafferty.

"Bir adı yok bu adanın."

Neden ona daha önce bu adada bulunduğumu söylemediğimi bilmiyorum; ama yapmıyorum işte. Buraya birkaç kez gelmiştik, Beezer, Lyndley ve ben; ancak burası her zaman gelinemeyecek kadar uzaktı ve karaya çıkılması zor bir yerdi; çünkü o kadar kayalıktı ki kıyıya varmak kolay değildi. Buraya kolayca demir atamıyordun bile; çünkü kayalıkların ötesinde, zemin düzleşiyordu ve buz gibi kayganlaşıyordu. Buraya atılmış bir çapa, denizin içinde hiçbir şeye tutunamadan boşuna sallanıp duracaktır. Botunuzu bıraktığınızda ve döndüğünüzde o orda olmayacak. Sürüklenip, mavinin içinde gözden kaybolacak.

Bir keresinde bu, benim ve Beezer'ın başına geldi. Başta ben inanmadım. Lyndley'in korsan hileleri yaptığını sandım ve Beezer'a da öyle olduğunu söyledim ki bu onun ağlamasına ve daha da dehşete düşmesine sebep oldu, onu rahatlatmaya gerçekten çalışırken. "Keşke bu tarz şeyler söylemeseydin" dedi Beezer. Söylediğim hangi şeyin onu bu kadar üzdüğünden emin değildim; ancak adanın arkasında botu bulduk neyse ki. O gün çok rüzgârlı bir gün değildi; dolayısıyla yüzüp, Whaler'ı alabildim, hiç zarar görmemişti. Yani neden onun bu kadar üzüldüğünü bilmiyorum; ancak o olaydan sonra, Adı Olmayan Ada'ya bir daha gitmek istemedi Beezer. Bu adayı, Adı Olmayan Ada olarak çağırıyorduk.

Rafferty'nin birçok kez bu adaya gelmiş olduğunu söyleyebilirim. Bir sistem bulmuş kendine, yanında halat getirmişti ve borinaya tutturdu haladı. Sonra atlayıp, kayalığa tırmanıp, adada var olan birkaç ağaçtan birine bağladı onu.

Beni almak için, bota geri döndü; ancak ben çoktan suyun içindeyim, ona yiyecek çantalarını veriyorum. Ben, kıyıya çıkar çıkmaz, Rafferty, halat gerilene kadar botun sürüklenmesine izin veriyor. Elini uzatıyor bana ve aşınmış kayalığı beraber tırmanıyoruz.

Adanın uzak tarafında, açık okyanustan başka bir şey göremezsiniz. Cape Ann'e varan, muhafaza altındaki körfezden değil de, buradan Rockport'a kadar, denizin gerçekten göründüğü birkaç yerden biri burası. Vahşi ve rüzgârlı bir yer; bitki örtüsünden yoksun olması, ayın yüzeyinden Hazine Adası ya da Mavi Göl'e kadar herhangi bir yerdeymişsiniz gibi hissettiyor. Rafferty sürüklenmiş odun parçalarını toplarken, Bizy ve ben yüzüyoruz.

Daha sonra denize bakarak kumsalda oturuyoruz, güneşin batışını seyrediyoruz. Ateş, yemek pişirilecek kadar azaldı. Rafferty, duman çıkarması için biraz suyosununu yığarken ve birkaç mısır başağını ateşe atarken onu seyrediyorum. Sonra peynir, bisküvi ve kocaman bir biftek çıkarıyor Rafferty. Bu yeri seviyor. Burada başka birini hiç görmediğini söylüyor. "Canlı başka bir ruh daha yok" diyor ve limonata uzatıyor bana.

Biftekleri ve mısırı yiyoruz. Üç tabak var, her birimize bir tane. Bizy, kendininkinin üzerine çullanıp, yutuveriyor.

Daha sonra gökyüzünün çizgi çizgi boyanmasını ve kararmasını seyrediyoruz. Ay, suyun üzerinde ortaya çıkıyor. Rafferty titrediğimi fark ediyor ve ceketini omuzlarıma koyuyor. Eski bir ceket. Okyanus kokuyor.

Bizy kumun içine gizlenip, horlamaya başlıyor.

"Bu adanın bir adı yok" sanki ilk başta bu noktayı kaçırmışım gibi tekrar söylüyor Rafferty ya da sadece tepki vermediğimden. "Şuradaki kıyı kordonunun adı var, ona bile bir ad vermişler; ancak bu yere bir ad koymamışlar. Çatlakların arasından kaçmış burası" diyor Rafferty. Bir şey, herhangi bir şey herkesçe bilinen çatlakların arasından kaçabildiği için mutlu.

"Belki de gerçekten yoktur bu ada" diyorum. "Çatlaklardan kurtulan belki de bizizdir."

Başta korkmuş görünüyor. Sonra gülmeye başlıyor Rafferty. Yüksek bir kahkaha değil; ancak samimi. "Sen ilginç bir kadınsın" diyor. "Şu çizgide yürürsün sen."

"Hangi çizgi?" diye soruyorum, hangi çizgiden bahsettiğini çok iyi biliyorum halbuki. O bir çizgi değildi; tam tanımıyla bir çatlaktı. Uzun süre önce içine girdiğim bir çatlak.

Konuşmadan önce düşünüyor Rafferty. "Gerçek dünya ile olasılıklar dünyası arasındaki."

"Şairane bir deyiş" diyorum.

Bunu düşünüyor Rafferty. "Bazen gerçek dünya daha deli olabiliyor."

Gerçekten bunu kastettiğini söyleyebilirim. Bugün burada bir şey olmuştu. "Dava nasıl gidiyor?" diye soruyorum. Bu soru, fazlasıyla sıradan bir sohbet gibi geliyor kulağa. Bu konu hakkında konuşmak istemediğini anlıyorum; bu yüzden bir cevap vermesi için onu zorlamıyorum.

"Bu akşam bunu konuşmayalım" diyor Rafferty.

Dolunay var. Kararan su boyunca bir patika oyuyor ay ve bir an Lyndley'i düşünüyorum. Gözlerim doluyor. Onun görmesini istemiyorum; bu yüzden gözyaşlarım kaybolana kadar diğer tarafa dönüyorum.

Rafferty kalkıyor. Suya doğru yürüyor. Eğiliyor, biraz su alıyor eline, avucuna bakıyor ve suyun parmakları arasından kaymasına izin veriyor. Elini ağzına götürüyor sonra ve tuzu tadıyor. Onun bir karar aldığını görebiliyorum.

"Hadi yüzelim" diyor Rafferty.

Bu beni şaşırtıyor.

Uzun süre yüzüyoruz. O güçlü bir yüzücü; su ile süzülen biri değil; ancak su içinde hâkimiyetini gösterecek kadar güçlü biri. Başı dışarıda yüzüyor Rafferty; Long Adası'nda yaz ayları boyunca cankurtaran olarak çalışmış olmalı. Cankurtaranlar, daima başları suyun üzerinde yüzerler; her zaman tetiktedirler ve kurbandan gözlerini ayırmazlar. Rafferty yüzdüğü zaman bir başka oluyor. Onun için yelkenli ile açılmak ne demekse, benim için de yüzmek o anlamı taşıyor.

Bu gece suda sihir var, fosfor parlaklığı. Attığımız her kulaç, pırıltılı bir iz bırakıyor.

Kıyıya döndüğümüzde ikimiz de yorgunuz. Güzel bir akşam. Kumda uyuyakalıyoruz.

Tepeye çıkmış, aya havlayan Bizy'nin sesiyle uyanıyorum. Aslında uluyor; tıpkı ay büyüyerek dolunay şeklini aldığı zaman, adadaki köpeklerin yaptığı gibi. Ay, şu an tam başımızın üzerinde; dolayısıyla saatin on biri geçmiş olduğunu anlıyorum. Kayalığın tepesine tırmanıyorum, küçük adanın merkezine, etrafındaki manzaralarla küçük bir kaya parçasının üzerine oturuyorum. Buradan kıyı kıvrımlarını, birkaç liman ağzını görebiliyorsunuz. Parti botunun gecenin son turunda kıyıya yanaştığını fark ediyorum, ışıklı kalın kumaştan şeridi, bir bottan çok Golden Gate Köprüsü gibi gösteriyor onu. Müziği duyabilecek kadar yakın değiliz, sadece görsel. Işıklar yavaşça hareket ediyor, hemen suyun üstünde tuhaf tuhaf süzülüyor, hayalet bir gemi adeta.

Golden Gate Köprüsü'nü ilk defa gördüğüm anı hatırlıyorum. Kısa süre görüştüğüm bir adam vardı. Ailesinin, Sonoma Eyaleti'nde bir evi vardı ve arabayla onu görmeye gitmiştik. Her nedense, köprüden arabayla geçiyorken, her yıl kaç kişinin bu köprüden atlayarak kendini öldürdüğünü söylemişti bana. Ondan sonra kısa bir zamanda ayrıldık.

Rafferty'nin uyumasına izin veriyorum. Bir şey beni zorluyormuş gibi değil; onun çok uyumadığını biliyorum. Bugünü bana teklif ettiği için memnunum. Şayet kendi kafama uysaydım, kasabaya dönmezdim, burada çok daha rahatım.

Rafferty sonunda uyanıyor, bizi bulmaya çalışarak geliyor.

"Saat kaç?" diye soruyor.

"Bilmiyorum. Parti botunun yanaştığını gördüm sadece."

"Gece yarısı" diyor Rafferty. "Sanırım gitsek iyi olacak."

Başımı sallıyorum; ama yerimden kalkmıyorum.

Onun da aynı şekilde hissettiğini söyleyebilirim. Gitmek, yapmak istediği son şey. Yanıma oturuyor. İkimiz de hareket etmiyoruz.

"Neden" diyor sonunda. "Her şey buradan bu kadar muhteşem görünüyor?"

"Her şey harika" diyorum. "Buradan bile. Onu çirkinleştiren insanlar... Bazen."

"Hepsi değil" diyor. Gözleri gözlerime değiyor.

Gözlerimi başka yöne çevirmiyorum.

Kimin kimi öptüğünden emin değilim. Bu, dünyadaki en karşılıklı öpücük. Uzlaşma ve dayanışmanın kusursuzluğu. Hiçbir şey bunu izleyemez. Başka bir şey, hayal kırıklığı olur. İkimiz de bunu fark edecek kadar akıllı ve yetişkiniz.

"Ya Jack?" diyor Rafferty.

"Jack, yok" diyorum.

Karar verirken, onu seyrediyorum. Bana inanmaya karar verdi. Sonra elimden tutuyor ve bota doğru yürüyoruz beraber.

Saat ikiden önce eve gitmiyoruz. Rafferty ve ben onun yatağının baş tarafında uyuyakalıyoruz, başım onun omzunun kıvrımında. Kayıyorum ve açık pencereye doğru dönüyorum, kolları da benimle geliyor, kasları uyurken bile gergin. Huzur içinde uyuyor, ondan beklemeyeceğiniz bir şey bu. Kaydığımda, o da bana göre yerleşiyor.

İlk ışıkta uyanıp, penceredeki danteli fark ediyorum. Dün gece görmemiştim onu. Görmüş olsaydım, bu odaya hiç gelmemiş olurdum. Kıvrımları beni yakalıyor ve nefesimi kesiyor; sanki havanın kendisi ipliğin bir parçası, desen var olabilsin diye olumsuz boşlukları yaratan kısmı. Deseni, içine girdiğimde, bu dünyanın ötesinde bir hayata dahil olduğumda ancak açıkça görüyorum. Burası, bildiğim bir yer, korktuğum bir yer. İşte tam burası sabit nokta. Bütün hareketler burada donuyor, dalganın tepesinde soluğun duruyor. Ne zirveyi aşabiliyorsun, ne de aşağı düşüyorsun; sanki bütün okyanus kaskatı kesilmiş. Buz çözülüp beni salana kadar burada kötürüm olup, sıkışıp kalacağım ve dantel, beni aşağıya çekenin ne olduğunu gösterene dek bu buzlar çözülmeyecek. Nefesimi tutuyorum. Dalga duruyor ancak ritmi devam ediyor, kumsaldaki dalgalar kadar düzenli.

Silahı görüyorum. Kurşunun havada süzülürken ki çıtırtısını duyuyorum. Merminin bir tarafımı parçaladığını hissediyorum; tamamen fiziksel acıyı değil; kesiği ve yarattığı bölünmeyi hissediyorum. Dalganın ritmi değişiyor sonra, artık dalga değil (şimdi fark ediyorum), nefesim. Ritmi değişip, azalana kadar, bunun nefesim olduğunu anlamıyorum. Rafferty'nin kollarını üzerimde hissediyorum, sıkı, daha sıkı ve onun soluğunu duyuyorum, şimdi güçlükle soluduğunu hissediyorum. Vuruldu. Kan sıcak, etrafımızda birikiyor. Kurşun ikimize de saplandı, vuruyor bizi. Ölümcül bir darbe bu. Öyle olması isteniyor.

"Hayır" diye çığlık atıyorum, yataktaktan fırlayıp, penceredeki danteli yırtıyorum. Buna izin veremem, vermeyeceğim. O, olmayacak.

İçgüdüleri devreye giriyor. Yataktan çıkmış, pencerede, beni uzaklaştırıyor camdan, ateş hattından.

Yere düşüyoruz kötü bir şekilde. İkimizin de iyi olduğunu fark etmek bir dakikasını alıyor.

"Cal" diyor.

"Hayır" diyorum.

O da duydu. Bunu söylerken onun da bildiğinin farkındayım.

Dışarı bakıyor. Sonra diğer odadan bize bakan Bizy'i görüyor. Şayet bir silah patlamış olsaydı, köpeğin tepkisi daha farklı ve tedirgin olurdu.

Rafferty zihnini aydınlatmaya çalışıyor. Yerdeki danteli görüyor. "Cal'ı gördüm..." diye başlıyor Rafferty.

"Bu bir rüyaydı."

"O buradaydı."

"Hayır" diyorum.

Şakaklarını ovalıyor.

"Rüya görüyordun" diyorum. Bize bakan Bizy'i gösteriyorum, "Şayet silah patlamış olsaydı..."

Rafferty elini kaldırıyor, durumu neredeyse anlamış. Tekrar yatağa oturuyor. "Tanrım" diyor. "O kadar gerçek göründü ki."

Ona bakmayacağım. Şayet ona bakarsam, onu asla bırakamam. Ve ayrılmak zorundayım. Dantelde gördüm. Mermi, onu ve beni deldi geçti. Hayatın Rafferty'i bırakıp gittiğini hissettim ve yalnızdım. Hâlâ birbirimize bağlıydık, kaynaşmıştık; ancak o ölmüştü.

Dua ediyormuş gibi elini benimkiyle birleştir, Lyndley bunu söylerdi bana. *Sonra baş ve işaretparmağını her ikisinin de karşısına getir... İşte ölmek böyle bir şey.*

Hayır, Rafferty değil. Lütfen, o değil.

Bana doğru uzanıp, beni kendine çekmeye çalışıyor.

Kenara çekiliyorum.

"Bu, bir hataydı" diyorum.

"Sorun yok. Rüyaydı."

"Hayır" deyip geri çekiliyorum. "O değil, bu." Yatağı gösteriyorum, ikimizi. "Bu, çok büyük bir hataydı."

İncindiğini görebiliyorum, hem de çok. Ama gerçekten şaşırmıyor. Rafferty, sandığımdan daha medyum. Bunu sadece şu an anlıyorum. Bunun olacağını, derinlerdeki medyum tarafıyla biliyordu.

"Üzgünüm" diyorum. Ona bakmıyorum. Tekrar bakamam yoksa ayrılamam. Kalırsam, o ölür. Bunu dantelde gördüm. Kurşun ikimize de saplanacak ama sevdiğim adam ölecek.

Kendi duygularımın farkına varmam beni durduruyor. Ama sadece bir an. Ne yapmam gerektiğini biliyorum. Bizy'nin kayışını arıyorum. Tasmasına tutturup, çekiyorum onu.

"Nereye gidiyorsun?" diye soruyor Rafferty.

"Üzgünüm" diyorum tekrar. Bizy'i kapıya sürükleyip, merdivenlerden aşağıya iniyoruz.

Kasabaya, Eva'nın evine doğru bakıyorum. Gidebileceğim tek yer. Ulaşamayacağım kadar uzak görünüyor. Gittiğimde telefon edip, Kaliforniya'ya atacağım kendimi. Daha önce bir kez yaptığım şeyi tekrar yapacağım. Kara sınırına düşmeden, yapabildiğim kadar uzağa gideceğim.

Beşinci bölüm

Şayet soru doğruysa ve fal baktıran kişi sonuca razıysa, cevap hemen beliriverecektir.

Dantel Falı Rehberi

25

Rafferty telefonu kapattı ve saatine baktı. Leah saat üçte geliyordu. Zamanı vardı.

Bu sefer akıllılık edip, direkt eski karısıyla konuşmuştu. "Orijinal planımıza dönersek bir problem olur mu?" diye sormuştu Rafferty. Sesinde eski karısına da ulaşan bir şey vardı; çünkü telefonu kapatmamıştı kadın.

"Yarın mı yani?" diye sordu kadın.

"Mümkün olduğu kadar çabuk."

"Evet, sanırım olur. Yani Leah için de uygunsa" dedi kadın. "Tek problem, biz İşçi Bayramı'ndan önceki hafta için plan yapmıştık. Eğer Leah daha erken dönecekse, planları değiştirmem lazım" diye ekledi sonra.

"Onun erken dönmesini istemiyorum" dedi Rafferty. "Lanet olsun, onun bir daha hiç dönmemesini istiyorum."

"Garipsin. Sen iyi misin?" diye sordu eski karısı.

"Daha iyiyim" dedi Rafferty.

Towner'ın kasabadan ayrılıyor olduğunu şefine söylememişti Rafferty. Mahkeme için geri dönmeyecek, zamanı geldiğinde Cal aleyhinde şahitlik etmeyecekti. Suçlamaları düşüreceğini söylemişti. Rafferty, bunun imkânsız olduğunu anlatmıştı Towner'a. Devletin yaptığı suçlamalarda o bulunmamıştı. Tanıklık etmeyeceğini söyledi yine de. Cal'ı içeri tıkmak için tek umutları, Angela'nın cesedini bulmaya kalmıştı. Bundan medet ummak istemiyordu Rafferty.

Hepsi birden, Rafferty'nin davayı yeni birine, daha yeni dedektifliğe terfi eden genç birine devretmesinde hemfikirdi. "Rafferty çok yaklaşmıştı" dedi şef. Olan bitenin yarısını bile bilmiyordu.

Rafferty, yeni çocuk için dosyaları bir kutunun içine doldurdu, Towner'la ilgili daha kişisel olan şeyleri ayırarak, ambalaj kâğıdından yapılma bu eski dosyaları ait oldukları yere, arşiv odasına tıktı. Şayet bu yeni çocuk dava için derinlere inecekse, bunu kendi başına yapmalıydı. Bu fazla bir şey değildi ancak Towner için tek yapabileceği buydu. Rafferty, kahve fincanını temizledi ve masasını düzenledi. Boşa zaman harcadığını biliyordu. Şefe, Cal Boynton'a karşı açılan saldırı davasının bittiğini söylemekten endişe duymuyordu.

Şef, kapıdan içeri girdi ve Rafferty'e gözlerini dikti. "Sona erdi" dedi, Rafferty'nin zihnini okuyormuş gibi. Şefin bakışı kuşkuluydu, şaşırmıştı.

"Sana söyleyecektim" dedi Rafferty. "Towner, Kaliforniya'ya dönüyor. Şahitlik etmeyecek."

Şef ona tuhaf tuhaf baktı. "Towner'dan bahsetmiyorum" dedi.

"Anlamıyorum."

"Benimle gel."

Rafferty, antreye doğru şefi takip etti. Masanın yanında durmuş, görevliyle konuşan Angela Rickey'di. Yüzündeki çürükler iyileşmişti. Oldukça şık bir hamile elbisesi giyiyordu.

"Neredeydin? Hangi cehennemdeydin?" dedi Rafferty.

Angela ona döndü. "New York'ta, arkadaşım Susan'ı ziyaret ediyordum" dedi. "Maine'den biri arayıp, senin beni aradığını söyledi."

"Bu, asrın ifadesi" dedi şef.

"Bütün kasaba, senin ölü olduğunu düşünüyor" dedi Rafferty.

"Duyar duymaz geldim."

Masadaki görevli daha yüksek sesle konuştu. "Ona Cal'ın nerede olduğunu söylememi istiyor."

"Seni öldürmekten zan altında, hapishanede şu an."

O da bakmadı.

"Onu görmem gerekiyor." Sesi güçsüzdü.

"Cal'ın burada olmadığını söyledim ona; ama bana inanmıyor" dedi görevli.

"O, Middleton'da" dedi şef.

"Onu görmem gerekiyor" dedi tekrar Angela.

26

Jack, Jay-Jay'e geri dönmeyeceğini söyledi. Diğer olaydan bahsetmedi ona; May'in kendisini kovduğundan. Rafferty, Jack'in kızları May'in yeni yeraltı demiryoluna kaçırdığını anlayabilirdi; ancak kardeşi Jay-Jay'in hiçbir fikri yoktu. Jay-Jay, Jack'in Towner'ın geri gelme umuduyla ortalıkla aylak aylak gezindiğini düşünüyordu ki bu doğruydu da.

"Biliyorsun, seni seviyorum Jack" demişti May. "Ancak, sen bir yük haline gelmeye başladın. Ayyaşsın. Buna bir son vermemiz gerekiyor."

Kızağını çoktan satmıştı Jack. Hâlâ burada olmasının tek sebebi, adamla buluşup çekini almaktı. Gerçekten gittiğini anladığında, geçen hafta ıstakoz tuzaklarını satmıştı.

Eva'nın kayıkhanesinin kapısını açık gördü. Towner'ın Whaler'ı çalıştırmak için eğildiğini fark etti. Geminin baş tarafında bir köpek vardı, koca dişleriyle iri cüsseli bir şey.

Jack, tahta kulübenin içine daldı; onu görmek istemiyordu. Yine de bot yanından geçerken bir gözü ondaydı.

Towner, daha iyi görünüyordu. Şükürler olsun Tanrı'ya. Şayet Jack ameliyattan haberdar olsaydı ona dokunmazdı. Dokunmamalıydı zaten. Towner içki içemiyordu. Asla içemezdi zaten. Onun hastalanmasına sebep olduğunu düşünmek, uyanık olduğu her saat yaptığı şeydi. Towner ölebilirdi. Aralarında o gece ne olduğunu bilmese de; bunun Jack'in suçu olabileceği hakkında bir fikri olmasa da May'e göre neredeyse ölmüştü Towner.

Bolca alkolün tüketildiği partilerde olduğu gibi ondan faydalanmıştı Jack. Onu bayıltmak için bir ilaç kullanmamıştı ya da buna benzer bir şey; ancak Towner, nasıl söylenir, hasar görmüştü. Jack kendinden nefret ediyordu. Ona dokunur dokunmaz, kendinden nefret etmişti. Ancak bu, onu durdurmamıştı. Towner, orada uzanıyordu, gözleri uzakta, ona bakmıyordu. Jack'in derinlerdeki bir yeri, hasta romantik tarafı, eğer onu öperse, uyanıp, kendisine geri döneceğini düşünüyordu. İşe yaramamıştı. Jack ona dokundukça Towner o kadar uzağa gidiyordu; ta ki hâlâ açık olan gözleri, ölü gibi bakıp uzaklaşana dek. Towner orada değildi.

Jack'i sevmiyordu. Artık değil. Başka bir adamı seviyordu. Belki de Jack'i hiç sevmemişti.

Kanada'da bir kadın vardı. Jack'in uzun süredir görüştüğü biri. Ona bağlanamamıştı. Ve kadın da Jack'in içki probleminden dolayı ona söz verememişti. "Öleceksin" demişti Jack'e. "Şayet içmeye bir dur demezsen, çok yakında öleceksin ve burada olup bunu görmek istemiyorum."

Towner limandan çıkıp Sarı Köpek Adası'na doğru giderken Jack onu seyrediyordu. Geriye dönüp, her şeyi değiştirebilmeyi diledi Jack. Keşke Cal'ı o gece arabada öldürseydi, eline fırsat geçmişken.

Jack, şu an Rafferty'i öldürebilmeyi diliyordu. Hayır, bu doğru değildi. Rafferty, hoş bir adamdı. Kendisinden çok daha hoş bir adam. Bu, canını daha çok yakıyordu.

Kahretsin. İçkiyi bırakmak zorundaydı. Bunu biliyordu. Dokunduğunda kahrolası karaciğerini hissedebiliyordu. Kocaman olmuştu.

Ağlamaya başladı. Durduramıyordu kendisini.

Ona tecavüz etmişti. Bu büyük ihtimalle gerçekti. Belki Towner bu şekilde düşünmezdi şayet hatırlayabilseydi; ancak gerçek buydu. Ona tecavüz etmişti ve neredeyse onu öldürüyordu. Ondan tek istediği kendisine geri dönmesiydi. Ve sonunda yaptığı şey Cal'ın yaptığından farksızdı. Cal Boynton kadar kötüydü. Belki de daha da kötü; çünkü Cal'ın yaptığı şeylerin korkunç geçmişini biliyordu.

Gerçek olan şey, hayatının iyi tarafını, asla olmayacak bir şeyi ümit ederek geçirmişti. Towner'ın ona dönmesini, onu görmesini, bir zamanlar olduğu gibi onu tanımasını ve her zaman bir parçasının inandığı gibi onunla sonsuza kadar mutlu yaşamasını ümit ederek. Towner, bir zamanlar sonsuza kadar mutlu yaşama saçmalığına tıpkı kendisi gibi inanıyordu. Bundan emindi Jack.

O gece tek istediği şey, Towner'ı öpücükle uyandırmak ve onun kendisini prensi olarak görmesini sağlamaktı, Tanrı aşkına onun lanet olası prensi olarak, ne kadar aptalcaydı bu? Jack, Towner'ın kendisini bir prens olarak görmesini istiyordu, onu hiçbir suretle görmediği gerçeği söz konusuyken, artık değil. Towner onun botundan atlayıp, kendisini boğmaya çalıştığından beri Jack'i görememişti ya da ona bakmamıştı bile. Jack de bir kahraman gibi atlamıştı suya, onu kurtarabileceğini düşünerek.

Angela, Cal'ı görmekte ısrar etmişti. Polisler, Middleton'a giderken ona eşlik ediyordu.

Angela dışarı çıktığında, Cal'ın yüzüğünü takıyordu, yandaşlarının öpmesine izin verdiği yüzüğü. Angela'nın parmağında kocaman duruyordu. Onu bir hazine gibi tutuyordu Angela. "Evleniyoruz" dedi, gözleri dolmuştu. "Las Vegas'a gidiyoruz. Buradan çıkar çıkmaz evleneceğiz."

"Bu gece çıkması lazım" dedi Cal'ın avukatı.

Ne Rafferty, ne de yeni dedektif dönerken bir kelime etti.

Angela, Winter Adası'nda inmek istedi. "Cemaate iyi haberleri vermek için" gözleri parlıyordu. "Ayrıca eşyalarımı toparlamam lazım."

Yeni dedektif, Rafferty'den bir tepki bekliyordu ancak hiçbir şey olmadı. Karakola döner dönmez, Rafferty kızını almak için havaalanına gitti. Artık bıkmıştı.

28

Whaler kanala yanaşırken, May, dubalarda bekliyordu. Köpek botun baş tarafındaydı, gemi başı süsü gibi. Açıktan, geçmişe dönmüştü; Towner ve Skybo'nun kıyı adalardan iskeleye gelişini seyrediyordu. O dakikada, Towner geçmişteki o andan daha büyük görünmüyordu.

Zaman, May'e kendi istediğini yaptırıyordu bugün. Towner onu aramış, köpeği geri getiriyor olduğunu, kendine ait bir yeri olmadığı halde onu Los Angeles'a götürmenin zalimlik olacağını söylemişti.

"Kendine bir yer satın alabilirsin" diye önermişti May. "Şimdi çok paran var."

Yazın köpekleri uçağa almadıklarını söylemişti Towner. Bu tehlikeliydi. Towner onu, Los Angeles'a götürene kadar, Bizy tekrar vahşileşirdi. Bu zalimlik, diye tekrar etti. Bizy bu adaya aitti.

Bunun, Towner'ın Bizy'i tekrar görmeyeceği anlamına geldiğini fark etti May. Sadece düşünmek bile onu sarsmıştı; kendisi de Towner'ı bir daha göremeyecekti. Katlanılması zor bir durumdu; ancak gerçek buydu. Şayet May değişmezse. Adadan ayrılıp, 3000 mil yolu katetmezse. İstiyordu ve şu dakikada bunun olabileceğini düşünüyordu. İnsanlar değişiyordu, her şey muhtemeldi. Ancak bu düşünce gerçek olur olmaz, May, bunun olamayacağını fark etti. Bu adayı artık bırakamazdı ve Los Angeles'a gidemezdi; Towner'ın ona dönmesinden başka bir şey olamazdı.

Kalbi yerinden çıkacak gibiydi, harap olmuştu. Ama ağlamadı.

Towner'ın buradan gitmesi gerekiyordu. Burası güvenli değildi. Bazen kaçmak, tam olarak yapman gereken şeydir. Tek *yapabilceğin* şeydir. Eva olsaydı buna asla katılmazdı, biliyordu. Eva, Towner'ın bütün problemlerinin ancak buraya tekrar taşınırsa çözülebileceğini düşünüyordu ancak yanılmıştı. May'in istismara uğramış kadınlarla ve bu yeni yeraltı demiryolunda çalışmaktan öğrendiği bir şey varsa o da bazen yapabileceğin tek şeyin kaçmak ve arkana bir daha bakmamak olduğuydu.

Biz yanaşırken May, Whaler'ı bağlıyor.

Bizy, küçük botun içinde bir aşağı bir yukarı dolanıyor. Botu bir tarafa yatırıyor yabanice. Diğer Golden Retriever cinsi köpeklerin birkaçı (iskelenin tepesinde yığın halinde uyuyanlar) şimdi ayakta, ne olduğunu anlamaya gayret ediyor. Bizy'i görmek için hoplayıp zıplıyorlar.

Artık dayanamıyor. Ben onu salana kadar kendini tutmaya çalışsa da Bizy'nin bütün bedeni titriyor.

"Git" diyorum, buna daha fazla dayanamadığım zaman. Onlara koşuyor, bu ziyaretin son olduğunu bilmeyerek, benimle geri dönmeyeceği konusunda hiçbir fikri olmadan. Köpekler birleşerek zıplayıp birbirleriyle güreşiyor, oynuyor, yuvarlanıyorlar.

"Bu gece ayrılıyorsun" diyor May.

"Evet."

Kafamı kaldırıp, sebze bahçesindeki teyzeciğim Boynton'u görüyorum. Varlığımı hissederek o da bakıyor. Elim kalbime gidiyor. May'in bunu fark ettiğini görüyorum. Bir an nerede olduğumu anlayamıyorum. Konuşamıyorum. Buna dayanmak zor. Sonunda kendime geliyorum.

"Hoşça kal demek için geldim" diyorum.

Etrafıma, adaya bakıyorum. Evlerini buraya, bu adaya yapmış olan bütün kadınları görüyorum. Gündelik işlerini yapmak için bir oraya, bir buraya koşturuyorlar. Bu onların hayatı, hepsi birlikte çalışıyor. Hep beraber yaşıyorlar.

Kafamı kaldırıyorum, teyzeciğim Boynton'un bugünkü akşam yemeği için topladığı sebze sepetiyle eve gittiğini görüyorum. Bunu kafamda canlandırabiliyorum. Beraber yemek yapan kadınlar ve çocuklar, May'ın uzun masasında hep birlikte oturuyorlar. Saçma bir özlem duygusu sarıyor beni.

"Burada kalabilirsin"diyor May. "Bunu her zaman biliyordun." Doğru olmadığını ikimiz de biliyoruz. Yine de bu kelimeleri duymaktan hoşnutum.

"Yapamam."

Başını sallıyor.

Bir an tek yapmak istediğim şey bu oluyor. Şimdiye kadar bunu hep istediğimi fark ediyorum. Her şey değişti, belki de hiçbir şey değişmedi. Ama yine de bunu durdurmanın tek yolu bu yerden ayrılmak.

Çıkıp teyzeme hoşça kal demem gerektiğini biliyorum ancak bunu yapamam. Her nedense, onu görmek beni rahatsız ediyor, sepetinde sebzelerle eve doğru yürüyor, şimdi kendi hayatı olan yere doğru ilerliyor. Bu katlanamayacağım kadar fazla. Ona gidemiyorum. May, bunu okuyabilir yüzümde. Bütün hissettiklerimi. Bunun beni hareketsiz kıldığını söyleyebilir. Ve ben onun beni anladığını dile getirebilirim. "Benim için ona hoşça kal der misin?"

Başını sallıyor May ve diyor: "Uygun bir vakit geldiğinde."

Başka türlü bir sessizlik içinde duruyoruz.

"Geri döneceğini ummuyorum" diyor May. "Şimdi Eva da yok."

"Hayır" diye cevap veriyorum.

Beni kucaklıyor. Bunu yapmak ne May'ın karakterine uygun bir hareket, ne de benim izin vereceğim türden bir davranış. Uzun süre birbirimize sarılıyoruz.

"Kendine iyi bak" diyor, sonunda onun kollarından ayrılırken. Bunu gerçekten umursadığını söyleyebilirim.

Bizy, iskelenin tepesinde oturuyor, kafasını kaldırmış sadece bana bakıyor, ne olacağını merak ediyor. Bir sonraki harika maceramız ne olacak? Şayet bunu yapacaksam, şimdi gitmem gerektiğini fark ediyorum. Dönüyorum ve Whaler'a doğru yürüyorum.

"Sophya?" diyor May.

Sadece bir saniyeliğine arkamı dönüyorum ve "Evet?" diyorum.

Sonunda bunu söylemeye karar vermeden önce, ikinci hatta üçüncü kez düşündüğünü söyleyebilirim. "Şayet sen benim kendi kızım olsaydın, seni bundan fazla sevemezdim" diyor.

30

Açık okyanus. Sis. Moturun sallanışıyla ellerim titriyor. Martıların yankısından uzaklığı hesaplıyorum. Havaya bakarak yönüme karar veriyorum. Bir dakika önce hava sisli değildi; ancak dünyanın bu bölgesinde, bu şekilde sis basardı etrafı. Sis yığınla gelmezdi. Parçalar halinde düşerdi. Battaniye gibi değil, tıpkı kuştüyü yastık gibi. Boğabilir.

Sisin kalınlığından nefes alamıyorum. Hayır, ondan değil. Çok hızlı soluyorum.

Şayet sen benim kendi kızım olsaydın, seni bundan fazla sevemezdim.

Ellerim sertleşiyor, spazm geçiyorum, anormal bir şekilde nefes alıyorum.

Boğuluyorum. Ölüyorum.

Hiç kesekâğıdı yok. Soluğumu vereceğim hiçbir şey yok. Avuçlarımı bitiştiriyorum. İşe yaramıyor.

Her yöne bakıyorum. Gidecek bir yer yok.

Moturu durduruyorum. Kollarımı sıyırıyorum. Başımı dizlerimin arasına koyarak oturuyorum. Sonra Stelazine ilacını hatırlıyorum. Acil durum için getirmiştim, camı kırıyorum.

İlacı, kuru kuru yutuyorum. Yapışıp kalıyor. Tekrar yutkunuyorum. Öksürüyorum.

Seni bundan fazla sevemezdim...

Kendimi ayakta buluyorum, çılgınca botu sallıyorum. Kendimi oturmaya zorluyorum.

Bu, rüyamdan gelen sis. Gözlerimi kısıyorum. Eva'yı ya da Lyndley'i görmeyi umuyorum, birinin bana yol göstermesini bekliyorum. Ama hiçbir şey yok.

Botta oturuyorum. Tekrar ayağa kalkmaya korkuyorum. Bilmeden bunu yapmaktan korkuyorum. Kendime güvenmiyorum. Hiç ses yok şu an. Hiç kuş yok. Hava da yok. Sadece sudaki desen, siyah bir dantel.

Sonra bir an denizatını gördüğümü düşünüyorum. İlk içgüdüm başka tarafa bakmamı söylüyor; ancak ölüyorum. Aslında zaten ölmüş gibiyim. Sadece eve dön. Uçak. Uçağa bin ve Kaliforniya'ya dön. Motoru çalıştırıyorum. Hareket edemiyorum. Kımıldayamıyorum. Kıpırtısız. Cal burada. Cal tepemde. Cal beni boğuyor. Sonra şekil değişiyor ve yüzü farklılaşıyor. Bu, Cal değil. Jack bu.

Ağlıyorum. Sadece dönmeme izin ver. Lütfen. Gitmeme izin ver.

İleriye doğru sürüyorum. Sonra ceset parçalarını görüyorum. Önümde suyun üstünde yüzüyorlar. Bir kol, bir bacak, bir gövde. Onlara rastlayana kadar normal ölçülerindeler. Sonra hayır, doğal ölçülerinde değiller, küçükler. Plastik mi yoksa? Hayır. Seramik. Dini. Törensel. Bunlardan Los Angeles'ta Olvera Caddesi'nde görmüştüm. Sis kaybolana kadar yüzen milagrosların izini takip ediyorum; önümde Salem Söğütleri'nin kıvrımını görebiliyorum. Kendimi düşünmeye zorluyorum. Bir liste yapıyorum. Los Angeles'a git. Dr. Fukuhara'yı ara. Yardım iste. Bunu yapabilirim. Bunu yapabileceğime inanmak zorundayım yoksa burada öleceğim. Los Angeles'a git. Dr. Fukuhara'yı ara...

Şayet sen benim kendi kızım olsaydın, seni bundan fazla sevemezdim.

31

Angela milagrosları indirip, hepsini tuvalet kâğıdına sardı, sonra da korumak için onları kıyafetlerinin içine yerleştirdi. Bir tanesini çorabın içine, iki kez sarmaladığı diğerini de koşu ayakkabısının içine koydu.

Siyah dantelden olan şalını katladı ve çöpe attı. Cal dantelden nefret ediyordu. Meryem Ana'nın resminden de hoşlanmıyordu ancak Angela onu burada bıraktı. Geri döndüklerinde, Cal'ın karavanında yaşıyor olacaktı; kendisinden sonra burada yaşayacak olan kişi, bunun harika bir resim olduğunu düşünebilirdi.

Diğer Kalvinistlere iyi haberleri vermek için mola verdi. Bebeği olacağını, Cal'ın bebeğini doğuracağını söylemek için. Sonunda Cal'ın bu bebeğin kendisinden olduğunu kabul ettiğini, evlenmek için Las Vegas'a gittiklerini demek için.

"Aziz Cal, asla Las Vegas'a gitmeyecek" dedi Charlie Pedrick. Angela, onun yasal olarak adını değiştirmeye çalıştığını duysa da ona Yahya Peygamber diye seslenmeyi reddetti.

"Aziz Cal, Las Vegas'tan nefret eder." Kadınlardan biri buna katıldı. "Ondan ve San Francisco'dan."

"Las Vegas'ta günün her saati evlenme izni alabilirsin" diye açıkladı Angela.

"Dua edeceğim" dedi Charlie.

Sen onu yap, diye düşündü Angela ve eşyalarını Cal'ın karavanına taşımaya başladı.

Yahya Peygamber, dua meclisini çağırdı. Güzel. Ne istiyorlarsa onu yapsınlar. Bırakın Charlie dua meclisini toplasın, Angela'nın Cal gelmeden önce yapması gereken çok işi vardı. Her ikisi için de bavullarını hazırlamalı ve yolculuk için hazır olmalıydı.

Sırt çantasını doldurdu, Cal için kıyafetler, düğün için onun en iyi Armani takım elbisesini attı çantasına. Ailesini arayıp iyi haberleri onlara da vermeyi düşündü –babasına değil, annesine. Ama hiç vakti yoktu. Feribot programını bulmak zorundaydı. Uçak bileti de almalıydı.

Cal'ın cüzdanını ve birkaç kredi kartını aldı. Cal'ın hiç iç çamaşırı olmadığını hatırladı. Aziz Cal için iç çamaşırı seçmek ayıp olurdu. Angela onun tarağını aldı ve diş fırçasını aradı. Onun için daha ne alması gerektiğini bilmiyordu.

Angela, metal merdivenlerden aşağıdaki çimlere doğru inerken sırt çantası ağırdı.

Hepsi onu bekliyordu, Charlie, kadınlar ve diğerlerinden birkaçı ve Cal'ın "korumalarım" diye bahsettikleri.

"Ne var?" dedi Angela, en azından içlerinden birini çantasına yardım etmesinin hoş olacağını düşünüyordu.

"Sadece bir sorum var" dedi Charlie.

"Neymiş o?"

"Gitmeden önce benim için İsa'nın öğrettiği duayı ezbere okur musun lütfen?"

"Dalga geçiyor olmalısın, değil mi?"

Charlie ona gülümsedi.

"Şaka yapıyor." Bunu doğrulaması için diğerlerine döndü Angela.

Gergin bir ürperti, kalabalığı sardı. Kimse konuşmuyordu.

"Hadi. İsa'nın duasını senin için söylememe gerek yok. Sen bu duayı biliyorsun."

"Evet. Sadece senin bilip bilmediğini merak ediyorum" dedi Charlie.

"Bu çok saçma" dedi Angela.

"Bilmiyor" dedi kadınlardan biri.

"İsa'nın duasını bilmiyor."

"Tabii ki biliyorum."

"Lütfen ezbere söyle."

"Hayır. Bunu yapmayacağım. Bu çok saçma. Aziz Cal, bana nasıl davrandığınızı ona söylediğimde bundan hoşlanmayacak."

"Bunun için dua ettim ve Tanrı şöyle cevap verdi..." Gözlerini Angela'ya dikti. "Aziz Cal, Las Vegas'a asla adımını atmayacak" dedi Charlie.

"Pekâlâ, o benimle oraya gidiyor. Bu gece."

"Hiç sanmıyorum" dedi Charlie, Angela'nın önüne geçerek.

"Bebeğin, Aziz Cal'a ait değil" dedi kadınlardan biri.

"Şeytanın bebeği o" dedi Charlie.

Angela buna güldü. "Haklısın" dedi. "Şeytan."

Bir tarafı hâlâ onların şaka yaptıklarını düşünüyordu.

"Onda işaret var" Kadınlardan biri dedi bunu. Bir diğeri bayıldı.

Bu gerçek olamazdı. Angela'nın gözleri yuvalarından fırlayacak gibiydi, kaçış yolu arıyordu.

Charlie onu çabucak yakaladı, yüzünü karavanın yan tarafına çarptı. Angela sendeledi, kanı gördü.

"Adını zikret, şeytan!" diye kükredi Charlie.

Kadınlardan biri taş alıp, fırlattı.

Angela, sırt çantasını düşürdü. Waikiki Sahili'nin öteki tarafından kayalıklara, kasabaya doğru koşuyordu.

"Cadıyı yakalayın" diye bağırdı korumalardan biri.

"Yakalayın onu!" diye buyurdu Charlie.

Roberta tezgâhtan her şeyi gördü. Çabucak telefona sarılıp ilk önce Rafferty'i aradı, ona ulaşamayınca, 911'i aradı.

32

Ben limana girerken, sis dağılıyor. Milagroslar gözden kayboluyor ve su koyu maviye dönüyor. Hava burada daha sıcak. Derby Caddesi'ni görebiliyorum.

Sadece eve git.

Yanından geçerken Winter Adası'nda otoparkta iki polis arabasını görüyorum.

Yavaşlamak yerine, hızlanıyorum. Hava kararıyor. Uçağa yetişmem gerekiyor.

Kanala yanaşıp kayıkhaneye giderken, küçük deniz fenerinin yanında, limanın ortalarına doğru Derby Rıhtımı'nın sonunda duran Kalvinisteri fark ediyorum. Rıhtımı kuşatan kayalıklara tırmanıyorlar, bir şey arıyorlar.

İki tanesi kayıkhanenin önünde oturuyor.

Whaler'ı bırakmalıyım; ancak onların yanından geçmek istemiyorum. Gitmelerini de bekleyemem. Bunun yerine Whaler'ı bağlayıp, onu iskelede bırakıyorum. Havaalanına vardığımda, May'i arayıp, botu birine aldırtmasını söyleyebilirim.

Hasta olduğumu hissediyorum. Kötü fikirdi, muhtemelen boş mideye ilaç aldığımdandı. Ya da hepsi. Ama buradayım. Güvendeyim.

Eve doğru caddeyi çıkıyorken, daha fazla Kalvinist görüyorum. Kapı girişlerini araştırıyorlar, gümrük dairesinin arkasında.

Caddeyi geçiyorum, onlara bakmamaya çalışıp gözlerimi aynı hizada tutuyorum. Tek yapmam gereken, çantalarımı alıp taksiyi aramak. Havaalanına vardığımda rahatlayacağım.

Kapıyı açarken, ellerim titriyor. Arkamdan tekrar kilitliyorum kapıyı, bir parça ekmek bulmak için mutfağa gidiyorum, kafamı lavaboya koyup, musluktan içiyorum suyu.

Arkamda cam paramparça oluyor.

Kaskatı kesilip, başka bir sesi bekliyorum. Birinin yere düştüğünü duyuyorum.

Birisi evde.

Cal.

Kapıya koşuyorum.

"Bana yardım et" diye ağlıyor bir ses.

Bir kadın sesi. Daha önce hayatımda hiç duymadığım, sadece rüyalarımdan tanıdığım bir ses.

Etrafta dolandığımda, Angela Rickey'i görüyorum. Titreyerek, dehşet içinde orada duruyor. Doğum lekesi zannettiğim çürük şimdi sağ yanağının karşısında bir gölgeye dönüşmüş ve yeni çürükler oluşmuş; bir tane kaşının karşısında, diğeri, daha kanlı olanı, köpekdişinin üstdudağına doğru çıktığı yerde.

"Bebeğimi öldürmeye çalışıyorlar." Ağlıyordu şimdi, titriyor, anlamamı sağlamaya çalışıyordu.

"Cal mı?"

"Hayır." Başını ısrarla sallıyordu. "Diğerleri."

Gösterdiği yöne bakıyorum parka doğru ve Kalvinistlerin kaldırımda sıralandığını görüyorum. Evi izliyorlar, bekliyorlar. Bodega Körfezi'ndeki vahşi ormanlarda toplanan Hitchcock'un kuşları gibi görünüyorlar.

"Benim Cal'ı büyülediğimi düşünüyorlar. Bebeğimizin bir şeytan olduğunu sanıyorlar."

"Bu, Cal'ın bebeği mi?" diyorum bitkin bir şekilde. Biliyor olmam gerektiğini fark ediyorum. Herkesin benden sakladığı bir detaydı bu.

Ağzımın üstünde bir el. Boğuyor beni. *Hareket etme, ses çıkarma.*

Kusuyorum. Kilerin ortasında hemen oraya. Stelazine'in çatlamış mavi kabını görüyorum, hâlâ çözünmemiş.

Şimdi caddeyi geçiyorlar. Öncekinden daha çok var onlardan. Bir fener yakılıyor, sonra daha fazlası.

Gürültü var. Hep birlikte bağırıyorlar. "Cadıyı yakalayın!"

Angela ağlamaya başlıyor.

Telefonu kapıyorum ve 911'i arıyorum.

"Aman Tanrım!" Angela olduğu yerde donup kalıyor. Pencereden dışarı bakıyor, ölüm kadar sessiz.

Polis İmdat operatörü açıyor telefonu. "Probleminiz ne?"

"Angela Rickey burada. Hamile ve dayak yemiş."

"Telefonda kalın" diye buyuruyor operatör. "Bulunduğunuz yeri saptıyorum."

Polis arabalarına, talimatlar verdiğini duyabiliyorum arkadan. "Yoldalar" diyorum Angela'ya.

Angela hıçkıra hıçkıra ağlıyor.

"Bir hayli darbe almış" diyorum.

Angela daha şiddetli ağlıyor. "Bebeğim" diye hıçkırıklara boğuluyor.

Onların caddeyi geçtiğini görüyorum, el fenerleri alev alev. Trafik onlar için duruyor, seyredenlerin sıkışıklığına sebep oluyor. Turistlerin eğlenceli bakışlarını görüyorum. Bu şehirde sürekli gördükleri geçit törenlerinden birini seyrettiklerini sanıyorlar.

"Cadıyı yakalayın!" diyorlar.

Turistler, bunun Bridget Bishop ya da başka bir sahnelenme olduğunu zannediyor. Kendi paylarına düşen rolü yapmaya çalışıyorlar, bu histeriyi onayladıklarını ve rahat olduklarını göstermek için uğraşıyorlar. Çocuklarını da dahil ediyorlar. "Cadıyı yakalayın! Cadıyı yakalayın!" diye çığlık atıyorlar.

Bir kadın arabasını durdurup, çocuklarıyla birlikte olan biteni izlemek için arabadan çıkıyor, Kalvinistler, yanlarından geçip avluya girerken, iyi bir seyretme noktası yakalamak için kadın çocuklarını kaputun üstüne oturtuyor.

"Geliyorlar!" Angela'nın sesi bir oktav çıkıyor. Odanın etrafında dört dönüyor şimdi, artık sakin duramıyor.

Pencereye gidiyor ve imdat diye bağırıyor. Kalabalık alkışlıyor.

El fenerleri durmadan ileri doğru sallanıyor kâbus gibi.

"Lütfen" diyorum Polis İmdat operatörüne. "Geliyorlar!"

"Polis arabaları yolda" diyor kadın.

"Aman Tanrım, aman Tanrım!" diye inliyor Angela.

"Kapılarınızın ve pencerelerinizin kilitli olduğundan emin olun" diyor operatör. Kadın iyi eğitilmiş, tedirgin olduğu izlenimini vermemeye çalışıyor.

İlk Kalvinist, ön basamaklara doğru tırmanıyorken, ayak sesleri işitiliyor.

"Verandadalar" diye bağırıyorum telefona, her şeyin kilitli olduğundan emin olmak için koşturuyorken. Bütün gücümü kullanarak, Angela'nın kırdığı camın önüne kafesi itiyorum.

"Cadıyı yakalayın!" Şimdi sesleri daha yüksek geliyor beynimin içinde.

Bu, olamaz. Bu, bir rüya olmalı. Ya da halüsinasyon. Burada kalmak için savaşmalıyım. Bir parçam çoktan gitti, kaçınılmaz olan şeyden kendimi uzaklaştırıyorum. Batıyorum.

Bir an çekilip sadece olan biteni seyrediyorum. Bu gerçek değil. Gerçek olamayacak kadar bu zamana ait değil. Hayal ve aynı zamanda çok gerçek. Aşırı gerçek. Her detay, ağır çekimdeymiş gibi dikkat çekiyor ve uzuyor.

Onu öldürün! Onu öldürün!

Bu yerde, bu sahne basitleşti ve evrensel bir hale geldi. Gördüğümüz şey, geçmişin kendini tekrar etmesi, diğerinin üstüne konmuş başka bir sahne. Aynı anda hem buradayız, hem de eski Salem'de gerçek Kalvinistlerle, ilk baştakilerle birlikteyiz. Yaklaşan kıyametin duygusu mevcut burada, Angela'ya baktığımda, bir an onu koyu kahverengi Püriten kıyafeti içinde görüyorum, saçı arkadan toplanmış, örtülü. Ve geçmişteyiz, dünyada yalnız bir kadın olduğun için ya da sırf farklı olduğundan veya saçınının rengi kırmızı diye veyahut çocuğun ya da sana sahip çıkacak bir kocan olmadığı için seni yakalamaya geldikleri günlerdeyiz. Belki de onlardan birinin istediği bir mülke sahip olduğundan.

Her parçam kendimi bu sahneden çekip çıkarmak istiyor. Ayrılık mesafesi açmak için. Bu gerçek değil. Ben gerçek değilim.

Ama Angela gerçek. Bu sahnede tek gerçek olan bu, emin olduğum tek şey. Ve bütün hayatım boyunca, bunu hatırladım. Zamanın ötesinde, orada duruyorum, bu kadınla birlikte. Şimdi fark ediyorum ki onu çay odası salonunun kapısında gördüğüm andan beri rüyalarımda karşıma çıkan kadın bu, yardım istemek için ilk önce Eva'ya, şimdi ise bana gelmişti.

Sesler hâlâ beynimde, bağırıyor. *Onu öldürün!* Operatörün sesini duymak için savaşarak onları itiyorum. "Sizin bölgede bir aracımız var" diyor kadın. "Size ulaşana kadar güvenli bir yere geçebilir misiniz?"

"Sanırım" diyorum. Zihnim yarışıyor, terasta karar kılıyor, orası, onların erişemeyeceği tek yer. Terasa çıkar ve kapak şeklindeki kapının üzerine oturursak, aşağıdan kimse onu itip açamaz. Yalnız kalmak istediğim zaman böyle yapardım ben. Terasa çıkan sadece dar bir merdiven var ve sadece bir kişi tırmanabilir oradan. Kapıyı açmak için bir kişinin gücü yetmez.

"Teras" diyorum. Dolayısıyla kadın nereye bakılması gerektiğini bilecek. "Biz, yukarıda terasta olacağız."

"Gidin!" diyor kadın ve koşuyoruz.

Caddeyi geçerken trafiği engelliyorlar, hâlâ geliyorlar. Onlardan elli tane olmalı. Çok fazlalar. Sadece erkekler yok; kadınlar da var. Angela'nın gözleri kalabalığın içinde umutsuzca Cal'ı arıyor. Cal'ın onu kurtaracağını söylemeye devam ediyor. Tekrar ve tekrar, söylediği tek şey bu. Ama Cal, hiçbir yerde değil. Hâlâ hapishanede. Angela, hiçbir zaman gelmeyecek olduğunu bildiğim kurtuluşu beklerken, kalabalık, bahçelere akın edip, evin etrafını sarıyor, bahçeleri çiğniyor.

Yüzlerini görüyorum. Penceredeler.

Kırılan başka bir cam daha. Havada bir değişiklik, bir koku, başka bir zamandan ve mekândan hatırlanan. Yazların ve Willows'ta ahşap iskeleye vuran güneşin kokusu; belki de birlikte tuzakları toplamaya gitmeden önce Jack'in botunu doldurduğu yer olan Trani'deki güneşin kokusu. Ve ben, gitmeden önce, güvertede sırtüstü uzanıp güneşleniyorum, bütün yorucu işleri onun yapmasına izin veriyorum. Hâlâ bir önceki geceden kalma yorgunluk, mutluyum. Jack, gaz deposunu doldururyorken, sürüklenip, düşlüyorum.

Bu kokuyu önceden de severdim, benzin kokusu. Benim için o kadar hoş bir kokuydu ki şu an bu hipnotik büyüden ayrılıp, benzin kokusunun bu odada, bizimle olduğunu ve birinin kırık camdan benzin döktüğünü ve yeri bununla sırılsıklam ettiğini anlamam bir süremi alıyor.

Birisi girişten el fenerlerinden birini atarken bir patlama sesi duyuluyor. Daha büyük bir patlama ve odayı alevler sarıyor. Derhal şarkıları değişiyor. Bu Kalvinistler doğaçlamada iyiler, koşullara göre şarkılarını değiştirebiliyorlar. "Cadıyı yakalayın" daha eski ancak tarihsel olarak daha doğru olan bir slogana dönüşüyor, "Cadıyı yakın!" Ve sonra daha kısa bir slogana; birkaç dakika önce beynimde duyduğum: "Onu öldürün! Onu öldürün!"

Birdenbire sessizleşen kalabalığa bakıyorum. Bazıları şaşkın görünüyor, artık neye baktıklarından emin değilmiş gibi. Bu bir tiyatro mu? Salem özel efektlerinde çok mu iyi ki gerçek bir evi yakacak bütçeye sahip? Bir adamın, kalabalığın içinde bunu idrak eden sadece bir kişinin caddenin karşısına koşup, Hawthorne Oteli'nin köşesinden dönüp, kırmızı yangın alarm kutusunu çektiğini görüyorum.

"Ev yanıyor!" diye çığlık atıyor Angela, terasa doğru merdivenlerden çıkıyor. Onu yakalıyorum.

"Hayır" diye bağırıyorum. "Yukarı çıkma!"

"Evden çıkın!" diyor operatör. Hâlâ bizimle, şimdi fark ediyorum ancak bu yanlış bir fikir. Şayet evin dışına adım atarsak, bizi öldürürler. Dışarıdaki siren seslerini duyabiliyorum; ancak uzak, beklenmeyecek kadar uzun. Caddeler, izleyicilerle dolu. Kornalar bangır bangır çalıyor. Bazıları, arabalarından çıkıp, daha yakından bakmaya çalışıyor.

"Mahzen" diyor Angela, kapıya yönelerek. "Mahzende bir tünel var."

Onu karanlığın içine doğru takip ediyorum, dumana karşı arkamızdan kapıyı kapatıyoruz. Bu yaptığımızın iyi bir hareket olduğunu biliyorum, aşağıda bir bölme var, evin arkasında ve bu yolla belki de dışarı çıkabileceğimizi düşünüyorum. Bizi arkada göremeyecekler ve bir şekilde yanlarından gizlice geçip gidebileceğiz. Ancak bildiğim kadarıyla geride kalan hiçbir tünel yoktu artık. Beezer ve ben çocukken tunelleri aramıştık. Uzun saatlerimizi onları aramakla geçirmiştik, bütün günleri hatta. Bir asır önce tüneller buradaydı, İngiliz vergi toplayıcılarını körfezde bırakıp, Salem'in Common Parkı'nın altında düzenbazlık ağı örüyordu bu tüneller. Belki de yeraltı demiryolu zamanında da durmuştur bu tüneller, Kanada'ya giderken son durak ve özgürlük. May'in yeni yeraltı demiryolu için bir anlam ifade edebilirlerdi. Ancak tünellerin hepsi doldurulmuştu. Eva'nın bize söylediği buydu, araştırmalarımızdan bıktığında ya da hiçbir şey bulamadığımız için kötü hissettiğinde veyahut sadece dışarıda oynamamız ve bütün vaktimizi bodrumda geçirmek yerine değişiklik olsun diye temiz hava almamız gerektiğine karar verdiğinde böyle söylemişti bize. Öğretmenlerimizin bize anlatmış olduğu aynı şeyleri tekrarlamıştı Eva da: Son asrın sonunda Salem şehri bütün tünelleri doldurmuştu. Onlar da bundan dolayı üzgündüler. İkinci Dünya Savaşı geldiğinde ve Soğuk Savaş boyunca daha da üzülmüşlerdi; çünkü bu tüneller, hava saldırılarına karşı iyi birer sığınak olabilirdi ve şehir, sığınak yapmak için çok para harcamak zorunda kalmazdı.

Angela, tırnaklayarak, arka duvarı el yordamıyla kolaçan ediyor. "Biliyorum, aşağıda, burada, bir yerde" diyor. "Eva, geçen sefer beni bu şekilde buradan çıkarmıştı."

O zaman öyleydi. Doğru olmalıydı bu. Eva tünelleri kullanarak Angela'yı "ortadan yok etmişti." Cal ve yandaşlarının Eva'nın bir cadı olduğunu düşünmesinin sebebiydi bu tüneller. Rafferty ne söylemişti? Angela'nın eve girdiğini görmüşler, bütün evi kuşatmışlardı; ancak Angela dışarı hiç çıkmamıştı. Sonunda tekrar ortaya çıktığında, Angela May'in kızlarıyla birlikte adadaydı. Rafferty, onu geri götürene kadar. May, Cal'a yardım ettiği için Rafferty'e kızgındı; ancak asıl noktayı anlamamıştı. Bu da şu ki Cal, hem Eva'dan hem de May'den korkuyordu. Cal, onlar hakkındaki bütün suçlamalarına inanıyordu. Tüneller konusunda hiçbir bilgisi yoktu. Tek bildiği, eski karısı dışında bütün Whitney kadınlarının sihirli güçlere sahip olduğuydu.

Tıpkı o gece yaptıkları gibi şimdi de evi kuşatmışlardı. Bodrumun penceresinden sandal giymiş ayakları görebiliyorum. Bölmeden çıkmanın da hiçbir yolu yok şu an. Tam onun üzerinde duruyorlar. Kapalı tutuyorlar onu. Figürlerini görebiliyoruz, arkadan aydınlatılan gölge kuklaları gibi, trafikte sıkışmayan, caddeyi geçebilen birkaç arabanın farlarıyla bodrumun duvarlarına yansıtılan kesitlerini görebiliyoruz.

Angela, tekrar tüm gücüyle duvarı yokluyor, ben onu durdurmadan önce neredeyse kendini öldürecek gibi.

"Ne yapıyorsun?"

"Burada olduğunu biliyorum" diyor. "Bu duvarın arkasında. Bunun içinde bir oda var. Eva geçen sefer beni oraya saklamıştı. Beni buradan çıkarana kadar." Kendine zarar veriyor Angela. Öksürüyor. Burası nemli ve dumanlı –nemli ve dumanlı, şüpheli bir küf kokusuyla...

Emlakçının şarap mahzenine bakıp, yerdeki suyu kontrol ettiğini hatırlıyorum. Orada olmalı. Şarap mahzeninde. İçmediği halde neden Eva'nın bir şarap mahzenini muhafaza ettiğini her zaman merak etmişimdir. Orada olmalı. Ahşap çubuklar ve paralel çapraz çizgiler, onu gizlemenin bir yolu olmalı. Yerdeki sıvı, dökülmüş şarap ya da sızan bir boru değildi. Çiçeklerin küflenmesine sebep olan tuzlu suydu. Tünel, medcezire bağlıydı.

"Tünel nereden çıkıyor?" diyorum, sadece önsezimde haklı olduğumdan emin olmak ve bunu iki kez kontrol etmek için. Ancak oldukça eminim. Şarap raflarına doğru hareket ediyorum. Soruyu sorarken bile, cevabı çoktan biliyordum.

"Kayıkhane" diyor.

Parmaklarımı yavaşça duvarda hareket ettiriyorum, çatlakları hissederek, bu dünyanın ötesindeki hayatı duyarak: Dikenli ahşap raflar, ağaç ve şişeler örgüsü, toz. Farklı olan bir şeyi arıyorum. Eva'nın günlüğünde ne diyordu? "İki şeyden birini ara... Ya deseni *genişleten* ya da onu *kıran* şeyi"

Etraf bir şey göremeyecek kadar dumanla dolu. Dikenli rafları yokluyorum, körler alfabesi gibi parmaklarımla okuyorum. Ve sonra parmak uçlarım ahşap yüzeyde bir parça buluyor. Bir jilet kesiği kadar küçük. Bu çatlağı takip ediyorum; üç şişe yukarı doğru çıkıp, 90 derece dönüp, dört şişe karşıya gittikten sonra tekrar duvardan aşağıya doğru iniyor. Buldum onu. Gerçek bu.

Alice Harikalar Diyarı'nda gizli bir kapı bu. Benden daha küçük, inşa edildiği yıl belki de o insanlar için doğru boyuttaydı; ama artık değil. Bir kapı kolunun olabileceği yükseklikteki şişelerin arasına elimi daldırıyorum ve küçük bir kol buluyorum. Onu aşağı itiyorum. İşe yarıyor, silindirlerin döndüğünü duyabiliyorum; ama kapı açılmıyor. Kilitli. Çelik pimli bir kilit ya da anahtar deliği veya ona benzer bir şey arıyorum, bir elim çoktan cebimde, kilidi açacak bir şey bulmaya çalışıyor. Sonra parmaklarım, anahtarın olması gereken pürüzsüz, yuvarlak levhaya çarpıyor; ancak anahtar orada değil. Kalbim fenalaşıyor. Bu anahtarlı, yaysız bir kilit.

Nefes almak gittikçe zorlaşıyor. Angela'ya sesleniyorum; ancak yaklaşan alevlerin sesinden binanın öteki tarafından beni duyamıyor.

Alevler, yukarımızdaki çay salonunun duvarlarını yaktıkça, eski ahşap ve at kılı kokuyor. Sıcaklık, küf sporlarını havaya salıyor sanki. Yanı başımdaki raflarda Eva'nın kuruttuğu, atmayı unuttuğum çiçeklerden gelen lavanta kokusunu alabiliyorum.

Ve sonra bileşimi hatırlıyorum. Evi incelemeye geldikleri zaman. Emlakçı bunun bir problem olduğunu söylemişti. Bodrumda, kuruyan çiçeklerden gelen küf. Tehlike bayrakları gibi baş aşağı asılı.

"Dünyada kim, bodrumda çiçek kurutur ki?" Kadın bu soruyu sorduğunda, sinirlenmiştim; sanki Eva'nın aptal ya da bunak olduğunu düşünüyordu. Ancak, kabul etmeliyim ki ben de bunu merak etmiştim. Dünyada kim bodrumda çiçek *kurutur* ki? Cevap, hiç kimseydi. Ne yaptığını bilen hiç kimse. Eva da yapmazdı. Bu, deseni bölen başka bir şey olmuştu, dikkat çekiyordu, çiçeklerdi tabii ki. Eva, tutarlı değilse hiçbir şeydi. Yaysız kilidin anahtarı, kuruyan, küflenmiş çiçeklerin içindeydi.

Teker teker çiçek demetlerini kapıyorum, kopçalarından çekip, tıpkı Beezer'ın çocuk olduğumuz son yılbaşında çanları çaldığı gibi demetleri sallıyorum. Her demeti yavaşça silkeliyorum, kasten, sanki içlerinden birinin farklı bir sesi olmasını umuyorum.

Yukarımızda, bir kalas, binayı temellerinden sallayarak yere devriliyor. Angela geri çekiliyor.

"Ne yapıyorsun?" Angela adeta çıldırmıştı. "Buradan şimdi çıkmamız gerekiyor" diyor. Aklımı kaybettiğimi düşünüyor, ev yıkılıyorken orada durmuş çiçekleri silkeliyorum. Hakkımda duyduğu şeylerin doğru olmasından korkuyor Angela. Onun haklı olduğunu düşünmeye başlıyorum; çünkü anahtarı bulamıyorum. Şu an kolumdan çekiyor. Yukarı çıkıp, tıpkı içeri girdiği gibi buradan kurtulmak istiyor. Ama bunun için çok geç. Üstümüzdeki kat, tümüyle alevler altında. Angela, buradaki bölmeye vuruyor, tüm vücuduyla onu itiyor, seyircilere bağırıp, çığlık atıyor. Ya onu duymuyorlar ya da duymamayı tercih ediyorlar. Sonra gözyaşları içinde yanı başımda yere yığılıyor. "Öleceğiz!" diye inliyor.

Son çiçek demetini alıyorum, ortalığı saran dumandan çok zor görüyorum onu. Kuvvetlice sallıyorum demeti ve anahtar yere düşüyor. El yordamıyla onu arıyorum, parmaklarım etrafında geziniyor, diğer kolum da yaysız kilidi bulana kadar kapı boyunca dolaşıyor. Yavaş yavaş, dikkatli bir şekilde, anahtarı kilide sokuyorum ve çıt sesini duyana kadar saat yönünde döndürüyorum onu. Kapı, ardına kadar açılıyor.

"İçerideyiz" diyorum, Angela'nın kolundan yakalıp yarı ayakta, yarı emekleyerek onu çekiyorum; ta ki içeri girip, şu an mahzen olan cehenneme karşı kapıyı arkamızdan kapatana dek.

Angela, bu odayı biliyor. Bir el feneri bulana kadar, uzaktaki duvar boyunca ilerliyor. Loş bir ışık yayıyor el feneri. Başta şarjının az olduğunu düşünüyorum ancak sorun şarj değil, duman.

Burası gizli bir odadan çok bir mağara gibi; topraktan oyuk duvarları, eski gemilerin ahşap çerçeveleri ile pekiştirilmiş. Arnavutkaldırımları yerin bir kısmını kaplıyor, sonra inşaatçıların elinde bu taştan kalmayınca ve onlar Salem caddelerinden daha fazla bu taşlardan çalamayınca aniden sona eriyor arnavutkaldırımları.

Burada hazineler de var: Bir fildişi parçası –bıçağın kabzası oyulmuş, ağız kısmı paslanmış ve kırmızı toz yığınına ayrılmış. Bıçak, eski bir baharat kutusunun tepesinde duruyor, eski Salem evlerinden aşina olduğum bir kutu bu, ahşabı suyun verdiği hasarla bükülmüş. Köşede, ağaçtan eski bir yatak var: Urgan bir yatak, yaylı değil. Ve Çin işi biblolar var, muhtemelen G.G'nin ataları hükümet izniyle korsancılık yapmaya başladığı zamanlarda çalınmış bunlar. Büyük ihtimalle, yukarı getirilip gösterilemeyecek kadar fark edilebilir ve çalıntılar.

Çin işi biblolarının birkaçı dışında bu odada bırakılan eşyaların çoğu kırık. Bunu fark ediyorum. Diğerlerinin hepsi, yukarı çıkarılıp, özümsenmişti. Geride bırakılan eşyalar, işlevsel değildi. Yatak dışında. Burada bekleyen insanlar için bırakılmıştı bu yatak.

Bu odada, bekleme duygusu mevcut. Ve korku hissi. Her ikisi de aşikâr. Şu an korkuyoruz tabii ki ancak bu, buraya yerleşen korkumuzdan daha fazla. Burası, esirlerin özgürlüklerini bekledikleri oda. Kuzeye doğru olan yolculuklarının son durağı. Onlar burada beklediler, dışarı çıkıp çıkamayacaklarını ya da buradan kurtulmaya çalışırken ölüp ölmeyeceklerini asla bilmeden. Aynı kandan gelen ve onları buraya esir olarak satılmak için getiren gemileri olan insanlardan sadece birkaç kuşak farklı olan, köleliğin kaldırılması yanlılarına güvenerek. Güvenilir olmayana bel bağlayarak. Başka hiçbir seçeneği olmadan. Sona gelmeden tekrar başladıkları noktaya dönmeyi bekleyerek.

Bu odada korku var. Ama umut da var. Bunu görebiliyorum. Umut, orada, odanın uzak tarafında, aşağıya doğru, özgürlüğe açılan küçük siyah bir girişte. Umut, tünelde.

"Burada kalamayız" diyorum, Angela'nın yatakta oturduğunu görerek. Ne kadar yorgun olduğunu fark ediyorum.

"Akıntı yüksek" diyor Angela, yaptığı hatanın farkında. "Akıntı alçalana kadar buradan çıkamayız. Şu an girişin tümü suyun altındadır." Uyumak istediğini söylüyor, yatakta oturuyorken. "Sadece bir dakika. Çok bitkinim" diyor.

Akıntılar konusunda çok haklı Angela. Denizin kokusunu buradan alabiliyorsunuz. Ancak, dumanı da koklayabiliyorsunuz ve bu koku daha kuvvetli. Angela'yı bu kadar uykulu yapan yorgunluk değil. Duman.

"Hadi" diyorum, onu çekerken. Beklemek istiyor. Birilerinin bizi kurtarıp kurtarmayacağını görmek istiyor. Ancak oda dumanla doluyor. Duman Angela'yı çoktan etkisi altına almış. Yargılarının açık olduğunu düşünüyor ama öyle değil. Biri içeride olduğumuzu söylese bile buradan kurtarılmayı bekleyemeyiz. Şayet bizi almaya gelirlerse, terasa çıkacaklardır. Onlara orada olduğumuzu söylemiştik. Mahzeni kontrol etseler bile, bizi bulamayacaklardır. Kimsenin tünelden haberi yok.

"Hadi" diyorum tekrar. "Burada kalamayız."

Fareler tünelde önümüzde. Onlara bakmamaya çalışıyorum. Kenarlarda dolaşıp duruyorlar, hepsi aynı yönde gidiyor, dumandan uzakta hareket ediyorlar.

Farelerin çıkardığı cızırtı sesleri dışında etraf sessiz. Dinlenmek için durduğumuzda, duman bize yetişiyor.

Yangından uzaklaştıkça, Angela'nın nefes alması kolaylaşıyor. "Belki de bekleyebiliriz" diyor, bundan biraz cesaret alarak. "Tünelin sonuna vardığımızda... Belki akıntı gidene kadar bekleyebiliriz."

"Belki" diyorum, ona umut vermeye çalışarak. Ancak duman hemen arkamızda. Burada bekleyemeyiz.

Suyun ayak bileğimizde olduğunu hissedebiliyorum. El fenerini Angela'dan alıp, hemen önümüze tutuyorum. Su etrafımızda derinleştikçe, tünelin girişinin gittikçe daraldığını ve yükseldiğini görebiliyorum.

"Çıkışa ne kadar kaldı?" diye soruyorum.

Ya yapamadığından ya da yapmak istemediğinden hesaplamıyor.

"Tahmin et" diyorum.

"Bilmiyorum... Elli yarda belki?"

"Bir futbol sahasının yarısı kadar mı?"

Kafasını sallıyor Angela. "Sanırım."

"Düz mü gidiyor yoksa kıvrılıyor mu tünel?"

"Düz" diyor. "Ama..."

Su belimize kadar geliyor şimdi. Fareler önümüzde durdu. Tünelin sonuna çok az kaldı. Yarımay kadar hava kaldı içeride. Fareler vazgeçti. Olabildiği kadar suya yakın olarak tünelin kenarlarına tutunup kaldılar. Gelebilecekleri kadar ilerlediler bile. Artık sona vardılar.

Duman arkamızda kıvrılıyor ve yavaş yavaş ileri doğru hareket ediyor.

"Oraya gitmeyeceğim" diyor Angela. "O suyun içine girmek intihar etmektir."

Ancak sonra dumanı görüyor. Gizli gizli sokuluyor.

"Başka bir seçeneğimiz yok" diyorum, farelere bakıp, onun da bakmasını sağlayarak.

Angela'nın gözlerinde kendi geçmişimi görebiliyorum. Hakkımdaki hikâyeleri duymuş olmalı. Hayatını deli bir kadına teslim ettiği için büyük bir hata yapmış olduğunu düşünüyor.

Kafasında bunun olduğunu görüyorum. "Yapamam bunu" diyor. Ağlıyor. "Suyun altında o kadar mesafe yüzemem."

"Ben yapabilirim" diyorum.

Su göğsümüze kadar geldi. Farelere çok yakınız. Angela onlara bakıyor ve sonra bana. Tek seçeneğinin ben olduğumu biliyor.

"Yüzme" diyorum. "Ayaklarını suda oynatma." Başını sallıyor. "Ayaklarını çırpma bile." Tekrar başını sallıyor.

Nasıl yapacağını gösteriyorum ona. Nasıl nefes alıp vereceğini. Uzun dalışlar için yapılması gerektiği gibi. Seni ayakta tutacak kadar derin bir nefes alabilmek için ilk önce ciğerlerindeki bütün nefesi dışarı veriyorsun.

"Tanrı bana yardım etsin" diyor Angela. Hâlâ inançlı biri.

"Tanrı ikimize de yardım etsin."

Ciğerlerimizdeki tüm nefesi dışarı veriyoruz. Derinden bir nefes alıyoruz, onu suyun içine itiyorum. Sonra da altına.

Angela'yı saçından yakalıyorum. Bunu yapmanın tek yolu bu. Gevşemesini sağlayıp, saçından yakalamak. Dişlerimle tutuyorum onu; böylece iki elimde boş. Ayaklarım sırasıyla makaslama yapıyor, tünelin kenarları ve dibine karşı itip duruyor beni. Yavaşça ileriye itiyorlar bizi.

Bu karanlık, sanki saatlerce, yıllarca, belki de sonsuza dek sürüyor. Onun altımda ya da yanımdan olduğununun farkındayım. Çok hafif, çekilmesine izin veriyor.

Ciğerlerim acıyor. Zaman değişiyor.

Her yer karanlık. Uzun süredir duvara dokunmadım. Ya da yere. Belki de tünel genişlemiştir. Hareket etmeye devam et ve ritme uy, diye düşünüyorum.

Suyu ve soğukluğu hissetmemeye başlıyorum.

Kaybolduk. Etrafımızda bomboş karanlıktan başka hiçbir şey yok, öyle ki bitmek tükenmek bilmeden her yöne uzanıyor ve çok büyük. İlk defa kıyametin nasıl bir şey olduğunu fark ediyorum. Düş değil, gerçek. Acı dolu hayatın sonu değil, sonsuz boşluk.

Angela haklıydı. Bu intihar. Bu, Lyndley'in dalışı. Golden Gate Köprüsü'nden atlayış. Aya doğru yüzmek. Her zaman istediğimi düşündüğüm ölüm bu, on yedi yaşımdan beri her gün bir yolunu bulmaya çalıştığım ölüm. Şimdi sonunda benim, şayet istiyorsam. Etrafımdaki sadece boşluk.

Her şeyi boşladığım bir an geliyor. Ölmeye başlıyorum. Bu çok kolay olacak. Deniz kabuklarıyla ve pürüzsüz taşlarla burada dinlenmek. Daha önce burada bulunmuştum ve harikaydı. Huzurluydu. Ama şimdi değil. Artık değil. Çünkü artık bunu istemiyorum. Bu, Lyndley'in istediği şeydi, benimki değil. Denizde ölmek istemiyorum ve tünelde de ölmek istemiyorum. Bunu dilemeye uğraşıyorum. Ama yapamıyorum. Angela'yı kurtarmak zorundayım. Ve onun bebeğini. Ve hayatımda ilk kez fark etmeye başladığım gibi kendimi de kurtarmalıyım.

Angela'nın saçları, dişlerimden kaymaya başlıyor. Onu yakalıyorum, arapsaçına dönmüş saçımı avcumla tutuyorum, saklı olan her şey serbest kalıyor. May'in saçı gibi, Angela'nın saçı da sırlar barındırıyor. Bir balık ağı sanki, sürüklendikçe sihirli olanı yakalıyor. Şimdi ise zamanında hazine olan şeyleri serbest bırakıyor: Milagroslar, duvak, Meryem Ana'nın resmi. Saçının dantel ağında yakalanmış olan her şey şimdi ayrılıyor.

Onu önüme doğru itiyorken, saçındaki dantel ağını görüyorum ve arasındaki ışıldamayı. Denizatı hemen önümüzde yüzüyor, ışık ağına doğru. Bu, çocukken ilk olarak May'in saçında gördüğüm denizatı. Bu sembol bana ait, şimdi fark ediyorum ve ağın içine doğru onu takip ediyorum, uzakta bir şeyi ayırt ederek... Ve görüyorum... Soluk, yeşil bir ışıltı. Sonra, elim kulaç atmaya devam ettiğinde, Angela'nın saçı, kayıyor ve ışıltının hâlâ orada olduğunu fark ediyorum. Tünelin ağzını bulduk. Işığa doğru yüzüyoruz.

Kayıkhanede su üstüne çıkıyoruz. İskelenin altında. Angela'yı önümde açık havaya doğru itiyorum. Zorlukla soluk alabiliyoruz.

Tavan arasına doğru çıkmasına yardım ediyorum. Yatağın üstüne oturuyor, bir tarafına yuvarlanıyor. "İyi misin?" diye soruyorum ona.

"Sanırım" diyor. Öyle olmadığını söyleyebilsem de. Tekrar dönüyor ve inliyor.

"Yardım getireceğim" diyorum ona. Yolumu aydınlatması için tavan arası penceresini açıyorum. Kafasını sallamayı başarıyor.

İskelede jetonlu telefon var. Cübbeli müritleri gördüğümde, merdivenlerden aşağıya inmeye başlamıştım. Kanalın öbür tarafında oturuyorlar, genellikle yaşlı adamların toplandığı bankta. Yaşlı adamlar bankı boş bırakmışlar. Kasabadaki diğer herkes gibi yangını görmeye gitmişler. Onların yerinde, kayıkhaneye doğru bakan üç tane cübbeli var. Karşıdaki rıhtımdan, ileriye bakıyorken, daha fazlasını görüyorum. Evden çıkıyorlar. El fenerleri hâlâ alev alev. Kalabalık. Çimenleri, binaları, yanacak her şeyi ateşe veriyorlar.

Merdivenlerden yukarı koşuyorum. Angela dizleri üzerinde.

"Benim için gelecek, biliyorum, gelecek" diyor.

"Kim?"

"Aziz Cal."

"Cal hapishanede."

"Hayır, değil. Dışarı çıktı. Burada olmalı. Aziz Cal benim için gelecek. Vegas'a gideceğiz. Evleneceğiz."

"Kalk." Yataktan kalkmasına yardım etmeye çalışıyorum.

"Şimdiye kadar gelmeliydi, onun burada olacağını söylediler." Pencereden dışarı bakıyor, kalabalığı araştırıyor.

"Aziz Cal gelecek. Söz verdi."

"Pencereden uzak dur!" Onu yakalıyorum ve geri çekiyorum. Angela ağlamaya başlıyor. Gözlerim bana oyun oynuyor. Görüyorum...

Lyndley, aynı yerde duruyor. Ağlıyor. Birlikte ilk yazımız. On üç yaşındayız. Genç kız olduğumuz için ne kadar mutlu olmamız gerektiğini, her şeyin bizim için değişeceğini ve güzelleşeceğini söyleyip duruyoruz; ancak her şey çoktan değişmişti o yaz. Ve bizim için iyi değildi bu. Korkunçtu. Onun acısını hissedebiliyorum. Meydana gelen berbat şeyleri. Söyleyemeyeceğim, hatta düşünemeyeceğim şeyleri. Bunlar, Lyndley'in başına geldi ama ben de hissettim, diğer yarımda her dayağı hissettim. O adamın Lyndley'in yatağına geldiği her anı biliyordum. Üstesinden gelebileceğini söylemişti. Ve ben de ona inanmıştım. Birlikte olduğumuz sürece, o, adada kaldığı sürece başa çıkabilirdi ve birlikteydik. Söylediği şey buydu; ancak yanılıyordu. Hiçbir şeyin üstesinden gelemedi. Benim yapabildiğimden fazlasını yapamadı.

Birine söylemeliyiz, dedim.

Cal, bana duracağını söyledi. Söz verdi.

Salem'in alarm çağrısına cevap veren bitişik kasabalardan gelen itfaiye arabalarının sesiyle şu ana dönüyorum.

El fenerleri ileri doğru hareket ediyor. Cadde boyunca, Eva'nın evinden aşağıya doğru inen alevler var şimdi. Siyah bir pay. Bir baraka.

Bize doğru geliyorlar.

Bütün ırklardan, bütün dinlerden. Onlar, geçmişe dönüş. Halüsinasyonlar. Öfkeli kalabalık: Ürünleri mahvolan çiftçi, çocuğu ölü doğan komşu. Onlar, hayatta paylarına düşenle yeterince sinirlenmiş, yeterince incinmiş kişiler; suçlayacak birini aramaya gidiyorlar.

"Ne yapacağız?" Angela bana dönüyor.

Sanki cevap bende. Sanki şimdiye kadar cevap bulabilmişim gibi.

Ve sonra onu görüyorum. Cevabı. Birdenbire geliyor ve etrafımızda. Gümrük evinin çatısından altın renginde parlayan ay ışığının parıltısında. Hawthorne'u ve orada masasında oturup yazdığı hikâyeleri düşünüyorum. Bu kasabayı terk ettikten sonra bile kurtulamamıştı. Yazdığı, Salem'di.

Ve Ann Chase'i düşünüyorum. Eva'nın cenazesinde, onun Kalvinistler hakkında söylediklerini. "Onların Tanrısını istemezdim" demişti. "Şayet tanrıları, bizden korkmamalarını sağlayacak kadar güçlü değilse. Bu kadar ödlek ve zayıf, nasıl bir Tanrı'ydı bu?" Ve zihnim Ann'e dönüyor, onu yaparken gördüğümüz ilk büyüsüne. Lyndley ve ben rıhtımın dışında, limanda oturup karanlıktan onları seyrediyorduk. Ann ve hippi arkadaşlarını, kollarını dolunaya kaldırıp, rıhtımın sonunda dans ediyorken seyrettiğimizde kıkırdıyorduk. Aşk büyüsü yapıyorlardı. Ve biz sadece gülüyorduk; çünkü onları duyamasak da çok aptalca görünüyorlardı; tıpkı gerçek inananlar gibi elleri dolunaya kaldırılmış şekilde dans ediyorlardı, gelecekteki aşkları, önlerindeydi. Bizden yaşça daha büyük olsalar da çok genç, toy ve inançlı olduklarını düşündüğümü hatırlıyorum. Çünkü dünya, böyle değildi; gerçek inananlar için bile.

"Ne yapacağız?" Angela, hıçkırarak ağlıyor, Kalvinistler yaklaşıyorken.

"Onlara bekledikleri şeyi vereceğiz."

Ellerimi dolunaya doğru kaldırırken Angela, beni izliyor.

"Kollarını yukarı kaldır" diyorum ona ve o da dediğimi yapıyor.

Kendi Tanrımı sizinkiyle yarıştıracağım, diyorum Kalvinistlere. Yalvardığım, onların Tanrısı değil; Ann'in tanrıçalarından biri de değil. Yalvardığım Tanrı, ne erkek ne de kadın. Benim Tanrım, herkesin gündeminden ayrı var olmakta, gidebileceğin muhtemel bir yer kalmadığında seni alıp götüren bir Tanrı.

"Lütfen" diye yalvarıyorum.

Angela ve ben, ellerimiz havada orada duruyoruz. Ellerimiz, ışığa doğru kalkmış, bunun dolunayın ışığı olduğunu düşünüyorum; ancak tek ışık olmadığını fark ediyorum; birçok ışık var. Bu ışıklar, bir düzen içinde bize doğru geliyor şu an, suyun üzerinde küçük UFO'lar gibi sallanıyorlar.

Kalvinistler de onları görüyor. Ve bu, onları aynen bu şekilde durduruyor. Cübbeli adamlar, suyun içinde bata çıka yürüyenler, aceleyle koşturuyorlar. Düzen içindeki şekil değişikliğini seyrediyorum tekrar ve bu ışıklar, Golden Gate Köprüsü'nün tepesindeki ışıklara dönüşüyor.

Yeteneğine güven. Eva'nın sesini zihnimde duyuyorum... Ve sonra gülmeye başlıyorum.

Angela da bunun işe yaradığını görüyor; ancak durumu anlamıyor. Sadece duamız gerçek olmamıştı; ancak gerçek bir Tanrı'nın sağlayabileceği zerafet ve ironiyle, o kadar çabuk ve kusursuz cevap bulmuştu ki. Çünkü yardım istediğimde, Tanrı bana kendi ölümümün sembollerini göndermişti. İlki, ay. Sonra Golden Gate Köprüsü. Ama gördüğüm şeyde yanıldım, şimdi fark ediyorum. İmgeler asla yanlış değildi. Başarısız olan benim yorumumdu. Denizdeki hazineler, ölümümün değil; hayatta kalmamın sembolleriydi.

Ve sonra gürültü, sessizliği kesiyor, zorunlu korna sesi. Golden Gate Köprüsü, parti botuna dönüşmüştü, parti botu da kayıkhane ile Derby Rıhtımı arasında kanala doğru dönüşünü yapıyordu. Bot, limana yanaşıyorken Kalvinistler, sarhoş zevk düşkünleri, yüksek sesli müzik ve tövbe ettikleri her şey ile dolu olan bu büyük botun yolundan çekilip, banklara koşturuyor.

"Atla!" diyorum.

Bot geçiyorken onu Kalvinistlerle aramıza koyup, görüşlerini engelleyerek, denize atlıyoruz. Tam da diğer cübbeli adamlar kayıkhanenin arka tarafına vardığında, suya atlıyoruz; bir rıhtımdan ötekine yüzmek yerine yürüyen daha açıkgöz olanları bunlar. Kapıları kırıp, kayıkhanenin merdivenlerine sarılıyorlar; ortadan kaybolduğumuzu görüp, güçlerimiz konusundaki inançlarını doğrulayarak, dizlerinin üstüne çöküyorlar; göğüslerine vurup, bizim gibilerden kurtulmak için yalvarıyorlar.

Hiç kimse atladığımızı görmüyor. Botun kaptanı, limana yanaşmakla bir hayli meşgul. Zevk düşkünlerinin hepsi, bizim ötemize, kasabaya, Eva'nın evine doğru bakıyor, yanıp sönen ışıkları, itfaiye arabalarını ve itfaiyeciler sonunda yangını kontrol altına almaya başladığında rengi siyahtan beyaza dönen dumanı merak ediyorlar.

Arkamıza bakmıyoruz. Bunun yerine birlikte yüzüyoruz, Angela ve ben. Limanın ağzında, küçük bir sandal buluyorum. Onu, sandala bindirmek için bütün gücümü kullanıyorum. Sandalın güvertesine yığılıveriyor, nefes nefese, çok bitkin.

Ay ışığı yolumuzu aydınlatarak, doğrudan Sarı Köpek Adası'na giden bir yol yapıyor bize. Güzel bir gece, yazın son sıcak akşamlarından biri. Limanda hava berraktı; ancak açık okyanus sisli. Ada, sis yığının arkasında. Dolunay, şeffaf buharın içinden görülebiliyor, doğrudan Back Sahili'ne giden yolu aydınlatan yayılmış bir işaret.

Sihir, bizimle. Akıntı yüksek, ay uygun. Akıntı üzerinde Back Sahili'ne doğru süzülüyoruz, ışıltılı bir yakamoz denizinde.

Sandalda kalmasını söylüyorum ona. Köpeklerin birkaçı ne olduğunu görmek için mağaralarından çıkıyor; ancak yaklaşmıyorlar. "Sana zarar vermeyecekler" diyorum. "May'i almaya gidiyorum." Bana güvenerek başını sallıyor. Neredeyse hiç hareket etmiyor; ama sandaldaki kanı görebiliyorum ve suyu da. Bebek geliyor.

Sahilden yukarı koşuyorum, yeni patikadan gidiyorum, okyanusun kendisine ait olanı almaya başladığı, tepeleri aşındırdığı yerden uzak duruyorum.

Patikanın başında, sola dönüyorum, yıkılan verandasıyla teyzeciğim Boynton'un evinden uzakta, adanın diğer köşesinde olan May'in evinin belirsiz ışıklarına doğru gidiyorum.

Beysbol sahasından geçip, toprak yola dalıyorum. Sağımdaki taştan viraneyi ve solumda da Lyndley'in büyük bir kale gibi durarak atladığı kaya kulelerini geçiyorum.

Eski arabayı görebiliyorum, kırık ön camından üzüm asmaları büyüyor, anteni etrafında kıvrılarak.

Ve bir şey tarafından durduruluyorum, birinin varlığı. Arabaya yaslanıyor. Neredeyse onu göremiyorum, tıraşsız, pantolon ve tişört giyiyor. Ama varlığı çok açık. Bir ürperti, ayaklarımda dolanıyor. Birdenbire duruyorum.

"Sophya" diyor, önüme geçip, yolumu engelleyerek. Ses tonu otoriter. Söyleme şekli, adımı neden değiştirdiğimi, neden değiştirmek zorunda kaldığımı fark ettiriyor bana şimdi. Kendi adım söylenirken duymaya tahammül edemiyorum. Onun söyleme şeklinden dolayı: Islıklı, yılan gibi. Sophya, geceleri fısıldanabilecek bir isimdi. Kimse duyamasın diye gerçekten sessizdi. Annemi bile uyandırmayacak kadar sessizdi.

Bütün sınırların birleştiği ufukta duruyorum. Hayatım boyunca bütün yüzeylerden sildiğim bakış açısı sınırlarının hepsi. Burası sabit nokta. Her iplik, bu noktadan çıkıyor ve tekrar bu noktaya dönüyor.

Daha önce burada bulunmuştuk. Ne olacağını biliyorum. Köpekler ortaya çıkmaya başlayınca, bu beni hiç şaşırtmayacak.

Bizy, kayalıkların üstünde duruyor, arkasında diğerleri var. On taneler, sonra yirmi, sonra daha fazla. Saklandıkları yerden çıkıp, yumuşakça ve sessizce ilerliyorlar. Ta ki onun etrafını sarana dek. Cal onları görmüyor. Sonunda onları fark ettiğinde, Cal'ın yüzündeki dehşeti görebiliyorum; ancak yüzünde tanıdığını gösteren bir ifade de var. Daha önce bu sabit noktada bulunduk, Cal ve ben. Cal, San Diego'dan çaldığı bottaydı. Susuz ve ölüyordu. Denizde kaybolmuştu. Zamanın içinde aynı noktada, bu adada bir yerde, ben de kaybolmuştum. Aynı hayali paylaşmıştık, aynı halüsinasyonu. Aynı sonu ikimiz de görmüştük. Ve ikimiz de, bu danteli yapanın ben olduğunu biliyorduk. Bundan sonra olacak her şeyin bana bağlı olduğununun farkındaydık.

Köpekler, ona yaklaşıyor şimdi. Tıpkı cübbeli adamların bize yaklaştığı gibi. Sessiz sessiz ilerliyorlar. Köpeklerin gözleri ışıldıyor, dişlerini gösteriyorlar.

"Angela'yı almak için geldin" diyorum.

"Evet" diyor. "Onun için geldim."

"Onu alamazsın" diyorum.

Ben bunu söylerken, köpekler harekete geçiyor. Bir şey söyleyemeden, Cal'ın üzerindeler. Elbiselerini, etini parçalıyorlar. Tıpkı rüyamdaki gibi, onları durdurabileceğimin farkındayım. Bu sefer, kelimeyi biliyorum. Ancak farklı olan, neden bunu yapmak isteyeceğimi bilmiyorum.

Ve sonra Angela, ortaya çıkıyor. Cal'la köpekler arasına geçmeye çalışarak, ona doğru ilerliyor. "Dur!" diye bağırıyor köpeklere; ancak bu, onları daha da vahşi yapıyor.

"Çekil oradan!" diye bağırıyorum Angela'ya. Kımıldamıyor. Ve o gece May'in teyzeciğim Boynton'un gözlerinde gördüğü şeyi ben, Angela'nın gözlerinde görüyorum. Bu, May'in tetiği çekmesini engelleyen ve her şeyi durduran, kendisine verilen fırsatı kaçırmasına neden olan şeydi.

Her ne nedenden olursa olsun, Angela, Cal'ı seviyor. Uğruna ölebilecek kadar onu seviyor. "Lütfen!" Ağlıyor şimdi. Cal'a yaklaşmaya çalışıyor.

Köpeklerden biri, Angela'ya dönüyor, kolunun ön kısmını ısırıyor. Kan geldiğini görebiliyorum.

Tiksiniyorum. Cal'dan olduğu kadar ondan da. Çocukluğumun tüm öfkesi saçılıyor ve bir an onların birlikte *ölmesi gerektiğini* düşünüyorum. Birbirlerine layık olduklarını. Bu sonu hak ediyorlar. Ancak dördüncü bir kişi var burada. Ve onun yüzünü görebiliyorum. Bizimle burada. Kız kardeşim. Onun genç halini görebiliyorum. Eğer ona bir şans verilseydi, büyüdüğünde neye benzeyeceğini ve ne olmak istediğini de. Ona bu şansı borçluyum.

"Durun!" diye bağırıyorum, Angela'nın kullandığı kelimenin doğru olduğunu biliyorum; bu kelime benim dudaklarımdan çıkmalı.

Gerçekten bunu istediğimin de farkındayım. "Durun!" diye bağırıyorum daha yüksek sesle, bunu kastederek bu sefer. Dünya sessizleşiyor. Dondurulmuş görüntüde durmuşlar gibi, kalçaları üzerine oturuyorlar ve birinin filmi tekrar başlatmasını bekliyorlar.

Angela şimdi geri çekiliyor, nefes nefese.

Cal yerde, aramızda. Fena halde kan kaybediyor.

"Benim için geleceğini biliyordum" diyor Angela, ilerlemeye başlayarak. Sonra, kanı görerek duruyor. İkiye bölünmüş gibi, ilk doğum sancısıyla bükülüyor.

Cal ayağa kalkmaya çalışıyor, kendini Angela'ya doğru sürükleyerek. Gözlerim, onu orada donduruyor.

"Ben iyiyim" diyor Angela, elini kaldırarak. Destek almak için kayalıklardan birine yaslanıyor.

Cal'ın da onu sevdiğini görebiliyorum. Ona yardım etmek istiyor. Bunu gözlerinde fark edebiliyorum. Ama ne kadar istese de hareket etmiyor. Yapamıyor. Sonunda konuştuğunda, bana sesleniyor. Ama aklımdan geçen şeyi söylemiyor. Deli ya da baştan çıkarıcı olduğumu veya her şeyin suçlusu olduğumu söylemiyor bana.

"Bağışla beni" diyor, sesi yumuşak. Emir değil bu sefer. Daha çok bir yakarış gibi.

Bacağından kan oluk oluk akıyor.

Adım atıyor. Bana doğru. Kolları sarkıyor. Gözyaşlarıyla dolu gözleri.

Bir heykel gibi sabit duruyorum. Bizy'nin hırladığını duyuyorum, hareket etmiyor. Ona söyleyene kadar kımıldamayacak ve diğerleri de onsuz bir şey yapmayacaktır.

Zihnim, boş. Cal'ın bana uzandığını, kollarının yaklaştığını hissediyorum ve sonra bir parçalanma sesi. Kayalıkların üzerine, arkaya doğru düşerken, kaburgalarımın kırıldığını hissediyorum.

Birlikte vurulmuştuk.

Ve sonra May'i görüyorum. Orada duruyor, elinde tüfekle. Diğer kadınlar da onunla. Angela'nın etrafını sararak hareket ediyorlar ve içlerinden birinin Angela'nın kolundan tutup, onu, en yakın bina olan taştan yapılmış viraneye götürdüğünü görüyorum. Angela ağlıyor. Bu, hem acı hem de doğumla oluşan hafif bir hayvan sesi. Kadınlar, buraya geldiğim ilk günden beri korkmuş kadın ve çocukları sarmaladıkları gibi onu da sarmaladılar.

"Sahil güvenliği arayın" diyor May. "Ambulans helikoptere ihtiyacımız olduğunu söyleyin onlara."

May tüfeği bırakıyor. Bütün gücünü kullanarak, Cal'ın cesedini benden uzaklaştırıyor.

Viraneden yükselen inlemeler, kulaklarımdaki kendi kanımın sesiyle birleşiyor. İnlemeler, doğum sancısı çeken bir kadının çığlıklarına dönüşüyor. Hayatım gözümün önünden geçiyor. Angela'nın her inlemesi ile bir şey benden akıp gidiyor. Nefes ve kan. Her inilti ile bir şey uzaklaşıyor. Ölüyorum.

Hepsi burada. Bütün kadınlar. Teyzeciğim Boynton burada, diğerleriyle birlikte. Geçmişimden kadınlar, öğretmenler, arkadaşlar. Ve sonra kalabalığın arasında Eva'yı görüyorum. Angela'nın daha yeni ayrıldığı aynı kayalıkta oturuyor. Bir şey üzerinde çalışıyor. Ona bakıyor. Ne yapıyor? Ve sonra aklıma geliyor. Bir dantel parçası üzerinde çalışıyor. Benim dantelim. Ölmeden önce bana yolladığı dantel. Onu bitirmeye çalışıyor.

Nefes almak için uğraş veriyorum. Her yer karanlık. Sis basıyor. Ayı ve yıldızları kaplıyor. Hava çok soğuk.

Eva çalışmaya devam ediyor hep. Makara üzerine makara geçiriyor. Kafasını kaldırıp bana bakmasını istiyorum ama bunu yapmıyor. Sadece dantelini örüyor. Benim için yapıyor onu, bunun farkındayım. Ama bana yardım etmiyor. Bu sefer değil. Kafasını kaldırmasını istiyorum; çünkü ona bunu anlatmak istiyorum; dile getirmese bile biliyorum çünkü. Bu sefer yardımım Eva'dan gelmeyecek. Başka birinden olmalı.

İlk önce sesleri duyuyorum, küçük osuruk sesleri. Sinirimi bozuyor, çok yersiz. Sonra sandaletleri görüyorum. Ve yukarı bakıyorum. Kalabalığın arasından, insanları yararak geliyor. Esrar içiyor. Lyndley'e ne kadar benzediğini düşünüyorum bu suretin, ne kadar bencil, ben burada ölüyorken esrarını içip, dalgasına baktığını geçiriyorum aklımdan. Her zamanki gibi herkesin dikkatini çalıyor benden, daima yaptığı gibi. Yatak örtüsü giyiyor. Niyetlendiği gibi pantolon olarak değil; kocaman bir şal gibi omuzlarına atmış onu, o kadar uzun ki arkasından yerde sürükleniyor şal, kırıntı ve küçük çim parçalarını çekip, kirlenerek. Saçı uzun, arkadan kurdele ile bağlı.

"Lyndley" diyorum.

"Towner" diye cevap veriyor, sanki olağandışı hiçbir şey yokmuş gibi. Yerde uzanmış ölüyorum. Nasıl olduğuma daha yakından bakmak için eğiliyor, elindeki esrardan derin bir nefes çekiyor. Ve sonra ne yapacağını biliyorum. Dumanını bana üfleyecek. Ölüyorum ve dumanı ciğerlerime üfleyecek ve onunla birlikte yükselmemi sağlamayı deneyecek.

"Rahatla" diyor. Bunun dışında başka bir yol olmadığını fark ediyorum.

Onun dudaklarının, benimkilerin üzerinde olduğunu hissediyorum. Çekemiyorum. Dumanın soluk borumdan aşağıya doğru indiğini anlıyorum, yakıyor ve kaşındırıyor.

Kolundan tutmak için uzanıyorum ama yine gitmiş. Onu görmek için gözlerimi kısıyorum ama ay çıkmış. Hızlı hızlı üzerimize doğru iniyor.

Sis dağılıyor sonra ve bir kez daha fark ediyorum ki gördüğüm ay değil; hareket eden bir şey. Ve sonra sesi duyuyorum, ışığa yetiştiğinde. Ay değil; parti botu da değil bu. İnerken rüzgârı da beraberinde getiriyor ve görüş alanım berraklaşıyor. Helikopterin pervane kanatlarının rüzgârı, sisi dağıtıyor.

Lyndley dönüp, benden uzaklaşıp, taştan yapılmış viraneye doğru giderken onu izliyorum. Tam zamanı. Arkasına bakıyor ve gülümsüyor sonra kendisinden çok uzun süre önce çalınan şansı almak için içeri giriyor.

Adımı söylemeye çalışıyorum; ancak artık kendi sesimi tanıyamıyorum.

"Lyndley kim?" Halkadaki kadınlardan birinin May'e bu soruyu sorduğunu duyuyorum, kız kardeşimin adını söylerken beni duyduğunda. Yardımcı hekimler, etrafıma toplanıyorlar. Kadının sesi sönük, korkulu.

"Lyndley değil" diyor May ona. "Lyndsey... Lyndsey, Sophya'nın ikiz kız kardeşiydi."

"O burada mı?" Kız etrafına bakıyor. Gölge geçerken onu görüyor. Gözleri, benimkileri takip ediyor.

"Hayır" diyor May. "Lyndsey burada değil. Doğumda öldü."

Öldü. Biliyorum. Ve bilmiyorum. Bu hem doğru, hem de değil; ikisi de aynı zamanda.

Ölüyorum. Ve aynı anda, taştan yapılmış viranede, kız kardeşim Lyndley, doğma şansını yakalıyor sonunda.

Köpekler kaçıyor, Bizy dışında hepsi. Yardımcı hekimler beni önce sedyeye sonra helikoptere koyup, Bizy'den uzaklaştırırırken, onları ısırmasın diye May onu tasmasından yakalayana kadar yanımdan ayrılmıyor Bizy.

Altıncı bölüm

Her dantel parçası bittiğinde, yastıktan kesilir ve ışığa tutulur; ilk kez ince deseni ortaya çıkar dantelin. Bu kesme işlemi, büyük bir dikkat ve törenle yapılır. Kadınlar, daire şeklinde toplanır, danteli yapan kişi, narin keten iplikleri keserken, nefeslerini tutarlar. Göbek bağını kesen ebeyi anımsatır böyle bir hassasiyet ve bekleme. Sonunda dantel kesilip, serbest kaldığında, memnuniyet ve hayranlık mırıltıları yükselir. Bu noktaya kadar beraber gelen kadınlar için sevinç anıdır bu.

Dantel Falı Rehberi

33

Altı haftadır Mass General Hastanesi'ndeydim. Cal ve bana isabet eden, tüfekten çıkan kurşunla ciğerlerimden biri çökmüştü. Altı kez kan verildi bana.

Beezer ve Anya Norveç'ten geldiler. Çoğu zaman buradaydılar, tıpkı Bizy'i beni görmesi için içeri sokmaya çalışan Rafferty gibi. Ancak kapıdan geri çevrilmişti. Bunun yerine Rafferty, dışarıda durmuş, pencereden bakmamı istemişti, kayışından tuttuğu Bizy'nin olduğu yere, kaldırıma doğru ve oradan bile Rafferty'nin hapşırdığını görebiliyordum. Bunu benim için değil de Bizy için yaptığını söylemişti Rafferty çünkü lanet olası köpek, beni aramak için sürekli kasabaya yüzmüş ve köpek görevlisi tarafından yakalanıp, başıboş hayvanların muhafaza edildiği yere koyulmuştu devamlı. Bizy'e iyi olduğumu göstermesi gerektiğini söylemişti; ancak bu şekilde Bizy adaya dönüp, orada kalırdı. "Ve baş belası olmayı keserdi."

May bir kez geldi. Doktorlarla konuşmak için. Angela'nın bir bebeği olduğunu söyledi bana. "Linda adını verdi ona" dedi May, bana bakarak. Doktorlar ona ne düşündüğümü söylemişti: Angela'nın kızı, benim kız kardeşim Lyndley'di. "İlginç isim seçimleri" dedi May. "Sence de öyle değil mi?"

Angela ve bebeği buradan ayrılmıştı. Bu sefer kuzeye değil; güneye doğru, May'in Georgia'da sahip olduğu, ona yardım edecek yeraltı demiryolundan bazı arkadaşlarının yanına gitmişti. Artık Kalvinistlerden ötürü tehlikede değildi. Ama burada kalamazdı.

Kalvinistler de gitti. Cal'ın ölümünü duyduğunda grup dağıldı. Ama her halükârda ayrılırlardı. Ya ortadan kaybolacaklardı ya da birkaç kundakçılık olayıyla tutuklanacaklardı. Ayrıca cinayete teşebbüsten. Cübbelerini kasabanın etrafında çöp kutularının içine ya da park banklarına bırakarak, birer birer kasabayı terk ettiler. Buharlaşıp, bir daha hiç dönmediler.

Üç farklı psikiyatr ve bir de doktora tezini geleceği görme üzerine yapan ve durumumla ilgilenen, Harvard'dan gelen bir araştırmacıyla görüşüyorum. Bildiğim kadarıyla, henüz bir teşhis konulmamıştı durumuma. Bir parça çoklu kişilik bozukluğu. Biraz da hayatta kalma suçluluğu. May ve doktorlar boşlukları doldurmama yardım ettiler. İkiz kız kardeşim ölü doğmuştu. Onun gerçek adı Lyndsey'di ya da yaşasaydı öyle olacaktı. May her şeyi doktorlara anlatmıştı. Onun doğruları söylediğini biliyorum çünkü tıpkı doğrunun yaptığı gibi yankılanıyordu sözleri. Kız kardeşim, annemin babam Cal'dan yemiş olduğu feci dayak sonucu ölmüştü. İkimiz de vaktinden önce doğduk; ancak hayatta kalan bendim. Emma, Lyndley'in ölümü için her zaman kendini suçladı. Lyndsey yani. May'in söylediği bu. İstismara uğramış kişilerin, her şey için kendilerini suçlaması olağandışı bir şey değil. Biz doğana kadar Cal, annemi dünyada yanlış giden çoğu şeyin onun suçu olduğuna inandırmıştı.

May, Emma'nın bu açıdan diğer istismara uğramış kadınlara benzediğini söyler. Onlar kendilerini suçlar sık sık. Dayaklar birdenbire başlamaz. Genellikle, kötü muamele yavaş yavaş kendini gösterir. Kaba bir söz, kadının çoktan kendisinin öyle olduğuna inandığı aşağılayıcı bir şey. Çoktan zayıflayan özsaygıyı küçümsemekle başlar. Sonra soyutlanma. Bu, May'in tekrar tekrar gördüğü bir senaryo. Bu yavaş bir süreç; öyle ki nadiren farkında oluyorsun. Ta ki gerçek dayaklar başlayana kadar. O zamana dek, kurban o kadar zayıf ve kendinden emin değildir ki artık kaçma gücü bile yoktur.

Sonraki hafta bir ara kasabaya gelecek olan başka bir uzman var. Rafferty'nin bulduğu biri, ikizlerde acı paylaşımı üzerine bir kitap yazmış. Ve çocuklarda uzun süreli cinsel istismar konusunda uzmanlaşmış başka biri. Gördüğüm en iyi doktor, kendi psikoloğumun tanıştırdığı, onun Harvard'dan sınıf arkadaşı olan biri. Mass General Hastanesi'ndeyken onunla görüşmeye başladım ve şu an haftada iki kez Boston'a gidiyorum. Bazen trene biniyorum. Bazen de Rafferty beni arabayla götürüyor ve North End'de öğle yemeği için duruyoruz ya da erken bir akşam yemeği ve Roam dondurması için; şayet Rafferty işe dönmek zorunda değilse.

Acı çekiyorum. Eva için. Gerçek annem Emma ve başına gelen

her şey için. Ve Lyndley için. Acımla oturmam istendi benden, onu hissetmek için. Bu zor. Zaman zaman alevleniyor; ancak hiçbir şey hissetmemeye o kadar alıştım ki sanki başka birisine oluyormuş gibi acının kendisi bile uzak artık. Ama uğraşıyorum.

Evi satmaktan vazgeçtim. Bunu yapamam, henüz değil. Nedenlerimin birkaçı pratik. Evin bir kanadı yangında gitti. Ancak çok az kısmının yok olması şaşırtıcı, yangının kuvveti ve genişliği düşünüldüğünde. Aşağı yukarı evin çeyreği tahrip olmuş, çay salonunun da içinde olduğu kısmı. Onu restore etmesi için bir mimar tuttum, Peabody Essex Müzesi'nin önerdiği biri. Şayet Salem kasabasını, tünelleri doldurmamaya ikna edebilirlerse, onları restore etmekle de çok ilgileniyorlar. Çin işi biblolar müzeye bağışladım. Diğerlerinin icabına bakacağız. Şimdilik Bizy ve ben garajda yaşıyoruz. Bir şeye ihtiyacımız olduğunda ana binaya gidip geliyoruz; ancak sıcak olan o küçük evde uyuyoruz; Bizy'nin alışkın olduğu mağaralara benziyor daha çok.

May'in duruşması için burada kalmalıyız. Gelecek yıl bir ara yapılacak, muhtemelen ilkbaharda.

Ann'i birkaç kez gördüm. Eva'nın çay salonunu tekrar açmak istiyor; ancak başka bir yerde, şehir merkezinde ticari bir bölgede. O ve kızları, dantel falına bakmaya başladı.

Terapimin bir parçası olarak resim yapmaya başladım. *Ay'a Doğru Yüzmek* tablosunu yaptığım yıl Eva'nın benim için kurduğu ressam sehpasında uzun saatler oturuyorum. Limanı ve Common Parkı'nın resmediyorum. Bazen çiçekleri yapmaya çalışıyorum. Bütün doktorların hemfikir olduğu bir nokta varsa o da hiç yeteneğimin olmadığı. Ancak denemeye devam etmem konusunda beni teşvik ediyorlar; yeteneğin içeride bir yerde olduğunda ısrarlılar, tıpkı Lyndley'in benim içimde olduğuna inandıkları gibi. Bu yüzden oturuyorum.

Hava soğuyor. Yarın Cadılar Bayramı. Bütün ay boyunca korku treni, turistleri getirerek Boston'dan Salem'e gelip durdu; böylece makinistler için yılın en yoğun zamanına dönmüştü bu dönem. Canavar kıyafetleri içindeki insanlar, banliyö trenlerindekilere karışık içecekler servis ediyor. Oturup bazen onları seyrediyorum ve serbest girişim hakkında düşünüyorum, ne kadar yaratıcı olabileceğini. Ma ve Pa perili köşkleri yılın bu vakitlerinde her köşeden çıkıverir; onları sınırlayan bir yasa olmadan. O kanun çıkmamıştı. Rafferty'nin de söylediği aynı sebepten kabul edilmemişti: Kendileri yapmasaydı da sonunda Kalvinistler batacaktı. Onlar başarısız oldu çünkü Salem, sonunda hoşgörü kasabası haline geldi –dini, sosyal ve hatta ekonomik. Belki kusursuz barışı sağlayamıyor. Günümüz dünyasında böyle bir şeyi hayal etmek zor. Ama sonunda Salem, kendini çok ciddiye almayan bir kasaba artık; çünkü önceden, 1600'lerde de öyle yaptığında neler olabileceğini öğrendi.

Limuzinler, Hawthorne Oteli'nin önünde dizilmeye başladı çoktan. Cadılar Balosu bu gece. Resmi bir balo ve bunun güzel bir olay olduğunu öğreniyorum Ann'den, onların toplumsal sezonlarının parlak taşıymış Cadılar Bayramı.

Caddenin karşısında Common Parkı'nda, üç bin tane balkabağı var, hepsi oyulmuş ve aydınlatılmış, yaya kaldırımlarına dizilmiş ya da ağaç dallarında oturuyor. Görülecek bir şey bu. Birkaç gün önce, hava çok ısındı, bir ya da iki gün boyunca seksen dereceye ulaştı ve Rafferty, balkabaklarının Cadılar Bayramı'na kadar çürüyeceğinden ve kızının onları görme şansını yakalayamayacağından endişelendi. Ama sonra hava tekrar soğudu, böylece Rafferty'nin üzülmesine gerek kalmadı. Kızının dantel falına baktırmak istediğini söyledi bana; daima bir tane istemişti. Kızı Eva'yı tanımıyor, buraya olan gezilerinden birinde Eva'nın levhasını görmüş ve geleceğinin kendisine anlatılmasının eğlenceli olabileceğini düşünmüştü.

Jack'i çok düşünüyorum. Buradan taşındı, her zaman yaşamak istediği yer olan Kanada'ya. Ve Eva'yı düşünüyorum. Cal'ı bile düşünüyorum, onu affetmeyi. Bunun olması gerektiğini biliyorum. Okuduğum her kitap bana bunu söylüyor, Dr. Ward gibi. Her bağışlama kendini affetmedir. Dr. Ward'ın söylediği buydu. Ancak nasıl affedeceğimi henüz bilmiyorum. Ya da sonunda kimin gerçekten affedilmesi gerektiğini de.

Beezer ve Anya bir süredir burada kalıyorlar. Hâlâ Cambridge'de yaşıyorlar; ancak buraya yardım etmek için geldiler. Anya, sandığımdan daha hoş. Çocuk sahibi olmak istiyorlar. May bu düşünceden dolayı çok heyecanlı. Büyükanne olmak istiyor. Anneliğine kıyasla bunda daha iyi olacağını söylüyor. Beezer ise bunun uzak olmadığını belirtiyor; ancak ben bilmiyorum. May, Beezer'a iyi bir anneydi, ona ihtiyacı olan her şeyi vermişti. Ve kendi annem bana annelik yapamıyorken –artık bir anne gibi davranamayacak kadar zayıf ve yaralı iken– benim için de iyi bir anne olmuştu May.

Emma'nın neler olduğunu bilip bilmediği konusunda bir fikrim yok. Ya da beni kızı olarak tanıyıp tanımadığından bile haberim yok. Bazen öyle olduğunu düşünüyorum; ama emin olamıyorum. Onu tanıyor olmam benim için yeterli. Hâlâ hayatta olması, anladıkça kendi dünyasında sonunda mutlu olduğunu söyleyebilirim. Bize yetenekler bahşedilmiş, bunu fark ediyorum. Küçük olanlar ve büyükleri.

Sonunda günlüklerimi okuyorum. Ve Eva'nın yazdığı kitabı: *Dantel Falı Rehberi*. Sayfalarını ayırırken, onun soluk elini buluyorum. Her sayfa, başka bir sırrı ortaya çıkarıyor, tıpkı çocukken limon suyundan kaybolur mürekkep yapıp, fal bakmak için onu ampulün üstüne döktüğümüz gibi. Bu kitabı yenilemek için elimden gelenin en iyisini yapıyorum, kendi el yazımı onunkinin üzerine yayıyorum. Kitaptaki boşluklar, benimkilere benziyor ve tıpkı kendi geçmişimi doldurmaya uğraştığım gibi bu sayfaları da doldurmaya çalışıyorum. Yavaş ilerliyor. Uzun bir süreç. Gelen uzun kış için iyi bir iş.

Çalışırken, tuhaf bir şeyi fark ediyorum. Kalemim, Eva'nınki üzerinde hareket ettikçe ve sayfadaki kelimeler koyulaşıp okunması daha kolay oldukça, bendeki Eva imgesi solmaya başlıyor. Sanki bu ikisi bir şekilde yerlerini takas etmişti; biri öne çıkarken, diğeri arkaya kaçıyordu.

Yine de Eva ziyaretime geliyor ara sıra. Bugün, bir şeyi içeri alırken, eski merdivenin yukarısında Eva'yla karşılaşıyorum. Aşağıya iniyor. Mayosunu ve bonesini giymiş, omzundan aşağıya bir havlu sarkıyor. Hâlâ bunu yapıyor, yüzmeye gidiyor. Onu gördüğüm tek zaman bu. Artık konuşmuyor. Ve görüntüsü silik. Yanımdan geçerken, her zamanki gibi gülümsüyor ve sonra daima yaptığı diğer şeyi yapıyor. Sanki bir şey arıyormuş gibi ceplerini kontrol ediyor.

Elimdekileri, Eva'nın odasına bırakıyorum. Şimdi benim odam burası. Biraz yorgunum. Sayvanlı yatakta sadece bir dakika uzanmaya karar veriyorum, hızlı bir uyku veya rüya görmek için. Artık rüyalarım yüzünden endişelenmiyorum; kâbuslar sona erdi. Eva'nın ölmeden önce bana gönderdiği dantel yastığı, diğer yastıklara dayanmış, duruyor.

Uzanabilmek için o yastığı alıp, komodinin üstüne koyuyorum. Ve Eva'nın ceplerini kontrol edişini düşünüyorum. Dantel yastığındaki cebi hatırlıyorum; daha önce onu kontrol etmiştim. Yastığı aldığım gün bir not bulmayı umarak ona bakmıştım; not olmadığını görünce şaşırmıştım. İlk başta bir şey kaçırmış olabileceğimi düşünerek tekrar kontrol ediyorum yastığı; belki ceplerini yoklarken Eva'nın bana anlatmaya çalıştığı şey bu. Ancak cep boş. Ve sonra kafamda tekrar onu görüyorum. Diğer cebini kontrol ediyor. Bir iki. Her şey ikili. Ancak geleneksel olarak bu yastık dantellerinin sadece bir cebi olurdu. Bunu biliyorum. Öğrenmiş olduğum bir şeydi bu. Yine de yastığı her yöne çeviriyorum, büzgülü tarafına, diğer ucuna, ikinci cebi buluyorum. İçinde, çocukluğumdan tanıdığım küçük bir makas var; Eva'nın saç örgümü kestiği makas. Ayrıca notu da buluyorum.

Sevgili Towner:

Bunu yapıyorum. Ay'a doğru yüzüyorum. Kız kardeşinin uzun zaman önce başladığı şeyi bitireceğim. Geçmişe ait helezonunun dışında sana başka nasıl yardım edebileceğimi düşünemiyorum; sadece bu –Ay'a doğru yüzeceğim. Kız kardeşinin yapamadığını senin için yapacağım. Senin yerini alacağım.

Uzun ve mutlu bir hayat sür... Ve yeteneğine güven. O gerçek.

Eva

Uzun süre ağlıyorum. Sonunda gözyaşlarımı sildiğimde, makası alıp, yastıktan danteli kesip serbest bırakıyorum onu. Işığa tutuyorum danteli, çılgın desenlerini döndürerek ve bütün bakış açılarından ona bakıp, tüm kusurlarını görerek.

Ve sonra, örgümü kestiği vakit, uzun yıllar önce bana söylediği aynı kelimeleri söylüyorum Eva'ya. Belki de önceden doğru değildi bu ya da hep öyleydi. Ama şimdi doğru. Ona söylediğim kelimeler, uzun zaman önce onun bana söylediği aynı kelimeler: *Büyü bozuldu. Özgürsün.*

Yazarın notu

Dantel Falı, kurgu bir eserdir. Yine de kitapta kullanılan yerler doğru ve yerleşim birimleri gerçekte bulunmaktadır. Ancak yerleşim birimlerinin birkaçı, gerçek yerlerin kurgusal tahminidir. Sarı Köpek Adası gerçekte yoktur; ama coğrafyası ve arazi bilgisi, bir zamanlar çalıştığım yer olan Children Adası'nınkine oldukça benzemektedir. Eva'nın evi, Salem'de satın almayı düşündüğümüz ve sonunda aldığımız ev ile büyükannemin Salem'de değil de Swampscott'da olan evinin bir derlemesi. Eva'nın bahçeleri, tarihi Ropes Konağı'nın bahçelerinden esinlenilmiştir. Danteli kesip, serbest bırakmak, Ipswich dantelcilerinin yapmadığı bir şeydir; çünkü iplikler iğneler etrafında örülür. Danteli yapmak için kullanılan asıl ipliği keserseniz, bu, danteli söküp, parçaya zarar verecektir. Eva, işi güvenli bir şekilde yerinde tutmak için danteli yastığa tutturma tekniğini icat etmiştir. Bu, dikiş iğnesi ve sonradan kesilebilecek olan ayrı bir iplikle yapılırdı.

Kitabın zaman çerçevesi konusunda biraz özgür davrandım. Genel olarak 1996 yılında kurulu kitap; ancak Salem'e ait benzer yıllardaki ilginç detayları da kattım kitaba: Parktaki balkabakları, arkadaşlığın gelişimi vb. Genel olarak tarihi olaylar belirtilirken, kurgusal anlatımın bütünlüğü korundukça, bu olayların mümkün olduğu kadar doğru olarak sunulması için çaba sarf edildi. (Yani bu bir roman, tarih kitabı değil.)

Asla ahlaka aykırı bir hareketten ötürü kürsüsünden kaldırılma tehlikesiyle karşılaşmayan ve bunun düşüncesiyle bile şüphesiz dehşete düşecek olan Roger Conant'a özürlerimi sunuyorum.

Ve Salem Limanı'nın yakınında hiç fare görmedim (hatta Salem'in hiçbir yerinde).

Dantel Falı hakkında daha fazla bilgi için

İnternet sitesi: Yazarın organizasyon planları, genel bilgiler, Salem hakkında arka plan bilgisi, Eva'nın dantel falı yöntemi, tartışmalar ya da soru ve yorumlarınızı göndermek için www.LaceReader.com'u ziyaret ediniz.